M A S T

GREEK

HEAR IT · SPEAK IT · WRITE IT · READ IT

Developed for the
**FOREIGN SERVICE INSTITUTE,
DEPARTMENT OF STATE**
by Serge Obolensky,
Panagiotis S. Sapountzis,
and Aspasia Aliki Sapountzis

BARRON'S
New York/London/Toronto/Sydney

Cover design by Milton Glaser, Inc.

This course was developed for the Foreign Service Institute, Department of State, under the supervision of Serge Obolensky by Panagiotis S. Sapountzis and Aspasia Aliki Sapountzis.

The title of the original course is <u>Greek Basic Course</u>.

This edition published in 1988 by Barron's Educational Series, Inc.

All inquiries should be addressed to:
Barron's Educational Series, Inc.
250 Wireless Boulevard
Hauppauge, New York 11788

Paper Edition

International Standard Book No. 0-8120-3987-4

A large part of the text of this book is recorded on the accompanying tapes, as follows:

Unit	Tape		Unit	Tape
Unit 1	Tape 1A		Unit 14	Tape 7A
Unit 2	Tape 1A		Unit 15	Tape 7B
Unit 3	Tape 1B		Review	Tape 7B
Unit 4	Tape 2A		Unit 16	Tape 8A
Unit 5	Tape 2B		Unit 17	Tape 8B
Review	Tape 2B		Unit 18	Tape 9A
Unit 6	Tape 3A		Unit 19	Tape 9B
Unit 7	Tape 3B		Unit 20	Tape 10A
Unit 8	Tape 4A		Review	Tape 10A
Unit 9	Tape 4B		Unit 21	Tape 10B
Unit 10	Tape 5A		Unit 22	Tape 11A
Review	Tape 5A		Unit 23	Tape 11B
Unit 11	Tape 5B		Unit 24	Tape 12A
Unit 12	Tape 6A		Unit 25	Tape 12A (part) and Tape 12B
Unit 13	Tape 6B		Review	Tape 12B

Preface

This course in <u>Mastering Greek</u> is part of a series being offered by Barron's Educational Series. If you are a serious language student, this course will provide you with the opportunity to become truly fluent in modern Greek.

This is one of the famous language courses developed by the Foreign Service Institute of the United States. These courses were designed to train United States Government representatives who need to be able to communicate clearly and accurately in a foreign language.

<u>Mastering Greek</u> provides an excellent opportunity for you to learn Greek on your own, studying at your own pace. In addition, these tapes are ideal for students who are studying modern Greek in a school and would like to supplement their classroom work with additional practice in the spoken language.

TABLE OF CONTENTS

GREECE

CONIC PROJECTION

SCALE OF MILES

0   25   50   75   100   125   150

SCALE OF KILOMETERS

0   25   50   75   100   125   150

Capitals of Countries _____ ☆
Administrative Centers _____ △

© Copyright HAMMOND INCORPORATED, Maplewood, N.J.

Longitude East of Greenwich

INTRODUCTION

Greek is the official language of the present-day kingdom of Greece. More than 95 percent of its population are native speakers of Greek. Other languages spoken in Greece are those of small minorities: Turkish, Bulgarian, Serbian, Sephardic (spoken mainly in Thessaloniki by the descendents of Jews formerly residing in Spain and Portugal), Albanian and some others.

Outside the limits of Greece Greek is spoken in the neighboring islands, such as Bozca Ada and Imbroz (Turkey), Cyprus, as well as in surrounding countries, e.g. southern Albania, southern Yugoslavia, Bulgaria and Turkey (Istanbul). It is also spoken by large Greek communities in the Americas (U.S.A., Canada, Argentina, Brazil), and in Europe, Africa and Australia.

Like English, Greek belongs to the large Indo-Hittite (Indo-European) family of languages, and it spread over the Balkan peninsula sometime during the second millenium B.C.

Ancient Greek appears to have been divided into four main groups of dialects: Arcadian-Cypriotic, Dorian, Aeolian and Ionian-Attic. Beginning in the 4th century B.C. the Ionian-Attic dialect spread all over the Greek-speaking territories while other dialects began to decline and then disappear completely in the first centuries of the Christian era.

Modern Greek presents a rather complex linguistic picture. On the one hand, this language is the result of a normal linguistic evolution from the older Greek; on the other hand, intense nationalistic sentiments during certain periods of Greek history have preserved intact many morphological, syntactic and lexical elements of archaic Greek. As a result there are two broad types of language used in modern Greece: the "popular," or dhimotiki, and the "formal," or katharevusa. The former is the everyday language of the people, containing loan words from other languages which have been incorporated into the Greek language in the course of later Greek history. "Dhimotiki" is primarily a spoken language, that of Greek songs and ballads, and does not have a fixed orthography, but is largely used by modern writers of poetry and fiction.

The latter, (katharevusa) is a conscious and artificial return to older Greek, and is taught in schools and used for official purposes and, in a more or less "pure" form, by newspapers.

Since the 2nd century B.C. the Greeks have disputed among themselves about their language. At that time literary men scorned colloquial usage, consciously imitating the classical style in their works. The schism has continued to our day.

Finally, a kind of compromise form, drawing unsystematically from both "dhimokiki" and "katharevusa," has evolved. This mixture of the two, called in this course "kathomilumeni" - that is, "everyday language" - has now become the standard speech of Greece.

Not all standard speakers of modern Greek, however, can be assumed to use the same mixture of katharevusa or dhimotiki elements in their speech. The ratio may vary not only from speaker to speaker, but also may depend on the situation in which the speaker uses the language. Thus the same speaker may use the extreme variety of dhimotiki while buying things at a marketplace and then switch to the extreme katharevusa when addressing a university professor.

The general trend is toward dhimotiki, which is the normal "informal" language, but katharevusa in its various degrees of "purity" continues to be used as the official language in government work (Parliament, courts, radio broadcasts, etc.).

Differences in style are even more conspicuous in the written language. Besides government or other public announcements, documents, official correspondence, etc., all public signs in towns and villages are written in katharevusa. For example, the word for fishing shop in everyday language is "psarádhiko," but the sign over the store says "ikhthiopolíon;" the word for grocery store is "bakáliko" but the sign says "pandopolíon," etc.

As far as the press is concerned, the conservative newspapers are written in katharevusa; those oriented towards the center, in kathomilumeni; and those of the extreme left, in the extreme and sometimes rather artificial dhimotiki.

This Course

The Greek described in this course is representative of the kathomilu-meni variety, i.e. that of the "standard" speech of educated Greeks. As the influences from the other styles of Greek on the natural speech of an educated person vary according to the speaker and thus create a great variety of "correct" utterances, both the most common dhimotiki and katha-revusa forms are represented in the Basic Dialogues and Grammatical Notes. At the same time, the use of extreme dhimotiki, or "overpure" katharevusa, is carefully avoided.

This course consists of 25 units. After every five units there is a Review consisting of a Narrative, which is based on the vocabulary of pre-vious units. In addition, the Review Units have Review Drills in which the student is supposed to supply proper forms of given words.

The following parts may be found in each Unit:

Basic Dialogue	Sample Drills
Response Drill	Substitution Drills
Useful Words	Transformation Drills
"Polite" Expressions	Correlation-Substitution Drills
Narrative	Response Exercise
Grammatical Notes	

Basic Dialogues and Response Drills are found in each unit. Narratives begin with Unit 2. The occurrence of other parts may vary.

Use of This Course

1. Basic Dialogues

Most Basic Dialogues consist of 10 sentences. In more advanced units the dialogue may be divided into two or three parts of 10 to 14 sentences.

By repetitious listening to the tapes in conjunction with reading along in the text, the student will learn the correct spelling, grammar and pronunciation of each dialogue. Each dialogue can be listened to as often as is necessary until the student is confident that he or she has learned to speak it correctly and with ease, and is ready to move on to the next unit.

2. Response Drills

Response drills consist of questions and answers based on the dialogue
and narrative situations, and are divided into "Response Drill A" referring
to the dialogue and "Response B" referring to the narrative. One "real"
situation is given by the dialogue and another one by the narrative. The
answers to the questions are, therefore, predictable, and the student is
supposed to know them. For example, if it appears from the dialogue that
the restaurant is just across the street from the movie theatre, the
student must accept it as a "real" fact and say so when answering the
question "Where is the restaurant?"

In the first 15 units the answers to the questions in the Response
Drills are given with the drills. Beginning with Unit 16 response drills
contain only questions and the student is supposed to formulate the answers
in his own words, but his answers must be pertinent to the given situation.
From Unit 16 on, the Response Drills take the form of a free conversation
based on the facts given by the dialogue or the narrative.

3. Useful Words and "Polite Expressions"

These are included in the course to further broaden the student's
vocabulary.

4. Narrative

The narrative presents in expository style either a situation similar
to that represented in the Basic Dialogue, or a situation related to it,
with broader vocabulary.

The narratives in Units 2 through 5 are presented both in transcription
and in the Greek writing system. In subsequent narratives the transcrip-
tion is omitted.

5. Sample Drills

These are to be treated in the same way as the sentences of Basic
Dialogues.

6. Substitution, Transformation and Correlation-Substitution Drills

These are to be used in accordance with the instructions given at the
beginning of each drill.

7. Response Exercises

Response Exercises occur at the very end of each unit. The questions of these exercises are not necessarily related to any particular unit. Gradually, as the student's vocabulary increases, these questions become of more general character. The purpose of a Response Exercise is to induce the student into a free conversation within the scope of his vocabulary.

In Units 2, 3, and 4 all possible answers to the questions are given. All these answers should be drilled in the same way as the sentences of the Basic Dialogues.

Beginning with Unit 5 these exercises consist of questions only, and the student is supposed to be able to answer the questions by himself.

Any answer given by the student is considered correct if it is appropriate and is good Greek.

GLOSSARY

At the end of this volume there is an alphabetical list of all the vocabulary items that have been introduced.

Following each verb is a number indicating the unit in which the other forms of the verb are listed.

SYMBOLS USED IN THE BASIC DIALOGUES AND IN THE GRAMMATICAL NOTES

On the English side, parentheses and quotation marks are used together (" ") when a more literal translation is given in addition to the ordinary English equivalent.

Brackets ([ ]) are used to indicate words in the English equivalent which do not have an equivalent in Greek.

Parentheses ( ) indicate words which are in the Greek but not in a normal English equivalent.

The English side is not a literal translation of the Greek, but what English speakers ordinarily say in such a situation. The use of parentheses and brackets as explained above should make the situation clear in each case.

On the Greek side, parentheses are used to indicate sounds which are sometimes omitted. Alternate pronunciation of the same word or alternate words are given after a slant line /.

In the Grammatical Notes, slant lines / / are used to set off Greek sounds, words, phrases or sentences in transcription within an English text.

Symbols used in the Basic Dialogues and in the

Grammatical Notes.

On the English side, parentheses and quotation marks are used together ('   ')
when a more literal translation is given in addition to the ordinary English equivalent.

Brackets [   ] are used to indicate words in the English equivalent which do not
have an equivalent in Greek.

Parentheses (   ) indicate words which are in the Greek but not in a normal English
equivalent.

The English side is not a literal translation of the Greek, but what English
speakers ordinarily say in such a situation. The use of parentheses and brackets as
explained above should make the situation clear in each case.

On the Greek side, parentheses are used to indicate sounds which are sometimes
omitted. Alternate pronunciation of the same word or alternate words are given after a
slant line /.

In the Grammatical Notes, slant lines /   / are used to set off Greek sounds, words,
phrases or sentences in transcription within an English text.

Tape 1A

Unit 1

Basic Dialogue

Καλημέρα σας.	kaliméra sas.	Good morning ('your good day').
Καλησπέρα σας.	kalispéra sas.	Good afternoon. or Good evening. ('your good afternoon/ evening').
Καληνύχτα σας.	kaliníxta sas.	Good night. (said on parting).
Χαίρετε.	xérete.	Hello. or Good bye.
Γειά σου.	yá su.	Hi.
πῶς	pós	how
εἶσθε/εἶστε	ísθe/íste	you are
Πῶς εἶσθε;	pós ísθe?	How are you?
καλά	kalá	well
εὐχαριστῶ	efxaristó	thanks ('I thank')
καί	ké	and
ἐσεῖς	esís	you
κι'ἐσεῖς;	kesís?	and you?
Καλά εὐχαριστῶ, κι'ἐσεῖς;	kalá efxaristó kesís?	I'm fine, thanks, and you?
Ναί. ἤ Μάλιστα.	né. or: málista.	Yes.
Ὄχι.	óxi.	No.
Παρακαλῶ	parakaló.	Please. or You're welcome. ('I beg').

Ἀριθμοί	ariθmí	Numbers
ἕνα	éna	one
δύο	ðío	two

τρία	tría	three
τέσσερα	tésera	four
πέντε	pénde	five
ἔξι	éksi	six
ἑπτά/ἑφτά	eptá/eftá	seven
ὀκτώ/ὀχτώ	októ/oxtó	eight
ἐννέα/ἐννιά	enéa/enyá	nine
δέκα	ðéka	ten

Grammatical Notes

Note 1.1.   Transcription used in this course.

Modern Greek is written in Greek letters inherited from ancient Greek. The spelling
is to a large extent historical and is therefore not consistent on a number of points.
In order to make it easier for the student the first 10 units of this course are written
both in Greek characters and in transcription. Beginning with the unit 11 everything is
in Greek script and the transcription is used only occasionally in grammatical notes.

The transcription used here is an adaptation of Latin letters for most sounds and
Greek letters for a few. It is not stricltly speaking a 'phonetic' transcription. For
example the letter /x/ stands for one sound before /a,o,u/ and for another sound before
/e,i/. Since the pronunciation is predictable on the basis of where it occurs, a single
letter may be used for both sounds.

The transcription used in this course consists of the following letters and other
symbols:

Vowels: a, o, u, e, i

Consonants:

    Voiceless: p, t, θ, k, s, f, ts, x

    Voiced: b, d, ð, g, z, v, dz, γ, r, l, m, n, y

The accent mark /´/ indicates the loudest syllable in a phrase or sentence and /`/
indicates a less loud ('secondary') stress. The weak stress is unmarked. A word said
in isolation (as in the build-ups) will regularly have a primary stress /´/. In a sentence
this may be replaced by secondary /`/ or even by weak stress (unmarked). The stress in Greek

falls always on one of the last three syllables of a word.

There are three types of phrase endings (or: 'junctures') in Greek: /,/ /?/ and /./ (the special signs for these are /|/, /‖/ and /#/ respectively).

These punctuation marks are not used in the same way or with the same values as in either English or Greek ordinary spelling. The system used here assigns specific values to the punctuation marks.

The comma /,/ indicates that the intonation pattern preceding it is characterized by a raised pitch of the last stressed syllable of the phrase.

A period /./ is used to indicate the end of a phrase accompanied by falling pitch. It may or may not correspond to a period either in Greek or in English spelling.

A question mark /?/ indicates a rising pitch in questions.

Questions in Greek may be divided into two categories:

1) Questions which begin with a question word (such, for example, as 'who', 'when', 'where', 'how', etc.), e.g. 'Where are you going?' 'What did he say?' etc.

2) Questions without question words (usually beginning with a verb in Greek) such as, 'Are you going there?' 'Did he say that?', etc.

The highest pitch in questions of the first category is on the question word, falling gradually to the last syllable.

Questions of the second category have the highest pitch on the stressed syllable of the last word.

The pitch levels are of course, not absolute, but are high or low relative to each other.

Stress (which is loudness) and pitch (which is height of tone) must be carefully distinguished. Since the loudest syllable is often the highest in pitch, there is frequently a tendency to confuse the two.

Very special attention must be paid to the intonation of each Greek sentence. It should never be treated as if it were an English sentence. The punctuation marks will help the student to say things correctly; but only careful listening, and imitation as well as constant and persistent drill will give him a correct pronunciation.

Note 1.2. Vowels.

There are five vowel sounds in Greek:

Transcription	Nearest English Sound Description	Examples
/i/	Somewhat like i of machine, but higher, tenser and without the glide of that vowel. Tedhnically: a high front unrounded vowel [i].	kiría, kóri, iríni, ístera
/e/	Like e of let. Technically: a (higher) mid front unrounded vowel [e].	eðó, kerós, étimos, méros
/a/	Somewhat like a in father, but much shorter if unstressed. Technically: a low unrounded vowel [a].	kalá, ána, parakaló, potámi
/o/	Much like o of cloth. Technically: a higher-mid rounded back vowel [o].	eðó, óra, póros, efxaristó
/u/	Somewhat like oo in boot or u in rude, but higher, tenser, and without the w glide of English. Technically: a high back rounded vowel [u].	kunó, kulúri, kalú, ualía

Pronunciation Drills

G.D.1.2

i/

kírios	peðí
iðrótas	íkaros
efimeríða	iméra
aθína	ðío
korítsi	mía

/e/

leoforío	θélete
éprepe	miδén
pérno	éna
patátes	neró
pénde	éla

/a/

tría	óra
δéka	árostos
kalá	aδelfí
mamá	patéras
páme	míra

/o/

óra	aftós
pónos	mikrós
kormí	sofós
ónoma	ómikron
akóma	ólos

/u/

pú	urá
kutós	usía
kunó	úte
puló	kalú
uranós	uδéteros

Note 1.3. Consonants

Transcription	Nearest English Sound Description	Examples
/b/	Like b of bob. Technically: a voiced bilabial stop [b].	boró, bambás, bukáli béno, bíka

Transcription	Nearest English Sound Description	Examples
/d/	Like d of dot but with the tongue touching the teeth. Technically: a voiced dental stop [d]	díno, kondá, pandú, pandófles
/f/	.Like f in fond. Technically: a voiceless labiodental spirant [f].	fáo, falakrós, fóros fufú, fílos, felós
/g/	Like g in got. Rare except after /ŋ/ as in finger. Technically: a voiced dorso-velar stop [g].	gremnós, grínya ángelos, ángira, ánglos
/k/	Like c of cot but without the strong puff of breath. Fronted before /i/ and /e/. Technically: a voiceless dorso-velar stop [k].	kóta, káno, kúpa ké, kírios
/l/	May be like l of like (before /o,u, a/), fronted before /e/ and /i/ (with some speakers almost like ly before /i/). Technically: a voiced apico-dental lateral [l].	láði, lulúði lostós, lekés, leksikó líma, lipón, liɣmós, limáni, lituryía
/m/	Like m of mop; may be fronted (towards mʸ) before /i/. Technically: a bilabial nasal [m].	máθima, mákros, móxθos mikrós, míra, méno
/n/	Like n of now before /a,o,u/, fronted before /e/ and /i/. Technically: an apico-dental nasal /n/.	naós, nonós, nús néos, nisí, níxta

Transcription	Nearest English Sound Description	Examples
/p/	Like p of pod but without the strong puff of breath. Technically: a voiceless bilabial stop [p].	potíri, parakaló, puθená píno, pernó
/r/	Usually a single flap or tap of the tongue against the ridge behind the upper teeth. Technically: an alveolar flap [r¹].	rómi, óra, rúxo, rávo, póros korítsi, revíθi
/s/	Like s of seal. Technically: a voiceless apico-dental spirant [s].	sámos, súla, sovarós ísya, áse, ísixos
/t/	Like t of tot but without the strong puff of breath, and with the tongue touching the teeth. Technically: a voiceless apico-dental stop [t].	tínos, poté, táksis
/v/	Like v of veal. Technically: a voiced labio-dental spirant /v/.	vevéos, vázo, vunó víxas, vórios
/x/	Made by friction of air passing through as tongue is in position for /k/. Before /a,o,u/ (or before consonants followed by one of these vowels) the sound is back, like German ch of ach, doch, before /e,i/ (or consonants followed by one of these vowels) the sound is front, more like ch in German ich. Technically: a voiceless dorso-velar spirant [x].	xará, xorós, xúfta oxtó, xtapóδi ximónas, xérete, xθés, ixθís

Transcription	Nearest English Sound Descpription	Examples
/z/	Like z of zeal. Technically: a voiced apico-dental spirant [z].	zó, pézo, zíte, záxari zumí
/γ/	Made by friction of air passing through as tongue is in position for /g/. (It is a voiced counterpart of /x/). Technically: a voiced dorso-velar spirant [γ].	aγorá, aγápi, áγuros, γráma, γnostós
/ð/	Like th of then. Technically: a voiced apico-dental slit spirant [ð].	eðó, ðadí, ðúlos ðíxti, ðéndro, ðipsó, ðeksiá
/θ/	Like th of thin. Technically: a voiceless apico-dental slit spirant [θ].	anáθema, θálasa, θélos ∂ukiðíðis, θisavrós.
/ts/	Like ts in nets. Technically: a voiceless apico-dental affricate [c].	korítsi, tsiméndo, tsáy tsuváli, tsiγáro
/dz/	Like ds in friends. Technically: a voiced apico-dental affricate [z].	kafedzís, dzídzikas
/y/	Like y in yeast. Technically: a palatal glide [j].	nyáta, peðyá, xálya, pyó, kyáto, yinéka, pyíte, alíθya, yeorγós, yítonas, yatrós, yéros, áyios, ya

Note 1.4. Writing System.

The Greek alphabet consists of 24 letters:

Letter		Transcription	Name of letter	
			in Greek:	in transcription:
α	A	/a/	ἄλφα	/álfa/
β	B	/v/	βῆτα	/víta/
γ	Γ	/γ/	γάμ(μ)α	/γáma/
δ	Δ	/ð/	δέλτα	/ðélta/
ε	E	/e/	ἔψιλον	/épsilon/
ζ	Z	/z/	ζῆτα	/zíta/

Letter		Transcription	Name of letter	
			in Greek:	in transcription:
η	Η	/i/	ἦτα	/íta/
ϑ	Θ	/θ/	θῆτα	/θíta/
ι	Ι	/i/	γιῶτα/ ιῶτα	/yóta/
κ	Κ	/k/	κάπ(π)α	/kápa/
λ	Λ	/l/	λάμ(β)δα	/lámda/
μ	Μ	/m/	μῖ/μῦ	/mí/
ν	Ν	/n/	νῖ/νῦ	/ní/
ξ	Ξ	/ks/	ξῖ	/ksí/
ο	Ο	/o/	ὄμικρον	/ómikron/
π	Π	/p/	πῖ	/pí/
ρ	Ρ	/r/	ρό/ρῶ	/ró/
σ ς	Σ	/s/	σίγμα	/sígma/
τ	Τ	/t/	ταῦ	/táf/
υ	Υ	/i/	ὔψιλον	/ípsilon/
φ	Φ	/f/	φῖ	/fí/
χ	Χ	/x/	χῖ	/xí/
ψ	Ψ	/ps/	ψῖ	/psí/
ω	Ω	/o/	ὠμέγα	/oméga/

Remarks

1) Sequences of letters

Following sequences of letters are used to represent a single sound:

a) Vowels:

Sequence of letters	Sound	Examples		
ου	/u/	λουλούδι	/lulúði/	'flour'
αι	/e/	ὀνομάζεται	/onomázete/	'it is called'
ει, οι, υι	/i/	εἰρηνικοί	/iriникí/	'peaceful'
		υἱοθετῶ	/ioθetó/	'I adopt'
		υἱός	/iós/	'son'

* Used in final position only

b) Consonants

   In word initial position:

Sequence of letters	Sound		Examples	
μπ	/b/	μπορῶ	/boró/	'I can'
ντ	/d/	ντύνω	/díno/	'I dress'
γκ	/g/	γκρεμνός,	/gremnós/	'precipice'

   After vowels the combinations μπ, ντ, γκ usually stand for the sequences /mb/, /nd/, /ŋg/ respectively, e.g.

λαμπρός	/lambrós/	'bright'
ἄντρας	/ándras/	'man'
ἐγκρίνω	/eŋgríno/	'I approve'

   The pronunciation /mp/, /nt/, /nk/ occurs when the combinations μπ, ντ, γκ are followed by a voiceless consonant, mainly in foreign loanwords.

   The combination γγ occurs only in the middle of the word and represents the sound /ŋg/ of English 'finger', 'longer' etc. e.g. ἄγγελος /ángelos/ 'angel'.

   The sound /ts/ and /dz/ are represented in Greek orthography by τσ (-τς in final position) and τζ respectively, e.g. τσιγάρο /tsiɣáro/ 'cigarette' τζίτζικας /dzídzikas/ 'cicada'.

   The combination -γχ-in the middle of the word corresponds to the sound /nx/, e.g. συγχωρεῖτε /sinxoríte/ 'excuse!'.

   c) Vowel+Consonant

   The combinations αυ and ευ stand for /av/ and /ev/ before vowels and voiced consonants, e.g. αὐγό /avɣó/ 'egg', αὔρα /ávra/ 'breeze', εὐημερία /evimería/ 'prosperity', and for /af/ and /ef/ before voiceless consonants, e.g. αὐτοκίνητο /aftokínito/ 'car', εὐτυχία /eftixía/ 'happiness', εὐχαριστῶ /efxaristó/ 'thank you'.

   2) Gemination

   The gemination (doubling) of consonants occurs only in script, not in speech.

   All double consonants represent single sounds, e.g. ἄλλος /álos/ 'other', ἀλλαγή /alayí/ 'change', Ἄννα /ána/ 'Ann'.

   3) Accents

   There are three accents: the acute accent /´/, the grave accent /`/, and the circumflex accent /~/.

4) 'Breathing'

The signs /'/ and /'/ traditionally called 'breathings' are written above all initial vowels combinations. These signs have no meaning in modern Greek.

5) Other Signs

The apostrophe /'/ is used to indicate the loss of a vowel, e.g. τ'αὐτοκίνητο /taftokínito/ 'the car', ν'ἀνεβῶ   /nanevó/ 'so that I go up'.

The diaeresis /¨/ is written on ι or υ to indicate that the combination of ι or υ represents either a diphthong (when ι or υ are unstressed), e.g. ἄϋπνος /áipnos/ 'sleepless' or two separate vowel sounds (when ι or υ are stressed), e.g. πρωΐ /proí/ 'morning'.

The 'subscript' /ͺ/ is a sign written under some vowels without affecting the pronunciation, e.g. νὰ δώσῃ /na ðósi/ 'so that he give'.

6) Punctuation

The punctuation signs are identical in Greek and English except for the question mark and the semicolon.

The question mark in Greek is /;/ and the semicolon is /·/.

Note 1.5 Phonology: Assimilation of vowels.

kalà efxaristó, kesís?   Fine, thank you, and you?

When a word ending in a vowel is follow ʰ by one beginning with the same vowel, one of the vowels is assimilated, thus /ke/+/esís/ = /kesís/.

Similar vowel assimilation occurs with certain other combinations of vowels (see later units).

Unit 2

Basic Dialogue

Μέ συγχωρεῖτε.	me sinxoríte.	Excuse me.
ποῦ	pú	where
εἶναι	íne	(he, she, it) is,(they) are
ἡ πρεσβεία	i prezvía	(the) embassy
Ποῦ εἶναι ἡ πρεσβεία;	pú ín(e) i prezvía?	Where is the Embassy?
δεξιά	ðeksiá	right, to the right, on the right
'Η πρεσβεία εἶναι δεξιά.	i prezvía, íne ðeksiá.	The Embassy is on the right.
τό προξενεῖο	to proksenío	(the) consulate
μακρυά	makriá	far
ἀπό/ἀπ'	apó/ap	from
ἐδῶ	eðó	here
ἀπ'ἐδῶ	apoðó	from here
Εἶναι τό προξενεῖο μακρυά ἀπ'ἐδῶ;	íne to proksenío makriá, apoðó?	Is the Consulate far from here?
Μάλιστα, εἶναι.	málista. íne.	Yes, it is.
ἀριστερά	aristerá	left
ὁ σταθμός	o staθmós	(the) station
Εἶναι ὁ σταθμός ἀριστερά;	ín(e) o staθmós aristerá?	Is the station on the left?
δέν	ðén	not
"Οχι, δέν εἶναι.	óxi. ðén íne.	No, it is not.

κατ'εὐθεῖαν	katefθían	straight
μπροστά	brostá	in front
κατ'εὐθεῖαν μπροστά	katefθían brostá	straight ahead
Ὁ σταθμός εἶναι κατ'εὐθεῖαν μπροστά.	o staθmós, íne katefθían brostá.	The station is straight ahead.
πάρα	pára	very
πολύ	polí	much
Σᾶς εὐχαριστῶ πάρα πολύ.	sas efxaristó pára polí.	Thank you very much.

Narrative

Ὁ σταθμός εἶναι κοντά.	o staθmós íne kondá.	'near by'
Τό προξενεῖο εἶναι κοντά, ἀλλά ἡ πρεσβεία εἶναι μακρυά.	to proksenío íne kondá, alá i prezvía íne makriá.	'but'
Ὕστερα.	ístera	'then', 'afterwards', 'after'

'Η πρεσβεία δέν εἶναι πολύ μακρυά ἀπ'τό προξενεῖο. Εἶναι κοντά, ἀλλά ὁ σταθμός εἶναι μακρυά. Εἶναι δεξιά κι'ὕστερα κατ'εὐθεῖαν μπροστά. Τό προξενεῖο, ὁ σταθμός κι'ἡ πρεσβεία εἶναι πολύ μακρυά ἀπ'ἐδῶ.

i prezvía, ðén íne polí makriá apto proksenío. íne kondá, alá o staθmós, íne makriá. íne ðeksiá, kístera katefθían brostá. to proksenío o staθmós ki prezvía,íne polí makriá apcðð.

Response Drill

kaliméra sas, pós ísθe?	kalà efxaristò kesís?
me sinxoríte. pú ín(e) i prezvía?	i prezvía íne ðeksiá.
íne to proksenío makriá apoðò?	málista, to proksenío íne polí makrià apoðò.
ín(e) o staθmòs aristerá?	óxi, ðén íne.
pú íne?	o staθmòs íne katefθían brostà.
ín(e) i prezvía aristerá?	óxi, i prezvía íne ðeksiá.
íne to proksenío eðò kondá?	óxi, to proksenío íne makriá apoðò.
ín(e) i prezvía ke to proksenío kondá?	óxi, i prezvía ke to proksenío íne polí makrià.

Grammatical Notes

Note 2.1 Verb: 'is', 'isn't', 'are', 'aren't'.

Εἶναι ὁ σταθμός ἀριστερά;	ín(e) o staθmòs aristerá?	Is the station on thé left?
῎Οχι, δέν εἶναι.	óxi, ðén íne.	No, it isn't.
Ὁ σταθμός κι'ἡ πρεσβεία	o staθmòs ki prezvía íne	The station and the Embassy
εἶναι πολύ μακρυά.	polí makrià.	are very far.

The above examples illustrate the use of the Greek equivalent to the English verb 'be' in the 3rd person singular or plural (affirmative and negative).
Thus:

Εἶναι   /íne/ means either (he, she, it) is or they are

and δέν εἶναι /ðén íne/ means either (he, she, it) isn't or they aren't

Note 2.2 Phonology: Palatalization

/kaliníxta sas/	'good night'	/óxi/	'no'
/málista/	'yes'	/to proksenío/	'(the) consulate'

These examples illustrate some 'palatalized' consonants, i.e. consonants made with the tongue in a similar position to that in saying y in English.

The following consonants are palatalized (more or less, depending on speaker) when followed by the sound i: /l/, /m/, /n/. Consonants /k/ and /x/ are <u>always</u> palatalized before the sounds i and e.

Examples:

/kírios/, /kíros/, /kítos/, /ke/, kerós/, kefáli/

/limáni/, /páli/, polí/

/mikrós/, /míkos/, /mílos/

/méni/, /kéni/, /zóni/

/ximónas/, /xílos/, /xína/, /xérete/, /xéli/, /xelóna/.

All consonants are palatalized before /y/, e.g.

/nyáta/, /nyós/, /xyóni/

/paxyá/, /lyánizma/, /lyópesi/, /pyó/

/kyo staθmós, ìne ðeksiá/, /pyíte/

/kyaristerá/, /i mayá/

/to mayó/, /anipsyú/, /arnyéme/

When /m/ occurs before /yá/ or /yó/ the resulting combination of sounds is /mn^{y}á/ or /mn^{y}ó/ respectively (i.e. the combination of /m/ with a very palatalized /n/ and /a/ or /o/), e.g.

/mn^{y}á/, /mn^{y}ázo/, kamn^{y}á/, /kamnyóri/, etc.

Note 2.3 Noun: Gender - Definite Article.

Εἶναι ὁ σταθμός ἀριστερά;	ín(e) o staθmòs aristerá?	Is the station on the left?
Ποῦ εἶναι ἡ πρεσβεία;	pú ín(e) i prezvìa?	Where's the embassy?
Εἶναι τό προξενεῖο μακρυά ἀπ'ἐδῶ;	ìne to proksenío, makriá apo ðó?	Is the Consulate far from here?

Greek nouns fall into three groups with regard to gender: masculine, feminine and neuter. Do not be deceived by these labels into believing that gender is a matter of sex. You can see from the examples above ('station', masculine; 'Embassy', feminine; 'Consulate', neuter) that gender is a grammatical feature of nouns (a question of their shapes) rather than a semantic feature (determined by their meanings). The best way to put it is: there are three groups of nouns in Greek, and for the most part, you cannot determine what group a noun belongs to by considering what the noun means.

As in English there are two kinds of articles in Greek: definite ('the') and indefinite ('a').

The definite articles are underlined in the examples above. Thus ὁ /o/ is the masculine definite article, ἡ /i/ the fiminine, and τό /to/ the neuter difinite article. (The indefinite article is discussed in Note 3.2).

Greek nouns may have various endings, e.g. -ος /-os/, -ας /-as/, or -η /-i/, -α /-a/, -o /-o/, etc.

In Modern Greek the form of a noun offers some degree of predictability as to its gender, e.g. almost all nouns ending in -o /-o/(-ον /-on/ in Katharevusa) are neuter; a great number of nouns ending in -α /-a/ are feminine;

Most animate nouns ending in -η /i/ are fiminino, whereas inanimate nouns ending in -ι /i/ are neuter. (It should be noted that feminine nouns ending in /-i/ are spelled -η whereas neuter nouns ending in /-i/ are spelled -ι regardless of whether they are animate or inanimate).

The majority of nouns (but not all) ending in -ος/-os/ are masculine.

However, the gender of a great number of nouns cannot be predicted at all from their endings. The student, therefore, is advised to learn the articles with the nouns. In this Course the article is regularly given whenever a new noun is introduced as a build-up, e.g. ὁ σταθμός /o staθmós/.

Note 2.4 Phonology: Assimilation of /-e/ in the word /ke/ 'and'

kesís	'and you'
kístera	'and then'
kvo staθmós	'and the station'

When the word /ke/ is followed by a word which begins with a vowel the assimilation patterns are as follows:

/ke/+/e/=/ke/, e.g. /kesís/ (/ke/+/esís/)

/ke/+/i/=/ki/, e.g. /kístera/ (/ke/+/ístera/)

/ke/+/a/=/kya/, e.g. /kyaristerá/ (/ke/+/aristerá/)

/ke/+/u/=/kyu/, e.g. /kyudépote/ (/ke/+/udépote/)

/ke/+/o/=/kyo/, e.g. /kyo staθmós/ (/ke/+/o staθmós/).

Pronunciation Drills

/_/

lulúδi	kliδí
lemós	lotaría
liɣáki	palmós
kalá	travlós
láma	sklirós

/r/

róδa	pernó
rúmeli	arxízo
arnáki	práɣma
stréma	feδrós
pórosis	rómi

/x/

xará	merarxía
xéri	árxondas
xóra	axinós
xíra	sixí
ráxi	áxiro

/ɣ/

ɣámos	meɣálos
yorɣóna	áɣuros
ɣuri	aɣápi
aɣorá	ɣnósis
aɣóri	ɣlikós

/δ/

oδós	ekδromí
δráma	siδiróδromos
δóti	paraδíno

peðí   ðéndro

ðáða   ðulyá

/θ/

θeós   arθrítis

θavmásja   írθa

θíela   enθusiazmós

anáθema   θálasa

árθro   áθos

Grammatical Drills

Sample Drills

G.D.2.1

o staθmòs ineðó.   ineðò o staθmós?

i prezvía ineðó.   ineðò i prezvía?

to proksenío ineðó.   ineðò to proksenío?

o staθmòs ki prezvía ineðó.   ineðò o staθmòs ki prezvía?

o staθmòs ke to proksenío ineðó.   ineðò o staθmòs ke to preksenío?

o staθmós, i prezvía ke to proksenío, ineðó.   ineðò o staθmòs, i prezvía ke to proksenío?

pú ín(e) o staθmòs?   o staθmòs ine ðeksiá.

pú ín(e) i prezvía?   i prezvía íne ðeksiá.

pú ín(e) to proksenío?   to proksenío íne ðeksiá.

pú ín(e) o staθmòs ki prezvía?   o staθmòs ki prezvía, íne ðeksiá.

pú ín(e) o staθmòs i prezvía ke to proksenío?   o staθmòs i prezvía ke to proksenío, íne ðeksiá.

o staθmòs ín(e) aristerá.   o staθmòs ine katefθían brostá.

i prezvía ín(e) aristerá.   i prezvía íne katefθían brostá.

to proksenío ín(e) aristerá.   to proksenío íne katefθían brostá.

o staθmòs ki prezvía ín(e) aristerá.   o staθmòs ki prezvía íne katefθían brostá.

o staθmòs i prezvía ke to proksenío, ín(e) aristerá.   o staθmòs i prezvía ke to proksenío, íne katefθían brostá.

ineðó, o staθmós?   málista, íne./ óxi, ðén íne.

ineðó, i prezvía?   málista, íne./ óxi, ðén íne.

ineðó, to proksenío?   málista, íne./ óxi, ðén íne.

ineðó, o staθmós, i prezvía ke to   málista, íne./ óxi, ðén íne.
  · proksenío?

Response Exercise

kaliméra sas, pós ísθe?   kalà efxaristó/ kalà efxaristó, kesís?

me sinxoríte. pú ín(e) i prezvía?   i prezvía íne ðeksiá/ íne katefθían brostá/
                                         ín(e) apoðó, aristerá/ íne ðeksiá/ íne polí
                                         makriá apoðó.

íne to proksenío makriá apoðò?   óxi, ðén íne/ to proksenío ín(e) eðò kondá/
                                         málista, to proksenío íne polí makrià apoðò

ín(e) o staθmòs aristerá?   málista, íne/ óxi, ðén ín(e) aristerà, íne
                                         katefθían brostá/ óxi, íne ðeksiá, kístera
                                         katefθían brostá.

pú ín(e) o staθmòs?   ín(e) eðò kondá/ íne pára polí makrià apoðo.

ín(e) i prezvía aristerá?   málista íne/ óxi, ðén ín(e) aristerá. íne
                                         ðeksiá.

íne to proksenío eðò kondá?   málista, íne/ óxi íne makriá apoðò.

ín(e) i prezvía ke to proksenío kondá?   i prezvía íne kondá, alà to proksenío íne
                                         makriá/ óxi, íne pára polí makriá apoðò.

End of Tape 1A

Tape 1B

Unit 3

Basic Dialogue

κανένα	kanéna (neuter form)	any, some, nobody, none
καλό	kaló (n.)	good
τό ξενοδοχεῖο	to ksenoδoxío	(the) hotel
Εἶναι κανένα καλό ξενοδοχεῖο ἐδῶ κοντά;	íne kanèna kalò ksenoδoxío eδò kondá?	Is there a ('any') good hotel around here?
ἕνα	éna (n.)	one
τό χιλιόμετρο	to xilyómetro	(the) kilometer
Ναί, εἶναι ἕνα, ἕνα χιλιό- μετρο μακρυά ἀπ'ἐδῶ.	né, íne(e) èna, èna xilyómetro makrià apoδó.	Yes there is one, a kilometer (far) from here.
ἀκριβό	akrinó (n.)	expensive
Εἶναι ἀκριβό;	íne(e) akrinó?	Is it expensive?
φτηνό	ftinó (n.)	reasonable, cheap
ἔχει	éxi	he (she, it) has
ὡραῖα	oréa (n.pl.)	beautiful, nice
μεγάλα	meɣála (n.pl.)	large
τό δωμάτιο	to δomátio	(the) room
τά δωμάτια	ta δomátia	(the) rooms
"Οχι, εἶναι φτηνό κι'ἔχει ὡραῖα καί μεγάλα δωμάτια.	óxi, íne ftinó, kèxi orèa ke meɣála δomàtia.	No, it is reasonable and has nice (and) large rooms.
ὑπάρχει	ipárxi	there is, there exists
ἐπίσης	epísis	also
τό ἐστιατόριο	to estiatório	(the) restaurant
Ὑπάρχει ἐπίσης ἕνα καλό	ipàrxi epísis èna kalò	Is there also a good restaurant

ἐστιατόριο ἐδῶ κοντά;	estiatório eðð kondà?	nearby?
μικρό	mikró (n.)	small
Μάλιστα, εἶναι ἕνα μικρό	málista, íne èna mikrò	Yes, there is a small, but
ἀριστερά, ἀλλά πολύ καλό.	aristerá, alà polí kalò.	very good one, on the left.
τί	tí	what
ἡ ὥρα	i óra	(the) hour
Τί ὥρα εἶναι;	tí òra íne?	What time is it?
Εἶναι δύο.	íne ðío.	It's two o'clock.
τό λεωφορεῖο	to leoforío	(the) bus
Ποῦ εἶναι τό λεωφορεῖο;	pú íne to leoforío?	Where is the bus?
Τό λεωφορεῖο εἶναι δεξιά.	tc leoforio íne ðeksiá.	The bus is on the right.

Narrative

Τό μπάνιο εἶναι μικρό.	to bányo íne mikró.	'(the) bath(room)'
Ὑπάρχει ἕνα δωμάτιο μέ	ipárxi èna ðomátio me	'with'
μπάνιο.	bányo.	
Ἤ	í	'or'
Δύο χιλιόμετρα	ðío xilyómetra	'kilometers'
Τό ἄλλο ξενοδοχεῖο δέν εἶναι	tc àlo ksenoðoxìo ðén íne	'other' (n.)
καλό, ἀλλ'αὐτό εἶναι πολύ καλό.	kalò, alà aftó, íne polí kalò.	'this (n.)'
Μία καλή καί μεγάλη ταβέρνα	mia kalì ke meγàli tavérna,	'a good and big tavern'
εἶναι ἐδῶ κοντά.	ineðò kondá.	

Ἕνα ξενοδοχεῖο εἶναι κατ'εὐθεῖαν μπρο-
στά. Εἶναι ἕνα χιλιόμετρο μακρυά ἀπ'
ἐδῶ. Εἶναι φτηνό, ἀλλά ἔχει ὡραῖα καί
μεγάλα δωμάτια μέ μπάνιο. Ἔχει ἐπίσης
ἕνα καλό ἐστιατόριο. Ἕνα ἤ δύο χιλιό-
μετρα μακρυά ἀπ'ἐδῶ εἶναι ἕνα ἄλλο καλό
ξενοδοχεῖο. Κι'αὐτό ἔχει πολύ ὡραῖα
καί μεγάλα δωμάτια, ἀλλά εἶναι καί
πολύ ἀκριβό. Ἐδῶ κοντά εἶναι ὁ σταθ-

èna ksenoðoxío, íne katefðìan brostá. ìn(e)
èna xilyónetro makrià apoðò. íne ftinó,
alà èxi orèa ke meγàla ðomàtia me bányo.
èxi epìsis èna kalò estiatòrio. èna í ðío
xilyòmetra makrià apoóð, ìn(e) èna álo kalò
ksenoðoxìo. kyaftò èxi polí orèa ke meγàla
ðomàtia. alà íne κe polí akrivò. eðò kondá,

μός. Ὁ σταθμός ἔχει ἕνα πολύ καλό ἐστιατόριο. "Εχει ἐπίσης καί μία καλή ταβέρνα. Τό ἐστιατόριο δέν εἶναι μεγάλο, εἶναι μικρό καί φτηνό, ἀλλά ἡ ταβέρνα εἶναι πολύ μεγάλη.

ín(e) o staθmós. o staθmós, èxi èna polí kalò estiatòrio. èxi epìsis ke mìa kalì tavérna. to estiatório, δén ìne meγàlo, ìne mikró ke ftinó, alà i tavérna, ìne polí meγàli.

ariθmí

ἕντεκα/ἕνδεκα	éndeka/énδeka	eleven
δώδεκα	δόδeka	twelve
δεκατρία	δekatría	thirteen
δεκατέσσερα	δekatésera	fourteen
δεκαπέντε	δekapénde	fifteen
δεκαέξι	δekaéksi	sixteen
δεκαεφτά/δεκαεπτά	δekaeftá/δekaeptá	seventeen
δεκαοχτώ/δεκαοκτώ	δekaoxtó/δekaoktó	eighteen
δεκαεννέα	δekaenéa	nineteen
εἴκοσι	íkosi	twenty

Response Drill

pú ìn(e) èna ksenoδoxío?
èna ksenoδoxío, ìn(e) èna xilyómetro makrià apoδò.

èxi meγàla kyorèa δomátia?
málista, èxi meγàla ke polí orèa δomàtia.

ìne ftinó?
málista, ìne ftinó.

èxi estiatório?
né, èxi èna kaló estiatòrio.

pú ìn(e) èna álo ksenoδoxío?
èn(a) álo ksenoδoxío, ìn(e) èna i δío xilyómetra makrià apoδò.

èxi aftò orèa ke meγàla δomátia?
málista, aftò èxi orèa ke meγàla δomátia, me bányo.

ìn(e) akrivó aftò to ksenoδoxío?
málista, ìn(e) akrivó.

pú ìn(e) o staθmós?
o staθmòs ineδò kondá.

èxi o staθmòs estiatório?
málista, o staθmòs èxi èna kaló estiatòrio.

ìn(e) aftò to estiatòrio meγàlo kyakrinó?
óxi. aftò tó estiatòrio ìne mikró ke ftinó.

<u>ariθmí</u>

ðèka ke pènde ðekapénde.

enèa ke tésera ðekatría.

oktò ke tría éndeka.

ðekaèksi ke tésera íkosi.

ðòðeka ke eksi ðekaoktó.

ðekatría ke ðío ðekapénde.

ðekatèsera kèna ðekapénde.

ðekaenèa kèna íkosi.

oktò kyoktò ðekaéksi.

eptà kyenyà ðekaéksi.

èndeka kyèksi ðekaeptá.

ðòðeka kyeptà ðekaenéa.

ðekaoktò ke ðío íkosi.

Grammatical Notes

Note 3.1 Adjective: Gender and Agreement.

Εἶναι κανένα καλό ξενοδοχεῖο ἐδῶ κοντά;	íne kanèna kaló ksenoðoxío eðò kondá?	Is there a good hotel around here?
Εἶναι ἀκριβό;	íne akrivó?	Is it expensive?
"Οχι, εἶναι φτηνό.	óxi. íne ftinó.	No, it's reasonable.
Εἶναι ἕνα μικρό ἀριστερά, ἀλλά πολύ καλό.	íne èna mikrò aristerá, alà polí kalò.	There is a small, but very good one on the left.
Μία καλή καί μεγάλη ταβέρνα.	mía kalí ke meγàli tavérna.	A good and big tavern.

These sentences illustrate the use of adjectives, which have different endings for each of the three genders.

Adjectives which modify nouns 'agree' with them in gender. In καλό ξενοδοχεῖο' /kalò ksenoðoxío/, the noun is neuter, and the afjective has neuter ending, in καλή ταβέρνα   /kalì tavérna/ the noun is feminine, and the adjective has a feminine ending.

Adjectives which refer to a noun also 'agree' with the noun, as εἶναι ἀκριβό
/ine akrivó?/ ὄχι, εἶναι φτηνό   /óxi, ine ftinó/, both referring to the neuter noun
ξενοδοχεῖο   /ksenoδoxío/.

There are several different classes of adjectives, according to their endings. The
most frequent is that which has -ος /-os/ in the masculine, -η /-i/ in the feminine, and
-ο /-o/ in the neuter, e.g.

	M.		F.		N.	
φτηνός	/ftinós/	φτηνή	/ftiní/	φτηνό	/ftinó/	'cheap'
καλός	/kalós/	καλή	/kalí/	καλό	/kaló/	'good'
μεγάλος	/meγálos/	μεγάλη	/meγáli/	μεγάλο	/meγálo/	'big'
μικρός	/mikrós/	μικρή	/mikrí/	μικρό	/mikró/	'small'

An other adjective class is represented by:

ὡραῖος   /oréos/   ὡραία   /oréa/   ὡραῖο   /oréo/ 'beautiful'

Nearly all adjectives with stems ending in a vowel (as in /oré-os/) are of this type.

Two adjectives ἕνας /énas/ 'one' and κανένας /kanénas/ 'any, some' have the
following forms:

	M.				F.			N.	
ἕνας	/énas/	μία	/mía/ or	μιά	/mnᵞá/	ἕνα		/éna/	
κανένας	/kanénas/	καμμία	/kamía/or	καμμιά	/kamnᵞá/	κανένα		/kanéna/	

Other classes of adjectives will be discussed in later units.

Beginning with Unit 4 the three forms (masculine, feminine and neuter) of all
adjectives will be given in the build-ups as follows:

καλός, -ή, -ό	kalós, -í, -ó	'good'
μεγάλος, -η, -ο	meγálos, -i, -o	'big'
ὡραῖος, -α, -ο	oréos, -a, -o	'beautiful' etc.

Some adjectives with stems ending in /k/ may have an alternate feminine form in/-yá/, e.g.
κακός   /kakós/'bad'; femin.: κακή   /kakí/ or κακιά   /kakyá/.

Note 3.2. Indefinite Article

The adjective ἕνας, μία/μιά, ἕνα   /énas/, /mía/ or /mnᵞá/, /éna/'one' is also

25

equivalent to the English indefinite article ('a', 'an'):

	M.	F.	N.
ἕνας σταθμός	/ènas staθmós/ μία ὥρα /mía òra/	ἕνα δωμάτιο /èna δomátio/
	or μιά ὥρα /mɲá òra/	
	'a station'	'an hour'	'a room'
	'one station'	'one hour'	'one room'

The indefinite article occurs only with singular nouns.

Note 3.3. Noun: Definite Article. Plural

   τά δωμάτια   /ta δomátia/   'the rooms'

This example illustrates the plural form τά /ta/ of the neuter definite article τό /to/.

The definite article forms you have encountered up to here can be summarized as follows:

	Sg.		Pl.	
Masculine	ὁ	/o/	οἱ	/i/
Feminine	ἡ	/i/	οἱ	/i/
Neuter	τό	/to/	τά	/ta/

Grammatical Drills

Sample Drills

G.D.3.1

ipárxi èna kaló ksenoδoxìo eδò kondá?	ìne kanèna meɣàlo ksenoδoxìo eδò kondá?
ipárxi èna kaló estiatòrio eδò kondá?	ìne kanèna meɣàlo estiatòrio eδò kondá?
ipárxi èna kaló δomàtio eδò kondá?	ìne kanèna meɣàlo leoforìo eδò kondá?
ipárxi èna kaló leoforìo eδò kondá?	ìne kanèna meɣàlo δomàtio eδò kondá?
ipárxi kanèna mikrò ksenoδoxìo eδò kondá?	ìne kanèna orèo ksenoδoxìo eδò kondá?
ipárxi kanèna mikrò estiatòrio eδò kondá?	ìne kanèna orèo estiatòrio eδò kondá?
ipárxi kanèna mikrò δomàtio eδò kondá?	ìne kanèna orèo δomàtio eδò kondá?
ipárxi kanèna mikrò leoforìo eδò kondá?	ìne kanèna orèo leoforìo eδò kondá?

íne kamnyà kalí tavèrna eðò kondá?

íne kamnyà mikrí tavèrna eðò kondá?

íne kamnyà meɣàli tavèrna eðò kondá?

íne kamnyà orèa tavèrna eðò kondá?

íne kanènas kalòs staθmòs eðò kondá?

íne kanènas meɣàlos staθmòs eðò kondá?

íne kanènas mikròs staθmòs eðò kondá?

íne kanènas orèos staθmòs eðò kondá?

'Yes' or 'No' Questions ans Answers

íne kanènas kalòs staθmòs eðò kondá?

málista, ín(e) ènas eðò kondà.

óxi, ðèn íne kanénas eðò kondà.

íne kanènas meɣálos staθmòs eðò kondá?

málista, íne ènas eðò kondà.

óxi, ðèn íne kanénas eðò kondà.

íne kanènas mikròs staθmòs eðò kondá?

málista, ín(e) ènas eðò kondà.

óxi, ðèn íne kanénas eðò kondà.

íne kanènas orèos staθmòs eðò kondá?

málista, ín(e) ènas eðò kondà.

óxi, ðèn íne kanénas eðò kondà.

íne kamnyà kalí tavèrna eðò kondá?

málista, íne mìa eðò kondà.

óxi, ðèn íne kamía eðò konda.

íne kamnyà meɣàli tavèrna eðò kondá?

málista, íne mìa eðò kondà.

óxi, ðèn íne kamía eðò kondà.

íne kamnyà ftiní tavèrna eðò kondá?

málista, íne mìa eðò kondà.

óxi, ðèn íne kamía eðò kondà.

íne kamnyà orèa tavèrna eðò kondá?

málista, íne mìa eðò kondà.

óxi, ðèn íne kamía eðò kondà.

íne kanèna kalò estiatòrio eðò kondá?

málista, ín(e) èna eðò kondà.

óxi, ðèn íne kanéna eðò kondà.

íne kanèna ftinò estiatòrio eðò kondá?

málista, ín(e) èna eðò kondà.

óxi, ðèn íne kanéna eðò kondà.

íne kanèna mikrò estiatòrio eðò kondá?

málista, ín(e) èna eðò kondà.

óxi, ðèn íne kanéna eðò kondà.

íne kanèna orèo estiatòrio eðò kondá?

málista ín(e) èna eðò kondà.

óxi, ðèn íne kanéna eðò kondà.

íne kanènas orèos ke meɣàlos staθmòs eðò kondá?

málista, ín(e) ènas eðò kondà.

óxi, ðèn íne kanénas eðò kondà.

íne kamnyà mikrí orèa ke ftiní tavérna

   eðò kondá?

íne kanèna meγàlo orèo ke ftinò estiatòrio

   eðò kondá?

málista, íne mía eðò kondà.

óxi, ðèn íne kamía eðò kondà.

málista, ín(e) èna eðò kondà.

óxi, ðèn íne kanéna eðò kondà.

Correlation-Substitution Drills

   Substitute the words in parentheses for the underlined word (or words) of the sentences and change the forms of articles and adjectives as necessary to agree with the noun substituted.

G.D.3.1

o mikròs staθmòs íne kondá.

(tavérna)

o meγàlos staθmòs ín(e) aristerá.

(leoforío)

i mikrí tavèrna íne katefθían brostá.

(staθmós)

i orèa prezvía ín(e) aristerá.

(ksenoðoxío)

to meγàlo estiatòrio íne ðeksiá.

(staθmós)

to ftinò ksenoðoxío íne katefθían brostá.

(tavérna)

o mikròs ke orèos staθmòs ín(e) aristerá.

(tavérna)

i meγàli ke orèa prezvía íne katefθían brostá.

(staθmós)

to orèo ke ftinò leoforío íne ðeksiá.

(ðomátio)

to meγàlo ke orèo bányo ineðó.

(ksenoðoxío)

o meγàlos ke orèos staθmòs íne ðeksiá.

(prezvía)

G.D. 3.2

ipàrxi èna kalò ksenoðoxío eðò kondá?

(tavérna, ðomátio, staθmós)

íne kanèna meγàlo ksenoðoxío eðò kondá?

(estiatório, leoforío, staθmós, tavérna)

ipàrxi kanèna orèo ksenoðoxío eðò kondá?

(tavérna, estiatório, ðomátio)

Response Exercise

pú ín(e) èna kalò ksenoðoxio?

ena polí kalò ksenoðoxio, íne pénde xilyòmetra
makrià apoðò/ ín(e) eðò kondá/ íne pára
polí makrià/ ðén ipàrxi eðò kondà èna
kalò ksenoðoxio/ ín(e) éna, katefθían
brostá, alà ine pára poli akrivò/ ín(e)
éna, enèa xilyómetra makrià apto proksenio.

tí ðomàtia èxi?

èxi polí orèa ke meγàla ðomàtia/ èxi polí
orèa, alà polí mikrà ðomàtia/ èxi pára
polí kalà ðomàtia me bányo.

ine ftinó aftò to ksenoðoxio?

málista. íne polí ftinó/ óxi. íne pára polí
akrivò, alà ke pára polí kalò/ íne polí
ftinò, alà ðén íne kalò/ íne ftinó, alà
pára polí mikrò/ íne ftinó, ke kaló.

èxi estiatório?

málista, èxi èna polí meγàlo ke kalò
estiatòrio/ málista, èxi èna mikró, alà
íne polí kalò/ èxi éna, alà íne polí
akrivò/ èxi éna, alà ðén íne polí kalò/
ðén èxi estiatòrio, alà èxi mía meγáli
tavèrna.

pú ín(e) èna álo ksenoðoxio?

ín(e) énðeka xilyòmetra makrià apto
estiatório/ ín(e) aristerá apto leoforio/
ine ðeksiá apto estiatorio/ín(e) eðò kondá,
katefθian brostá, kístera ðeksià.

pú ín(e) o staθmós?

íne pénde xilyòmetra makrià apto kalò
ksenoðoxio/ íne pára polí makrià.

èxi o staθmòs estiatório?

óxi, alà èxi mía polí kalì tavèrna/ né,
èxi éna, alà ðén íne polí kalò.

tí òra íne?

íne mía/ pénde/ eptá/ ðéka/ ðóðeka.

pú ine to leoforio?

íne katefθian brostá /   ín(e) èksi
xilyómetra makrià apoðò.

End of Tape 1B

Tape 2A

Unit 4

Basic Dialogue

Τό πρόγευμα	to próyevma	'breakfast'
θέλω	θέlo	I want
θέλετε	θέlete	you want
τό φλυτζάνι	to flidzáni	(the) cup
τό τσάϊ	to tsáy	(the) tea
ὁ καφές	o kafés	(the) coffee
Θέλετε ἕνα φλυτζάνι τσάϊ ἤ καφέ;	θέlete êna flidzáni tsáy, í kafê?	Would you like ('do you want') a cup of tea or coffee?
ἡ ζάχαρη	i záxari	(the) sugar
τό λεμόνι	to lemóni	(the) lemon
Θέλω ἕνα τσάϊ μέ πολλή ζάχαρη καί λεμόνι.	θέlo êna tsáy, me polí zàxari ke lemòni.	I'd like tea with a lot of sugar and [a piece of] lemon.
ἐσεῖς	esís	you (pl. or polite sing.)
πίνω	píno	I drink
πίνετε	pínete	you drink
'Εσεῖς πῶς πίνετε τόν καφέ σας;	esís. pós pínete to(n) gafê sas?	[How about] you? How do you take ('drink') your coffee?
τόν πίνω	to(m) bíno	I drink it
σκέτος, -η, -ο	skétos, -i, -o	unsweetened, plain
χωρίς	xorís	without
τό γάλα	to γála	(the) milk
Τόν πίνω σκέτο καί χωρίς γάλα.	to(m) bìno skèto ke xorís γàla.	(I drink it) without sugar and without milk.

μήπως	mípos	by any chance, perhaps
ἔχω	éxo	I have
ἔχετε	éxete	you have
τό κουλούρι	to kulúri	(the) doughnut
τά κουλούρια	ta kulúrya	pl.
τό ψωμί	to psomí	(the) bread
τό βούτυρο	to vútiro	(the) butter
ἡ μαρμελάδα	i marmeláða	(the) marmalade

Μήπως ἔχετε κουλούρια, ἤ ψωμί μέ βούτυρο καί μαρμελάδα;	mípos éxete kulúrya, í psomí me vùtiro ke marmeláða?	Do you by any chance have doughnuts or bread and butter and [some] marmalade?

ἔχουμε	éxume	we have
ἡ φρυγανιά	i friyanyá	(the) toast
οἱ φρυγανιές	i friyanyés	pl.
τό μέλι	to méli	(the) honey

"Οχι ἀλλά ἔχουμε φρυγανιές καί μέλι. Θέλετε;	óxi, alá éxume friyanyès ke méli. θélete?	No, but we have toasts and honey. Do you want [them]?

διψῶ	ðipsó	I'm thirsty
τό ποτήρι	to potíri	(the) glass
κρύος, -α, -ο	kríos, -a, -o	cold
τό νερό	to neró	(the) water
πόσο	póso	how much
κάνω	káno	I make, I do
κάνουν	kánun	they make, they do

Ναί καί διψῶ. Θέλω ἕνα ποτήρι κρύο νερό. Πόσο κάνουν;	né, ke ðipsó. θélo èna potíri krìo neró. póso kánun?	Yes, and I'm thirsty. I'd like a glass of cold water. How much is it ('do they make')?

ἡ δραχμή	i ðraxmí	(the) drachma
οἱ δραχμές	i ðraxmés	pl.

τό πουρμπουάρ	to purbuár	(the) tip
'Εννέα δραχμές. Δέκα μέ τό πουρμπουάρ.	enēa ðraxmés. ðéka me to purbuár.	Nine drachmas. Ten with the tip.
ἀρχίζω	arxízo	I start, I begin
ἀρχίζει	arxízi	he (she, it) starts, begins
ὁ κινηματόγραφος	o kinimatóɣrafos	(the) movie
Τί ὥρα ἀρχίζει ὁ κινηματό-γραφος;	tí ðra arxízi o kinimatóɣrafos?	What time does the movie start?
σέ	se	at, in, to
στίς ὀκτώ	stis októ	at eight
κρῖμα	kríma	It's a pity!
διότι	ðióti	because
φεύγω	févɣo	I leave
γιά	ya	for
ἡ Πάτρα	i pátra	Patras
Στίς ὀκτώ. Κρῖμα, διότι στίς ἑπτά φεύγω γιά τήν Πάτρα.	stis októ. kríma, ðióti stis eptá févɣo ya ti(m) bátra.	At eight. That's too bad, as I'm leaving for Patras at seven.

Narrative

'Η Πάτρα εἶναι μακρυά ἀπ' τήν Ἀθήνα.	i pátra íne makriá aptin aθína.	'from Athens'
Καλό ταξίδι.	kaló taksíði	'trip'
Οἱ ταβέρνες δέν ἔχουν γάλα.	i tavérnes ðén éxun ɣála.	'taverns'
Αὐτό τό καφενεῖο εἶναι φτηνό.	aftó to kafenío íne ftinó.	'café'
Διψᾶτε πολύ;	ðipsáte polí?	'Are you very thirsty?'
Αὐτός θέλει καφέ.	aftòs θéli kafé.	'he/this'
Τό εἰσιτήριο εἶναι ἀκριβό.	to isitírio ín(e) akrinó.	'ticket'
Ἔχουν	éxun	they have

Πίνετε <u>πάντα</u> τσάϊ.   pínete <u>pánda</u> tsày.   'always'

Στίς ἑπτά φεύγω μέ τό λεωφορεῖο γιά τήν Πάτρα. 'Η Πάτρα εἶναι πολύ μακρυά ἀπ'τήν 'Αθήνα, ἀλλά τό ταξίδι εἶναι πολύ ὡραῖο. 'Η Πάτρα εἶναι πολύ μεγάλη. "Εχει ἑστιατόρια, ξενοδοχεῖα, ταβέρνες καί καφενεῖα. Θέλετε πρόγευμα; Τά καφενεῖα ἔχουν καφέ, γάλα καί τσάϊ. Μέ τό τσάϊ ἔχετε κουλούρια ἤ ψωμί καί φρυγανιές μέ βούτυρο καί μέλι ἤ μαρμελάδα. Διψᾶτε; Πίνετε ἕνα ποτήρι κρύο νερό. 'Η Πάτρα ἔχει κι'ἔναν μεγάλο κινηματόγραφο. 'Ο κινηματόγραφος αὐτός εἶναι πολύ ἀκριβός. Τό εἰσιτήριο κάνει ὀκτώ δραχμές κι' ἀρχίζει πάντα στίς ὀκτώ. 'Αλλά τί κρῖμα, διότι στίς ὀκτώ φεύγω γιά ταξίδι.

stis eptá, fèvyo me to leoforío ya ti(m) bátra. i pàtra íne polí makrià aptin aθína. alà to taksíδi íne polí oreo. i pàtra íne polí meyàli. èxi estiatória, ksenoδoxía, tavérnes ke kafenía. θèlete próyevma? ɩa kafenía èxun kafé, yála ke tsáy. me to tsáy èxete kulùrya í psomí ke friyanyés me vùtiro ke méli, í marmeláδa. δipsáte? pínete èna potíri krío neró. i pàtra èxi kèna meyálo kinimatóyrafo. o kinimatòyrafos aftós, íne polí akrivòs. to isitírio kàni októ δraxmès, kyarxìzi pánda stis oktò. alà tí krìma, διòti stis októ fèvyo ya taksíδi.

Response Drill

tí òra fèvyi to leoforío?   to leoforío fevyi stis eptá.

póso makrià, íne i pàtra aptin aθína?   i pàtra íne polí makrià aptin aθína.

íne to taksìdi oréo?   málista, totaksìdi íne polí oreo.

tí èxi i pàtra?   i pàtra èxi kafenía, estiatória, tavérnes ke ksenoδoxía.

tí èxun ta kafenìa?   ta kafenìa èxun kafé, yála ke kulùrya.

pós pìnete esìs to(n) gafé?   to(m) bìno skéto, ke xorís yàla.

èxun sta kafenìa kulùrya?   málista, éxun.

póso kànun o kafès to tsày kifriyanyés?   me to purbuár, kànun δéka δraxmès.

tí òra fèvyete esìs ya ti(m) bátra?   eyò fèvyo ya ti(m) bàtra stis eptá.

èxi i pàtra kinimatóyrafo?   málista, i pàtra èxi èna(n) bolí meyàlo kinimatòyrafo.

tí òra arxìzi o kinimatòyrafos?   o kinimatòyrafos arxìzi pánda stis oktò.

ìn(e) akrivós?   málista, íne polí akrivòs.

póso kàni èna isitìrio?   èna isitìrio kàni októ δraxmès.

Polite Expressions

Δέν μοῦ λέτε παρακαλῶ...	ðèn mu lète parakaló	Please tell me....
Χαιρετίσματα.	xeretízmata	Greetings.
Χρόνια πολλά.	xrònya polá	Many happy returns.
'Επίσης.	epísis	Same to you.
'Αντίο σας.	andío sas	Good-bye.
Καλό ταξίδι.	kalò taksíði	Have a nice trip!
Καλή ἀντάμωσι.	kalí andámosi	Good-bye till we meet again.
Συγχαρητήρια.	sinxaritíria	Congratulations.
Περαστικά σας.	perastiká sas	Get well soon.
Περᾶστε.	peráste	After you.
Στήν ὑγειά σας.	stin iyá sas	To your health.
"Αν ἔχετε τήν καλωσύνη...	àn èxete tin kalosíni...	Would you be so kind...
Μοῦ κάνετε μία χάρι.	mu kánete mìa xàri	Do me a favor.
Εὐχαρίστως.	efxarístos	Gladly.
Καλή ἐπιτυχία.	kalí epitixía	Good luck (for any undertaking).
'Ασφαλῶς.	asfalós	Certainly.

Grammatical Notes

Note 4.1 Phonology: Assimilation

/pós pìnete to(n) gafè sas?/	'How do you take your coffee?'
/to(m) bìno skéto/	'I take ('drink') it without sugar'.
/fèvγo ya ti(m) bátra/	'I'm leaving for Patras.'

The above examples show /n/ plus /k/ replaced by /ng/ (/ton kafé/=/ton gafé/ and /n/ plus /p/ replaced by /mb/ /ton píno/=/tom bíno/ and /tin pátra/=/tim bátra/).

Voiceless consonants /p/, /t/, /k/ become /b/, /d/, /g/ when preceded by /n/ in close sequence.

The consonant assimilation follows the following patterns:

/n/ + /k/ = /ng/	as in	/ènan gafé/ or /ena gafé/
/n/ + /p/ = /mb/	as in	/tom bíno/ or /to bíno/
/n/ + /t/ = /nd/	(e.g. /θèlo ènan deneké/ or /èna deneké/ for /θèlo ènan teneké/ 'I want a can').

Note 4.2 Pronoun: Personal pronouns.

Αὐτὸ εἶναι πολὺ ἀκριβό.   /aftò íne polí akrivò/   'it is very expensive'

Αὐτός θέλει καφέ.   /aftòs θèli kafé/   'he wants coffee'

    These are examples of pronouns 'it' and 'he'.

    A set of personal pronouns:

ἐγώ	/eγό/	I
ἐσύ	/esí/	you (familiar)
αὐτός	/aftós/	he
αὐτή	/aftí/	she
αὐτό	/aftó/	it
ἐμεῖς	/emís/	we
ἐσεῖς	/esís/	you (plural or polite sing.)
αὐτοί	/aftí/	they (masc.)
αὐτές	/aftés/	they (fem.)
αὐτά	/aftá/	they (neut.)

    Since the ending of the verb indicates the person of the subject, personal pronouns are much less used in Greek than they are in English. When they are used, they are slightly emphatic. Attention is drawn to the fact that this particular person is, or these particular persons are, doing something.

    It should be noted that the third person forms are also equivalent to English 'this' or 'that' (αὐτός,-ή,-ό /aftós, -í, -ó/), and 'these' (αὐτοί,-ές,-ά /aftí, -és, -á/).

Note 4.3 Verb Classes

    Greek verbs are referred to (and listed in dictionaries) in the form of the first person singular, present tense. Thus, for example, the verb 'want' is listed as θέλω /θélo/ ('I want'); 'leave' as φεύγω /févγo/ ('I leave'), etc.

    Beginning with Unit 5 all verbs occurring as build-ups will be listed in that form, but their English equivalents will be given as infinitives, e.g. ἀρχίζω /arxízo/ 'to start', etc.

    Greek verbs fall into three classes, according to the pattern of their inflection:

Class 1 - Verbs ending in unstressed -ω /-o/ in the first person singular, present tense.

(a). dissyllabic verbs, i.e. verbs which have two syllables in the first person singular

present, such as θέλω /θé-lo/ 'I want', πίνω /pí-no/ 'I drink', ἔχω /é-xo/
'I have', etc.

(b) polysyllabic verbs, i.e. verb which consist of more than two syllables in the first
person singular present, e.g. ἀρχίζω /ar-xí-zo/ 'I begin', etc.

Class II and Class III verbs and their subdivisions will be discussed in later units.

Note 4.4 Verb: Imperfective and Perfective stems.

Greek verbs have two stems: imperfective and perfective.

Verb forms containing an imperfective stem indicate that the action (or state) of the
verb is incomplete or is still continuing at a particular moment of time (past, present or
future).

Verb forms containing a perfective stem indicate that the action (or state) denoted by
the verb was or will be completed at a particular moment of time (past or future).

The imperfective stem is the stem of the verb in the present tense, i.e. the part of
the verb in the present tense which precedes the ending, e.g.

Present tense		Imperfective stem	
θέλω	θélo	θέλ-	θél-
ἔχω	éxo	ἔχ-	éx-
ἀρχίζω	arxízo	ἀρχίζ-	arxíz-
	etc.		

The perfective stem is the stem of the simple future form of the verb (see Unit 6.1).

Note 4.5 Verb: Present tense of Class I verbs.

Ἔχει ὡραῖα καί μεγάλα δωμάτια. éxi oréa, ke meγála ðomátia. It has nice (and) large rooms.

Θέλω ἕνα τσάι. θélo èna tsáy.   I want a [cup of] tea.

Πῶς πίνετε τόν καφέ σας; pós pínete to(n) gafè sas? How do you drink your coffee?

Μήπως ἔχετε ψωμί μέ βούτυρο; mípos èxete psomí me vútiro? Do you happen to have bread
                                                              and butter?

From these examples we see that the verb of the Greek verbal sentence always indicates
by its ending whether the subject or actor is 'I' (as in θέλω /θélo/ 'I want'), 'you'
(as in ἔχετε /éxete/ 'you want') or 'he, she, it' (as in ἔχει /éxi/ 'it has' or ἀρχί-
ζει /arxízi/ 'it starts'). All the above verbs belong to the Class I.

Other verbal endings of the present tense (Class I) are:

(1) a more familiar form for 'you' -εις /-is/

(2) the 'we' ending -ουμε /-ume/

(3) the 'they' ending -ουν /-un / or -ουνε /-une/

The complete present tense forms of these verbs are, then:

Singular

1p (I)	ἔχω	/éxo/	θέλω	/θélo/	πίνω	/píno/
2p	ἔχεις	/éxis/	θέλεις	/θélis/	πίνεις	/pínis/
3p (he, she, it)	ἔχει	/éxi/	θέλει	/θéli/	πίνει	/píni/

Plural

1p (we)	ἔχουμε	/éxume/	θέλουμε	/θélume/	πίνουμε	/pínume/
2p (you)	ἔχετε	/éxete/	θέλετε	/θélete/	πίνετε	/pínete/
3p (they)	ἔχουν	/éxun(e)/	θέλουν	/θélun(e)/	πίνουν	/pínun(e)/

	Singular		Plural	
1p	ἀρχίζω	/arxízo/	ἀρχίζουμε	/arxízume/
2p	ἀρχίζεις	/arxízis/	ἀρχίζετε	/arxízete/
3p	ἀρχίζει	/arxízi/	ἀρχίζουν(ε)	/arxízun(e)/

and the personal endings:

Singular		Plural	
-ω	/-o/	-ουμε	/-ume/
-εις	/-is/	-ετε	/-ete/
-ει	/-i/	-ουν(ε)	/-un(e)/

The present tense describes an action (or state) which either is going on at the moment of speech (I'm doing so-and-so') or takes place habitually ('I do so-and-so).

The verbs πίνω /píno/, ἀρχίζω /arxízo/, etc. may, therefore, mean both: 'I drink' and 'I'm drinking', 'I begin' and 'I'm beginning', etc.

Since the verbs in the present tense describe an incomplete action or state they are always based on the imperfective stem.

Note 4.6 Verb εἶμαι /íme/ 'to be' present tense.

'Η ὥρα εἶναι δύο.   i òra íne ðío.   It's two o'clock.

Ποῦ εἶναι τό λεωφορεῖο;   pú íne to leoforío?   Where is the bus?

The complete present tense forms of this verb are:

Singular		Plural	
εἶμαι	/íme/	εἶμαστε	/ímaste/
εἶσαι	/íse/	εἶσθε / εἶστε	/ísθe/ or /íste/
εἶναι	/íne/	εἶναι	/íne/

This verb does not belong to any of the verb classes and may be said to be 'irregular'.

Grammatical Drills
Sample Drills

G.D.4.2-6

eɣó èxo éna leoforío.

esí èxis ðío leoforía.

aftós èxi éna ksenoðoxío.

emís èxume tría estiatória.

esís èxete pénde estiatória.

aftí èxune ðío ksenoðoxía.

eɣó píno kafé.

esí pínis tsáy me lemóni.

aftós píni skéto ɣála.

emís pínume neró.

esís pínete kafè xorís záxari.

aftí pínune kafè me ɣála.

o staθmós èxi ðío estiatória.

ta estiatória èxun kaló próyevma.

o kafès íne xorís záxari.

to tsáv íne xorís lemóni.

i záxari íne polí akriví.

i tavèrnes ðén íne makriá apoðð.

aftó to estiatório ðén èxi kulúrya.

to ɣála íne polí ftinð.

i friɣanyès kánun ðío ðraxmès.

aftó to kafenío íne polí kalð.

eɣó fèvɣo stis ðío apti(m) bátra

esí fèvɣis stis ðío apto estiatório.

aftí fèvɣi stis ðío aptin aθína.

emís févɣume stis októ apti(m) brezvía.

esís fèvɣete stiz ðéka apti(n) davérna.

aftès fèvɣune stis ðío apto estiatório.

eɣó ím(e) eðð.

esí ís(e) eðð.

aftós íne sti(m) brezvía.

emís ímaste sti(n) davérna.

esís íste sto ksenoðoxío.

aftès íne sto estiatório.

o kinimatòɣrafos arxízi stis ðío.

aftð to ksenoðoxío èxi ðéka ðomátia.

tí óra íne?

i pátra íne makriá aptin aθína.

i aθína íne oréa.

to proksenío ín(e) eðð kondá.

esís èxete éna oréo ðomátio.

ta leoforía íne kalá.

totaksíði ya ti(m) bátra ín(e) oréo.

ta isitíria ya to leoforío ín(e) ftiná.

Substitution-Correlation Drills

Change the form of the underlined verb as necessary to agree with the pronouns
(or nouns) in parentheses.

aftí íne sti(m) bátra.

(eγó, aftés, esís, esí, aftó, emís)

esí íse sto kafenío.

(eγó, aftí, emís, aftós, aftés)

ðén èxo ðéka ðraxmès.

(esí, esís, aftós, aftés, emís, aftó)

emís ímast(e) eðó.

(to ksenoðoxío, eγó kyesís, i prezvía,

   to ksenoðoxío kyo staθmós, esís)

èxo èna kafenío.

(esí, aftós, emís, esís, aftí)

θélis èna(n) gafé?

(aftí, eγó, emís, aftés, esís)

pínume γála.

(eγó, aftá, esís, esí, aftó)

fèvγo ya ti(m) bátra.

(esís, aftós, aftés, emís, esí)

píno kafé.

(emís, aftí, esí, esís, aftó)

Response Exercise

tí òra fèvyi to leoforío?

fèvyi stis eptá/ stis éksi/ stiz ðío/
stis pénde/ stis ðéka.

póso makrià, ìn(e) i pátra aptin aθína?

íne polí makrià/ íne ðéka xilyòmetra makrià
aptin aθína/ ðén íne polí makrià aptin
aθína, ìn(e) eðò kondá.

íne to taksíði oréo?

málista, íne pára polí orèo/ óxi,ðén íne
orèo,ke íne polí meγàlo/ málista, íne polí
orèo,ke polí meγàlo.

tí èxi i pàtra?

èxi ksenoðoxía/ èxi tavérnes/ èxi kafenía/
èxi èna pára polí kalò ke ftinò estiatòrio.

tí èxun ya pròyevma ta estiatòria?

èxun kafé me γàla ke zàxari, í skèto/ èxun
tsày me lemóni/ kulúrya ke friγanyés, í
psomí me vútiro ke marmelàða/ ðén èxun,polí
kalò kafè, alà èxun pára polí kalò tsày.

èxun ta kafenía kafé?

málista èxun/ óxi ðén èxun ta kafenía kafè,
alà èxun ta estiatòria/ né èxun kafè alà
íne pánda krìos.

pós pínete tongafè sas?

to(m) bíno skéto/ xorís zàxari/ me polí zàxari ke γàla/ ðén bíno kafè, píno tsáy.

èxun ta kafenìa kulúrya?

málista, èxun/ ðén èxun kulùrya, alà èxun friγanyès me vútiro,ke marmeláða/ ðén èxun ta kafenìa kulúrya, alà èxun ta estiatória.

póso kànun o kafès ke ta kulúrya?

kànun pénde ðraxmès/ eptá ðraxmès/ ðóðeka ðraxmès.

èxi i pàtra kamìa kalí tavèrna?

málista, èxi mìa alà ìne polí akriví/ óxi, ðèn èxi kamía/ éxi mìa, pu ìne kondà sto meγálo ksenoðoxìo.

tí òra fèvγete γa ti(m) bàtra?

fèvγo stis eptá/ stis enéa/ sti(n) mía.

èxi i pàtra kinimatóγrafo?

óxi, ðén èxi/ málista èxi, alà ìne polí mikròs ke akrivòs.

tí òr(a) arxìzi o kinimatòγrafos?

arxìzi pánda stis enèa/ stiz ðéka/ stis ðóðeka/ stis éndeka.

ìn(e) akrivós?

málista, ìne polí akrivòs/ óxi, ðén ìne akrivòs, alà ðén ìne polí kalòs/ ìne pára polì akrivòs ke pára polì orèos.

póso kàni èna isitìrio?

kàni pénde ðraxmès/ októ ðraxmès/ ðéka ðraxmès/ íkosi ðraxmès/ triánda ðraxmès.

End of Tape 2A

Tape 2B

Unit 5

Basic Dialogue

πουλῶ	puló	to sell
πουλᾶνε	puláne	they sell
Ποῦ πουλᾶνε εἰσιτήρια; παρα-καλῶ;	pú puláne isitíria parakaló?	Where do they sell tickets please?
βλέπω	vlépo	to see
ὁ σταθμάρχης	o staθmárxis	(the) station-master
τόν σταθμάρχη	to(n) staθmárxi	(the) station-master (as direct object)
Βλέπετε τόν σταθμάρχη;	vlépete to(n) staθmárxi?	Do you see the station-master [over there]?
ἐννοῶ	enoó	to mean
ἐννοεῖτε	enoíte	you mean
ὁ ὑπάλληλος	o ipálilos	(the) employee
πού	pú	who, which
ἡ πόρτα	i pórta	(the) door
Ἐννοεῖτε τόν ὑπάλληλο, πού εἶναι μπροστά ἀπ'τήν πόρτα;	enoíte ton ipálilo, pú íne brostà apti(m) bórta?	You mean the employee (who is) in front of the door?
ἐκεῖ	ekí	there
ἡ θυρίδα/θυρίς	i θiríδa/θirís	(the) ticket window, wicket
Μάλιστα, ἐκεῖ εἶναι ἡ θυ-ρίδα, πού πουλᾶνε τά εἰσι-τήρια.	málista, ekí íne(e) i θiríδa pu puláne ta isitíria.	Yes. There's a ticket window over there where they sell tickets.

πρῶτος, -η, -ο	prótos, -i, -o	first
ἡ θέσι(ς)	i θési(s)	(the) seat, class, position
πρώτης θέσεως	prótis θéseos	of the first class
τό παράθυρο	to paráθiro	(the) window
Θέλω ἕνα εἰσιτήριο πρώτης θέσεως, κοντά στό παρά-θυρο.	θélo éna isitírio prótis θéseos, kondá sto paráθiro.	I want a first class ticket next to the window.
δυστυχῶς	distixós	unfortunately
ὅλος, -η, -ο	ólos, -i, -o	all
ὅλες	óles	pl.
οἱ θέσεις	i θésis	(the) seats
ἡ ἀμαξοστοιχία	i amaksostixía / to tréno	(the) train
τό τρένο		
σ'αὐτή τήν ἀμαξοστοι-χία	saftí(n) tin amakso-stixía	in this train
πιασμένος, -η, -ο	pyazménos, -i, -o	taken, occupied
πιασμένες	pyazménes	pl.
τό βαγκόν λί	to vagonlí	(the) sleeping car
Δυστυχῶς ὅλες οἱ θέσεις τῆς πρώτης θέσεως σ'αὐτήν τήν ἀμαξοστοιχία εἶναι πιασμένες. 'Αλλά αὐτό τό τρένο ἔχει δέκα θέσεις βαγκόν λί. Θέλετε μία;	distixós, óles i θésis tis prótis θéseos saftí(n) tin amakso-stixía, íne pyazménes. alá aftó to tréno, éxi δéka θésis vagonlí. θélete mía?	Unfortunately all the first class seats in this train are taken. But there are ('this train has') ten sleeping car seats in this train. Do you want [one]?
θαυμάσια	θavmásia	excellent
προτιμῶ	protimó	to prefer
ἡ 'Ελλάδα	i eláδa	(the) Greece
στήν 'Ελλάδα	stin eláδa	in Greece

ἡ καθυστέρησι(ς)	i kaθistérisi(s)	(the) delay
μιά πού	mnyá pu	since

Θαυμάσια! Προτιμῶ τό βαγκόν λί, μιά πού τά τρένα στήν Ἑλλάδα ἔχουν πάντα καθυστέρησι.	θavmásia. protimó to vagonlí, mnyá pu ta tréna stin eláδa, éxun pánda kaθistérisi.	Excellent. I prefer the sleeping car, since the trains in Greece are always late ('always have delay').
τό δίκηο	to δíkyo	(the) right, law
ἔχετε δίκηο	éxete δíkyo	you're right
πηγαίνω	piyéno	to go
καθόλου	kaθólu	not at all
γρήγορα	γríγora	quickly, promptly, fast

Ἔχετε δίκηο, τά τρένα ἐδῶ δέν πηγαίνουν καθόλου γρήγορα.	éxete δíkyo ta tréna eδó δén piyénun kaθólu γríγora.	You're right, **trains** here don't go fast at all.
τότε	tóte	then
λοιπόν	lipón	well
ἡ πληροφορία	i pliroforía	(the) information
οἱ πληροφορίες	i pliroforíes	(the) pieces of informations

Τότε λοιπόν, χαίρετε κι' εὐχαριστῶ γιά τίς πληροφορίες καί τό εἰσιτήριο.	tóte lipón xérete, kefxaristó ya tis pliroforíes ke to isitírio.	Well then, good bye and thanks for the information(s) and the ticket.
στό καλό	sto kaló	good bye (said only to a person who takes leave)

Στό καλό καί καλό ταξίδι.	sto kaló. ke kaló taksíδi.	Good bye. Have a nice trip!

Response Drill

Α´

pú puláne isitíria?	sti(n) θiríδa kondá sti(m) bórta, pu ín(e) o staθmárxis.
tí isitírio θéli aftós o epivátis?	θéli éna isitírio prótis θéseos, konda sto paráθiro.
ín(e) óles i θésis saftí(n) tin amaksostixía pyazménes?	δistixós, óles i θésis tis prótis θéseos kondá sto paráθiro, íne pyazménes.
éxi vagonlí aftí i amaksostixía?	málista, éxi δéka θésis vagonlí.
tí protimái aftós o epivátis?	protimái to vagonlí, δióti ta tréna stin elàδa éxun pánda kaθistérisi.
piyénun γríγora ta tréna stin elàδa?	óxi, δén piyénun kaθólu γríγora.

ariθmí

είκοσι ἕνα	ikosiéna	twenty one
είκοσι δύο	ikosiδío	twenty two
είκοσι τρία	ikositría	twenty three
είκοσι τέσσερα	ikositésera	twenty four
είκοσι πέντε	ikosipénde	twenty five
είκοσι ἕξι	ikosiéksi	twenty six
είκοσι ἑπτά/είκοσι ἐφτά	ikosieptá/ikosieftá	twenty seven
είκοσι ὀκτώ/είκοσι ὀχτώ	ikosioktó/ikosioxtó	twenty eight
είκοσι ἐννέα	ikosienéa	twenty nine
τριάντα	triánda	thirty
τριάντα ἕνα	triandaéna	thirty one
σαράντα	saránda	forty
σαράντα ἕνα	sarandaéna	forty one
πενῆντα	peнínda	fifty

Narrative

"Ολος ὁ κόσμος πηγαίνει στό καφενεῖο.	όlos o kόzmos piyèni sto kafenίo.	'people, world'
Αὐτοί οἱ ὑπάλληλοι πουλᾶνε εἰσιτήρια.	aftí i ipálili pulàne isitíria.	'employees'
"Ολες οἱ θέσεις του εἶναι πιασμένες.	όles i θèsis tu ìne pyazmènes.	'its','his'
Αὐτός προτιμάει τό λεωφορεῖο.	aftòs protimài to leoforίo.	'he prefers'
Αὐτός ὁ ἀχθοφόρος εἶναι πολύ καλός.	aftòs o axθofòros ìne polί kalòs.	'porter'
Αὐτή ἡ βαλίτσα εἶναι πολύ μεγάλη.	aftí i valìtsa ìne polί meγàli.	'suitcase'
Οἱ ἀποσκευές εἶναι κοντά στήν πόρτα.	i aposkevès ìne kondá sti(m) bòrta.	'luggage'
Κάθε σταθμός ἔχει ἕνα καφενεῖο.	káθe staθmòs, èxi èna kafenίo.	'each, every'
Αὐτός ὁ ἐπιβάτης δέν ἔχει εἰσιτήριο.	aftòs o epivàtis δèn èxi isitìrio.	'passenger'
Σήμερα φεύγω γιά τήν Πάτρα.	sìmera fèvγo ya ti(m) bàtra.	'today'
'Η ἡμέρα εἶναι ὡραία.	i (i)mèra ìn(e) oréa.	'day'
Πότε φεύγεις γιά τήν 'Αθήνα;	pòte fèvyis ya tin aθìna?	'when'
ποιός, -ά, -ό	pγός, -á, -ό	'who, which one'

Σέ μία ὥρα φεύγει ἀπ'τόν σταθμό ἕνα τρένο καί πηγαίνει στήν Πάτρα. "Ολος ὁ κόσμος εἶναι μπροστά στήν θυρίδα πού οἱ ὑπάλληλοι πουλᾶνε τά εἰσιτήρια, κοντά στήν πόρτα πού εἶναι ὁ σταθμάρχης. Δυστυχῶς ὅλες οἱ θέσεις τῆς πρώτης θέσεως κοντά στό παράθυρο εἶναι πιασμένες. Στό σταθμό ὑπάρχει ἐπίσης κι'ἕνα λεωφορεῖο πού οἱ θέσεις του δέν εἶναι πιασμένες, ἀλλά ὅλος ὁ κόσμος προτιμάει τό τρένο που πηγαίνει πολύ γρήγορα, διότι αὐτό τό λεωφορεῖο ἔχει πάντα καθυστέρησι. Κοντά στό λεωφορεῖο βλέπετε ἕναν ἀχθοφόρο μέ τίς βαλίτσες καί τίς ἄλλες

se mìa όra, fèvyi apto(n) staθmò èna tréno, ke piyèni sti(m) bàtra. όlos o kòzmos ìne brostá stin θirìδa pu i ipàlili pulàne ta isitíria, kondá sti(m) bòrta pu ìne o staθmárxis. δistixòs όles i θèsis tis pròtis θèseos kondà sto paràθiro ìne pyazmènes. sto staθmò ipárxi epìsis kèna leoforίo, pu i θèsis tu δèn ìne pyazmènes, alà όlos o kòzmos protimài to tréno pu piyèni polί γrìγora, δiòti aftò to leoforίo èxi pánda kaθistèrisi. kondá sto leoforίo

ἀποσκευές. Στό καφενεῖο πού εἶναι στόν
σταθμό, κάθε ἐπιβάτης πίνει τόν καφέ του,
κι'ὕστερα πηγαίνει στήν θέσι του στό
τρένο. Σήμερα ἡ ἡμέρα εἶναι πολύ ὡραία
κι'ὅλος ὁ κόσμος πηγαίνει ταξίδι.

vlépete énan axθofóro me tis valítses ke
tis áles aposkevés. sto kafenío pu íne
sto(n) staθmó, káθe epivátis píni to(n) gafé
tu, kístera piyéni sti θési tu sto tréno.
símera i iméra íne polí oréa kyólos o kózmos
piyéni taksíδi.

Response Drill

B´

póte févyi éna tréno apto(n) staθmó?	se mía óra.
pú piyéni aftó to tréno?	piyéni sti(m) bátra
pú íne(e) ólos o kózmos?	ólos o kózmos íne brostá sti(n) θiríδa, pu
	i ipálili pulàne ta isitíria.
pú íne(e) o staθmárxis?	íne kondá sti(m) bórta, ekí pu íne(e) ólos
	o kózmos.
íne óles i θésis kondá sto paráθiro	i θésis tis prótis θéseos kondá sto paráθiro
pyazménes?	íne pyazménes.
tí álo ipárxi sto(n) staθmó?	éna leoforío
íne óles i θésis saftó to leoforío	óxi, i θésis saftó to leoforío δén íne
pyazménes?	pyazménes.
tí protimái ólos o kózmos?	protimái to tréno, pu piyéni polí γríγora
éxi aftó to leoforío kaθistérisi?	málista, éxi pánda kaθistérisi.
tí vlépete kondá sto leoforío?	vlépete énan axθofóro.
tí éxi aftós o axθofóros?	éxi valítses ke áles aposkevés.
tí káni káθe epivátis sto kafenío pu íne	píni to(n) gafé tu.
sto(n) staθmó?	
tí káni ístera?	piyéni sti(n) θési tu sto tréno.
íne oréa iméra símera?	málista, íne polí oréa iméra símera.
pú piyéni ólos o kózmos símera?	piyéni taksíδi.

<u>Grammatical Notes</u>

Note 5.1. Phonology: Vowel assimilation and Vowel loss.

makriá apoðð.	Far from here.
brostá apti(m) bórta.	In front of the door.
kondá sto paráθiro.	Near ('to') the window'
saftó to leoforío.	In that bus.

The vowel assimilation in words ending in a vowel and followed by a word beginning with the same vowel was discussed in Note 1.5.

The above examples illustrate the assimilation of vowels in the prepositions /se/ 'at, in, to' and /apó/ 'from, of, than' before vowels which are not the same, (/apo/+/eðó/ = /apoðó/ and /se/+/aftó/=/saftó/) and loss of vowels in prepositons before consonants (/se/ + /to/=/sto/ and /apó/+/tin/=/aptin/).

Note 5.1.1 Assimilation of /s/ before voiced consonants.

ὄλος ὁ κόσμος	ólos o kózmos	everybody
στίς δέκα	stiz ðéka	at ten o'clock
ἡ πρεσβεία	i prezvía	the Embassy

The sound /z/ in the above examples is represented in Greek spelling by the letter σ /s/. The combination of σ with a voiced consonant is /z/+ voiced consonant. Thus στίς δέκα /stiz ðéka/ but στίς ὀκτώ/stis októ/.

Note 5.2. Noun: Cases

Consider the following English sentences:

The <u>man</u> bit the dog. <u>He</u> bit the dog.

The dog bit the <u>man.</u> The dog bit <u>him.</u>

Notice that the pronoun has one shape (<u>he</u>) when it's the subject of a sentence, and a different shape (<u>him</u>) when it's the object of a sentence; but nouns (<u>man</u>, <u>dog</u>) have only one shape, no matter what their function.

In Greek the nouns as well as the pronouns change their shapes. The different shapes are called 'cases': the subject-shape of a noun or pronoun is called the 'nominative case', and the object-shape is called the 'accusative case'.

(There used to be a 'case'-system in English a thousand years ago, but it's practically all gone now, except for a few vestigial relics: pronoun forms like he/him/his, and possessive forms like man's and dog's).

Spoken Greek has four cases: nominative, genitive, accusative and vocative. The fifth case (dative) which is still sometimes used in 'Katharevusa' has completely disappeared from the spoken language, except for some expressions taken directly from old Greek.

The nominative case is the one used when a noun or pronoun is

1) a subject of a verb (as ὁ κινηματόγραφος /o kinimatógrafos/ in ὁ κινηματό-γραφος ἀρχίζει στίς ὀκτώ /o kinimatògrafos arxízi stis októ/),

2) either subject or complement of the verb 'to be' (as αὐτό /aftó/ and ἕνα λεωφορεῖο / èna leoforío/ in the sentence αὐτό εἶναι ἕνα λεωφορεῖο /aftò ine (è)na leoforío/.

The nominative singular is also the 'name form', that is, the one used when the noun is cited, as in a dictionary or when talking about it.

The accusative (objective) case is the one used when a noun or pronoun is the object of a verb (as βλέπετε τόν σταθμάρχη /vlèpete to(n) staθmárxi?/, πουλᾶνε τά εἰσιτήρια /pulàne ta isitíria/, etc. or of a preposition as ἀπ'τήν πόρτα /apti(m) bórta/, κοντά στό παράθυρο /kondà sto paráθiro/, etc.).

The genitive (possessive) case is generally equivalent to English possessive forms like man's or dog's, or to phrases involving 'of': of the road.

Note 5.3 Noun: Articles: Accusative.

Βλέπετε τόν σταθμάρχη;	vlèpete to(n) staθmárxi?	Do you see the station-master?
'Εκεῖ εἶναι ἡ θυρίδα πού πουλᾶνε τά εἰσιτήρια.	ekì ìn(e) i θirìδa pu pulàne ta isitíria.	There is a ('the') window where they sell the tickets.
θέλω μία θέσι κοντά στό παράθυρο.	θèlo mìa θèsi kondà sto paráθiro.	I want a seat next to the window.
Εὐχαριστῶ γιά τίς πληροφο-ρίες.	efxaristó ya tis pliroforìes.	Thanks for the information(s).

The above examples illustrate definite and indefinite articles used in the accusative case. The complete set of these forms is:

48

Indefinite article

	m.		f.				n.	
Nom.	ἕνας	énas	μία	mía or	μιά	mᶜá	ἕνα	éna
Acc.	ἕναν	éna(n)	μία(ν)	mía(n)	μιά(ν)	mᶜá(n)	ἕνα	éna

Definite article

	Sg.						Pl.					
	m.		f.		n.		m.		f.		n.	
Nom.	ὁ	o	ἡ	i	τό	to	οἱ	i	οἱ	i	τά	ta
Acc.	τόν	to(n)	τήν	ti(n)	τό	to	τούς	tus	τίς	tis	τά	ta

It should be noted that before consonants the definite and indefinite masculine and definite feminine articles may have two alternate forms in the accusative singular (**in Spoken Greek** only). Examples: **énan, ton, tin** or **éna, to, ti.**

Examples:

apti(m) bórta or		'from the door'
apti bórta		
vlépo énan staθmárxi.or		I see a station-master.
vlépo éna staθmárxi.		
ston gózmo or		'in the world'
sto gózmo		

Before vowels the definite and indefinite masculine article and the definite feminine article are τόν /ton/, ἕναν /énan/ and τήν /tin/ respectively, e.g.

στόν ὑπάλληλο	ston ipálilo	'to the employee'
Βλέπω ἕναν ἀχθοφόρο.	vlépo énan axθofóro.	I see a station-master.
στήν 'Ελλάδα	stin eláδa	'in Greece'

The feminine indefinite article μία /mía/or μιά /mᶜá/ usually has only one form; e.g.

Θέλω μία θέσι.	θélo mía θési.	I want a seat.
Βλέπω μία ἄλλη πρεσβεία.	vlépo mía áli prezvía.	I see another embassy.

but / vlépo mian áli prezvía/ may be also heard.

Note 5.4 Phonology: Stress

Greek nouns can be stressed either on the last syllable (e.g. /fititís/ 'student'), on
the second syllable from the end (e.g. /náftis/'sailor'), or on the third syllable from the
end (e.g. /ánθropos/'man'). Nouns stressed on the last syllable will be referred to as
'oxytone 'nouns; those stressed on the second syllable from the end 'paroxytone' nouns,
and those stressed on the third syllable from the end 'proparoxytone' nouns.

Note 5.5. Declension

Βλέπετε ἕναν ἀχθοφόρο;	vlêpete ênan axθofóro?	Do you see a porter?
'Εννοεῖτε τόν ὑπάλληλο πού εἶναι μπροστά ἀπ'τήν πόρτα;	enoîte ton ipálilo pu îne brostá apti(m) bórta?	You mean the employee in front of the door?
Θέλω μία θέσι κοντά στό παράθυρο.	θêlo mîa θêsi kondá sto paráθiro.	I'd like a seat near the window.
Εὐχαριστῶ γιά τίς πληροφο- ρίες.	efxaristó ya tis pliro- foríes.	Thanks for the information(s).
Προτιμῶ τό βαγκόν λί.	protimò to vagonlí.	I prefer the sleeping car.
Οἱ ὑπάλληλοι πού πουλᾶνε τά εἰσιτήρια.	i ipálili pu pulâne ta isitíria.	The employees who sell tickets.

The above sentences illustrate accusative singular forms (ἕναν ἀχθοφόρο /ênan
axθofóro/, τόν ὑπάλληλο /ton ipálilo/, μία(ν) θέσι/mîa θêsi/

and plural forms (τίς πληροφορίες /tis pliroforíes/ τά εἰσιτήρια /ta
isitíria/.

Greek nouns are traditionally grouped into three declensions:

First declension includes masculine oxytone or paroxytone nouns ending in -ης /-is/
e.g. φοιτητής /fititís/ 'student' ναύτης /náftis/'sailor' and -ας /-as/ λοχίας
/loxías/ 'seargent'; feminine oxytone or paroxytone nouns ending in -η /-i/ e.g. περιοχή
/perioxí/'area', κόρη /kóri/ 'daughter' and all nouns in -α /-a/, e.g. καρδιά
/karδyá/ 'heart', κυρία /kiría/'lady', θάλασσα /θálasa/ 'sea'.

Second Declension: All masculine and feminine nouns ending in -ος /-os/, e.g. ὁ
ἀδερφός /o aδelfós/ 'brother', ὁ νοσοκόμος /o nosokómos/ 'medic', ὁ ἄνθρωπος
/o ánθropos/ 'man, ἡ ὁδός /i oδós/ 'street', ἡ Πάρος /i páros/ 'Paros', ἡ διέξο-

δος   /i ðiéksoðos/ 'outlet' and all <u>neuter</u> nouns ending in -ο /-o/, e.g. τό αὐγό /to avγó/
'egg', τό πλοῖο /to plío/ 'ship',   τ'αὐτοκίνητο   /taftokínito/ 'car'.

Third Declension comprises nouns (<u>masculine,</u> <u>feminine</u> and <u>neuter</u>) that have various
endings. This class of nouns will be discussed in later units.

	<u>M.</u>	<u>F.</u>	<u>N.</u>
First Declension	-ís	-í	
	-as	-íá	
Second Declension	--os		--o
Third Declension	(later)		

Note 5.6. Noun: Plural forms.

First Declension nouns have the ending -ες * /-es/ in the nominative plural, e.g.
ναῦτες   /náftes/ 'sailors', λοχίες   /loxíes/ 'sergeants' κυρίες   /kiríes/
'ladies', κόρες   /kóres/ 'daughters'.

Second Declension masculine and feminine nouns end in -οι /i/, e.g.
σταθμοί   /staθmí/ 'stations', νοσοκόμοι   /nosokómi/ 'medics' ἄνθρωποι
/ánGropi/'men',

ὀδοί   /oðí/ 'streets',   διέξοδοι   /ðiéksoði/ 'outlets'
and neuter nouns of this declension end in -α /-a/, e.g.
αὐγά   /avγá/ 'eggs', πλοῖα   /plía/ 'ships, αὐτοκίνητα   /aftokínita/
'cars'.

Note 5.7 Noun: Accusative case.

The **Nominative and Accusative cases** of **First and Second Declension** nouns are as
follows:

---

*In Katharevusa this ending is -αι /e/. Some masculine nouns usually denoting scholarly
occupation have maintained this plural ending, e.g. οἱ φοιτηταί   /i fitité/ 'students'
οἱ καθηγηταί   /i kaθiyité/ 'professors' οἱ μαθηταί   /i maθité/ 'pupils', etc.

First Declension

Masculine

		Singular				Plural		
N.	ὁ	ναύτης	o	náftis	οἱ	ναῦτες	i	náftes
	ὁ	λοχίας	o	loxías	οἱ	λοχίες	i	loxíes
A.	τόν	ναύτη(ν)	to(n)	náfti	τούς	ναῦτες	tus	náftes
	τόν	λοχία(ν)	to(n)	loxía	τούς	λοχίες	tus	loxíes

Feminine

N.	ἡ	κόρη	i	kóri	οἱ	κόρες	i	kóres
	ἡ	πρεσβεία	i	prezvía	οἱ	πρεσβεῖες	i	prezvíes
A.	τήν	κόρη(ν)	ti(n)	góri	τίς	κόρες	tis	kóres
	τήν	πρεσβεία(ν)	ti(n)	brezvía	τίς	πρεσβεῖες	tis	prezvíes

Second Declension

Masculine

		Singular				Plural		
N.	ὁ	ἀδελφός	o	aðelfós	οἱ	ἀδελφοί	i	aðelfí
	ὁ	κινηματόγραφος	o	kinimatóγrafos	οἱ	κινηματόγραφοι	i	kinimatóγrafi
A.	τόν	ἀδελφό(ν)	ton	aðelfó	τούς	ἀδελφούς	tus	aðelfús
	τόν	κινηματόγραφο(ν)	to(n)ginimatóγrafo		τούς	κινηματογράφους	tus	kinimatoγráfus

Feminine

(same as masculine)

Neuter

		Singular				Plural		
N.	τό	τρένο	to	tréno	τά	τρένα	ta	tréna
	τό	ξενοδοχεῖο	to	ksenoðoxío	τά	ξενοδοχεῖα	ta	ksenoðoxía
A.	τό	τρένο	to	tréno	τά	τρένα	ta	tréna
	τό	ξενοδοχεῖο	to	ksenoðoxío	τά	ξενοδοχεῖα	ta	ksenoðoxía

It should be noted that Second Declension masculine and feminine proparcxytcne nouns (nouns stressed on the third syllable from the end) have their stress shifted to the second syllable from the end in the accusative plural, e.g.

Nom. Sing.   ὁ κινηματόγραφος   o kinimatóγrafos

Acc. Pl.   τούς κινηματογράφους   tus kinimatoγráfus

The shift of stress in declensions is discussed in detail in Note 7.2.

Note 5.8 Adjective: Accusative

In Note 3.1 it was stated that Greek adjectives agree with nouns which they modify (e.g. καλή ἡμέρα   /kalí iméra/ and with those which they refer to (e.g. οἱ ὑπάλληλοι δέν εἶναι καλοί   /i ipálili δén íne kalí/) in gender, number and case.

The commonest type of adjective is the one which has the ending -ος /-os/ for the masculine, -η /-i/ for the feminine and -o /-o/ for the neuter (with ccnsonant stems), or the one which ends in -ος /-os/, -α /-a/, -o /-o/ (with vowel stems), e.g. καλός /kalós/, καλή /kalí/, καλό /kaló/ or ὡραῖος /oréos/, ὡραία /oréa/, ὡραῖο /oréo/.

The masculine and neuter forms of adjectives of this type are declined like second declension masculine nouns in -ος /-os/ and second declension neuter ncuns in -o /-o/.

The feminine forms have the same case endings as first declension feminine nouns in -η /-i/ or in -α /-a/.

Examples:

Singular

Nom.	ὁ	καλός ναύτης	o kalós náftis
Acc.	τόν	καλό ναύτη	to(n) galó náfti

Plural

Nom.	οἱ	καλοί ναῦτες	i kalí náftes
Acc.	τούς	καλούς ναῦτες	tus kalús náftes

Singular

Nom.	ἡ	καλή καί ὡραία ταβέρνα	i kalí ke oréa tavérna
Acc.	τήν	καλή καί ὡραία ταβέρνα	ti(n) galí ke oréa tavérna

Plural

Nom.	οἱ	καλές	καί	ὡραῖες	ταβέρνες	i	kalès ke orèes tavérnes
Acc.	τίς	καλές	καί	ὡραῖες	ταβέρνες	tis	kalès ke orèes tavérnes

Singular

Nom.	τό	ἀκριβό	ξενοδοχεῖο	to	akrivò ksenoδoxío
Acc.	τό	ἀκριβό	ξενοδοχεῖο	to	akrivò ksenoδoxío

Plural

Nom.	τά	ἀκριβά	ξενοδοχεῖα	ta	akrivà ksenoδoxía
Acc.	τά	ἀκριβά	ξενοδοχεῖα	ta	akrivà ksenoδoxía

Note 5.9 Class II verbs.

Μέ συγχωρεῖτε.	me sinxoríte	Excuse me.
Παρακαλῶ.	parakaló	Please ('I beg [you]')
Ποῦ πουλᾶνε εἰσιτήρια;	pú pulàne isitíria?	Where do they sell tickets?
'Εννοεῖτε τόν ὑπάλληλο ποῦ εἶναι μπροστά ἀπ'τήν πόρτα;	enoíte ton ipálilo, pu íne brostà apti(m) bórta?	You mean the employee who's in front of the door?
Αὐτός προτιμάει τό τρένο.	aftòs protimài to tréno.	He prefers the train.
Σᾶς εὐχαριστῶ.	sas efxaristó	I thank you.

These are the examples of the Class II verbs.

These verbs will be discussed in detail in later units. At this point the student should know only that these verbs (i.e. the first person singular) end in a stressed /-ó/ and that their third person singular and second person plural are as follows:

1-st pers. Sing.		3rd pers. Sing.	2nd pers. Pl.
sinxoró	'to excuse'	sinxorí	sinxoríte
parakaló	'to beg'	parakalí	parakalíte/parakaláte
efxaristó	'to thank'	efxaristí	efxaristíte/efxaristáte
protimó	'to prefer'	protimái	protimáte
puló	'to sell'	pulái	puláte
enoó	'to mean'	enoí	enoíte

Grammatical Drills

Sample Drills

G.D.5.5-7

o epivátis ineðó.

o staθmárxis ineðó.

vlépo ton epiváti.

vlépo to(n) staθmárxi.

i òra ine ðío.

i amaksostixía inekí.

i pòrta ine ðeksiá.

i iméra ìn(e) oréa.

aftí i tavérna, ine polí kalí.

piyénume sti(n) davérna.

vlépume tin amaksostixía.

vlépume tim bòrta.

vlépume tin óra.

o kòzmos inekí.

o staθmòs ine kalós.

o ipálilos ine ðeksiá.

o kinimatóγrafos arxízi stiz ðío.

o axθofòros ine kondà sti(m) bòrta.

vlèɟo to(n) gózmo.

vlépume to(n) staθmó.

vlépume ton ipálilo.

aftòs ine sto(n) ginimatóγrafo.

vlépume ton axθofóro.

aftð to ksenoðoxío ine polí kalð.

aftð to leoforío ine makriá.

i epivátes ineðó.

i staθmàrxes ineðó.

vlépo tus epivátes.

vlépo tus staθmárxes.

i amaksostixíes ine sto(n) staθmó.

i pòrtes ine mikrés.

aftès i pliroforíes, ðén ine kalès.

aftès i tavérnes, ìn(e) akrivés.

i iméres ìn(e) orées.

aftí ine stis prezvíes.

ðío amaksostixíes, fèvγun se ðío óres.

aftòs θèli kalés pliroforíes.

piyénun stis tavérnes.

i staθmì ine mikrí.

aftí i ipálili ðén ine kalí.

i kinimatòγrafi arxízun stis októ.

i axθofòri ine sto(n) staθmó.

i staθmì ine meγáli.

vlépume tus staθmús.

èxume ðío ipalílus.

aftí ine me tus axθofórus.

piyénume stus kinimatoγráfus.

aftà ta ksencòoxía ìn(e) akrivá.

aftà ta leoforía ðén ine kalà.

to proksenío íne ðeksiá.

aftó to estiatório ín(e) akrivó.

aftó to kafenío íne ftinó.

vlépume to ftinó ksenoðoxío.

piyénume sto leoforío.

vlépume to proksenío.

éxume to meɣálo estiatório.

piyénume sto ftinó kafenío.

énas epivátis, ineðó.

énas ipálilos, íne sti(m) bórta.

énas axθofóros, íne sto(n) staθmó.

mía tavérna, íne meɣáli.

mía prezvía, íne polí makriá.

mía pórta, íne polí mikrí.

éna estiatório, íne polí akrivó.

éna ksenoðoxío, íne kondá sto(n) staθmó.

éna leoforío, piyéni stin aθína.

ta proksenía íne makriá.

aftá ta estiatória íne ftiná.

aftá ta ðomátia íne meɣála.

éxume ta meɣála ksenoðoxía.

piyénun sta tréna.

vlépi ta leoforía.

éxun ta isitíria.

θélun ta oréa ðomátia.

vlépo énan epiváti.

éxume éna(n) galó ipálilo.

piyéni ston axθofóro.

piyénume se mía ftiní tavérna.

θélune mía pliroforía.

févyi se mía iméra.

piyénume séna meɣálo estiatório.

éxun éna mikró ksenoðoxío.

éxun éna kaló leoforío.

Substitution Drills

I. G.D.2.3

Substitute the words listed to the right of each sentence for the underlined word of the following sentences using the appropriate definite article.

o epivátis inekí.   prezvía, ðomátio, staθmós, kafenío, paráθiro.

o kózmos ineðó.   ipálilos, leoforío, tavérna.

to ksenoðoxío íne katefθían brostá. estiatório, tréno, pórta, epivátis, kinimatóɣrafos

II. G.D.3.1

Substitute the nouns listed to the right of each sentence for the underlined word of the following sentences and change the endings of the adjectives as necessary to agree with the nouns.

i pliroforía íne kalí.	o staθmós, i tavérna, to estiatório, o axθofóros.
o staθmárxis ín(e) oréos.	to ksenoδoxío, i tavérna, o staθmós, i iméra.
i iméra íne kalí.	to ksenoδoxío, o staθmós, to δomátio.
o ipálilos íne mikrós.	i prezvía, to leoforío, i tavérna.
i pórta íne meγáli.	to kafenío, to estiatório, o kinimatóγrafos.
aftí i tavérna, ín(e) akriví.	to tréno, to kafenío, o kinimatóγrafos, to δomátio.
aftós o epivátis ín(e) oréos.	i iméra, to estiatório,

III. G.D 5.4

Substitute the plural forms of the nouns listed to the right of each sentence with the appropriate definite articles for the underlined words of the following sentences.

ta leoforía íne katefθían brostá.	prezvía, ipálilos, kafenío.
i epivátes inekí.	staθmós, ksenoδoxío, tavérna.
i tavérnes íne δeksiá.	axθofóros, prezvía, leoforío.

IV G.D.5.8

Do the same substitution and change the forms of adjectives to agree with the nouns substituted.

i pórtes íne mikrés.	proksenío, tavérna, kinimatóγrafos.
i iméres íne orées.	staθmós, leoforío, δomátio.
ta isitíria ín(e) akrivá.	tavérna, tréno, estiatório.
i ipálili íne kalí.	prezvía, tréno, staθmós.
i staθmí íne mikrí.	pórta, leoforío, δomátio.

Response Exercise

piyénete pánda sto(n) ginimatóγrafo?	θélete éna potíri krío neró?
íne akrivá ta isitíria sto(n) ginimatóγrafo?	tí éxi aftó to estiatório ya próγevma?
póte piyénete sto(n) ginimatóγrafo?	pú piyénun aftá ta tréna? pós piyénun?
pú puláne ta isitíria ya to(n) ginimatóγrafo?	póso makriá ín(e) i aθína apti(m) bátra?
tí pínete ya próγevma, kafé í tsáy?	pú ín(e) i pátra?
pós pínete ton gafé, í to tsái sas?	piyénete káθe méra sto estiatório?
piyénete sto kafenío ya to(n) gafé sas?	íne kaló aftó to estiatório?
tí θési protimáte sto tréno?	pú íne to ksenoδoxío sas?
pú puláne ta isitíria ya to tréno?	pú piyéni aftós o axθofóros me tis valítses sas?

R E V I E W

(Units 1 - 5)

Greek Writing System

Recapitulation

E X A M P L E S

Letters	Sounds	Greek	Transcription	English
α	/a/	καλά	/kalá/	'well'
ε	/e/	ἑορτή	/eortí/	'holiday'
αι	/e/	καί	/ké/	'and'
ι	/i/	παιδί	/peðí/	'child'
ει	/i/	εἰρήνη	/iríni/	'peace'
οι	/i/	οἰκογένεια	/ikoyénia/	'family'
η	/i/	κόρη	/kóri/	'daughter'
υ	/i/	ὕπνος	/ípnos/	'sleep'
ὕ	/i/	ἄϋπνος	/aípnos/	'sleepless'
υι	/i/	υἱός	/iós/	'son'
ῖ	/i/	πρωΐ	/proí/	'morning'
ι, ει, οι, η	/y/ after cons. and before stressed vowels.	καρδιά	/karðyá/	'heart'
		δουλειά	/ðulyá/	'work'
		ποιός	/pyós/	'who'
		ἅς πιοῦμε	/as pyúme/	'let's drink'
		φωλιά/φωληά	/folyá/	'nest'
	or sometimes also before unstressed vowels.	ἀλήθεια	/alíθya/	'truth'
		ἤπιε	/ípye/	'he drank'
		ὅποιου	/ópyu/	'of whom'
		ὅποιο	/ópyo/	'which' (n)
		ὅποιοι	/ópyi/	'those'
ο	/o/	νερό	/neró/	'water'
ω	/o/	ἀγαπῶ	/aγapó/	'I love'
ου	/u/	οὐρανός	/uranós/	'sky'

E X A M P L E S

Letters	Sounds	Greek	Transcription	English
β	/v/	βροχή	/vroxí/	'rain'
-ββ-		κρεββάτι	/kreváti/	'bed'
γ	/γ/ (before /a,o,u/ and consonants)	γάτα	/γáta/	'cat'
		γόπα	/γópa/	'cigarette butt'
		γουροῦνι	/γurúni/	'pig'
		γνωρίζω	/γnorízo/	'to know'
	/y/ (before /i,e/)	γυναίκα	/yinéka/	'woman'
		γέρος	/yéros/	'old'
γκ	/g/	γκρεμνός	/gremnós/	'cliff'
-γκ-	/ng/	ἄγκυρα	/ángira/	'anchor'
-γγ-		ἄγγελος	/ángelos/	'angel'
-γχ-	/nx/	ἐγχείρησις	/enxírisis/	'operation'
δ	/ð/	δίνω	/ðíno/	'I give'
ζ	/z/	ζωή	/zoí/	'life'
ϑ	/θ/	Ἀθῆνα	/aθína/	'Athens'
κ	/k/	καλός	/kalós/	'good'
-κκ-		κόκκινος	/kókinos/	'red'
(-ν)+κ	/g/ or /ng/	τόν κύριο	/to gírio/ or /tongírio/	'the gentleman' (acc.)
λ	/l/	λιμάνι	/limáni/	'harbor'
-λλ-		ἄλλος	/álos/	'other'
μ	/m/	μητέρα	/mitéra/	'mother'
-μμ-		ἔμμονος	/émonos/	'persistent'
μπ	/b/	μπίρα	/bíra/	'beer'
-μπ-	/b/ or /mb/	ἀμπέλι	/abéli/ or /ambéli/	'vineyard'
ν	/n/	ναός	/naós/	'temple'
-νν		ἔννοια	/énia/	'meaning'

E X A M P L E S

Letters	Sounds	Greek	Transcription	English
ντ	/d/	ντουλάπα	/dulápa/	'wardrobe'
-ντ-	/nd/	άντρας	/ándras/	'man'
ξ	/ks/	ξένος	/ksénos/	'stranger'
(-ν)+ ξ	/gz/ or	τόν ξέρω	/to gzéro/ or	'I know him'
	/ngz/		/tongzéro/	
π	/p/	πατέρας	/patéras/	'father'
-ππ-		παππᾶς	/papás/	'priest'
(-ν)+ π	/b/	τόν Πέτρο	/to bétro/ or	'Peter' (acc.)
	/mb/		/tombétro/	
ρ	/r/	ράφτης	/ráftis/	'tailor'
-ρρ-		ἀπόρριψις	/apóripsis/	'rejection'
σ	/s/	σειρά	/sirá/	'row'
-σσ-		θάλασσα	/θálasa/	'sea'
σ	/z/ (before voiced cons.)	κόσμος	/kózmos/	'world'
-ς		νά τούς δῆ	/na tuzdí/	'in order to see them'
	/s/	καιρός	/kerós/	'weather'
-τ	/t/	τίμιος	/tímios/	'honest'
-ττ-		'Αττική	/atikí/	'Attika'
(-ν)+ τ	/d/ or	στήν τράπεζα	/sti drápeza/ or	'in the bank'
	/nd/		/stindrápeza/	
τσ	/ts/	τσιγάρο	/tsiɣáro/	'cigarette'
(-ν)+ τσ	/dz/ or	στήν τσέπη	/sti dzépi/ or	'in the pocket'
	/ndz/		/stindzépi/	
τζ	/dz/	τζίτζικας	/dzídzikas/	'cicada'
υ	/f/ (after α, ε before voiceless cons.)	αὐτός	/aftós/	'he'
			/eftixís/	'happy'

E X A M P L E S

Letters	Sounds	Greek	Transcription	English
υ	/v/ (after α, ε before vowels or voiced cons.)	αὐγό	/avɣó/	'egg'
		εὐαίσθητος	/evésθitos/	'sensitive'
φ	/f/	φίλος	/fílos/	'friend'
χ	/x/	χρόνος	/xrónos/	'year'
		χειμώνας	/ximónas/	'winter'
ψ	/ps/	ψυχή	/psixí/	'soul'
(-ν)+ ψ	/bz/<u>or</u>	τόν ψεύτη	/to bzéfti/ <u>or</u>	'the lier' (acc.)
	/mbz/		/tombzefti/	

Review Drills

Fill in each blank with the proper form of the word given on the right. If it is a noun, use the appropriate form of the article (where necessary).

Nouns

- ---------- íne katefθían brostá.	prezvía
pú ín(e) _ ---------- ?	staθmós
èxume δío ---------- stin elàδa.	proksenío
i pàtra íne δéka ---------- makrià apoδò.	xilyómetro
aftò to ksenoδoxío èxi triandaδío ----------.	δomátio
símera δén íne orèa ----------.	iméra
θèlune èna kaló ----------.	estiatório
aftò to trèno èxi kalés ----------.	θésis
to leoforío fèvyi se δéka ----------.	óra
δén èxune kalà ---------- stin elàδa.	leoforío
- ---------- δén íne kalòs símera.	kafés
emís pínume ton gafè xorís ----------.	záxari
aftòs θèli δío ----------.	kulúri
èxo októ ----------.	δraxmí
stis δío arxízi _ ----------.	kinimatóγrafos
- ---------- apoδò sti(m) bátra, íne meγálo.	taksíδi
i ipàlili pulàne _ ----------.	isitírio
aftòs èxi sto ksenoδoxío tu δéka ----------.	ipálilos
- ---------- íne ipálili.	staθmárxis
to δomatiò tu èxi δío ----------.	pórta
i elàδa èxi kalá ----------.	vútiro
θèlete friγanyès me ----------.	marmeláδa
aftò _ ------- íne polí krío.	neró
sto staθmò íne _ ---------- tu.	aposkeví
vlèpete _ ---------- ?	staθmárxis
aftòs o axθofòros èxi eptá ----------.	valítsa
aftò to leoforío èxi δéka ----------.	epivátis

aftá _ _____ íne polí meɣàla.   paráθiro

aftí protimài _ _____.   tréno

piyènete sti(m) bátra maftí(n) _ _____?   amaksostixía

ðén èxete _____.   ðíkyo

_ _____ íne polí makrià apoðð.   eláða

Adjectives

èxete ðío _____ ðomátia.   kalós

saftò to estiatòrio to krasí íne polí _____.   kríos

to isitírio ðén íne _____.   akrivós

_ _____ tavèrnes inekí.   ftinós

aftí i prezvìa íne polí _____.   oréos

θèlume ðío _____ ðomàtia.   meɣálos

aftòs vlèpi to _____ leoforìo.   mikrós

_____ i θèsis íne pyazmènes.   aftós

_____ i ipàlili íne sto(n) staθmó.   ólos

Verbs

me _____ tí òra íne?   sinxoró´

sas _____ polí.   efxaristó

emìs ðén _____ ðíkyo.   éxo

esìs _____ ipálili.   íme

aftès ðén _____ kafè me ɣàla.   θélo

aftòs _____ kafè xorís zàxari.   píno

esìs tí _____?   káno

o kinimatóɣrafos _____ stiz ðío.   arxízo

ta leoforìa ðén _____ sìmera ya tin aθìna.   févɣo

emìs _____ ta trèna.   vlépo

aftòs _____ ɣála,ke kulúrya.   protimó

sas _____.   parakaló

esìs tí _____?   enoó

i ipàlili _____ isitíria.   puló

ta trèna stin eláða _____ polí ɣríɣora.   piyéno

63

Polite expressions, wishes, etc.

Τί κάνετε;	tí kånete?	How are you?
ἡ συγγνώμη	i siɣnómi	(the) pardon, apology
ὁ κύριος	o kírios	(the) gentleman
κύριε	kírie	sir! (voc.)
Συγγνώμη κύριε.	siɣnómi kírie.	Excuse me, sir.
Καλά Χριστούγεννα.	kalà xristúyena.	Merry Christmas
εὐτυχισμένος, -η, -ο	eftixizménos,-i,-o	happy
καινούργιος, -α, -ο	kenúryos,-a,-o	new
ὁ χρόνος	o xrónos	(the) year
Εὐτυχισμένος ὁ καινούργιος χρόνος.	eftixizménos o kenùryos xrónos.	Happy New Year.
νά σᾶς συστήσω	na sas sistíso	may I introduce you./I'd like you to meet...
ἡ ἀδερφή/ἀδελφή	i aðerfí/aðelfí	(the) sister
ὁ ἀδερφός/ἀδελφός	o aðerfós/aðelfós	(the) brother
μου	mu	my
Νά σᾶς συστήσω τήν ἀδερφή μου καί τόν ἀδερφό μου.	na sas sistíso tin aðerfí mu, ke ton aðerfó mu.	I'd like you to meet my sister and my brother.
ἐπιτρέψτε μου	epitrépste mu	allow me
Ἐπιτρέψτε μου νά αὐτοσυστηθῶ.	epitrèpste mu na aftosistiθó.	Allow me to introduce myself.
ἡ κυρία	i kiría	(the) lady
Χαίρω πάρα πολύ, κυρία μου.	xèro pára polì, kiría mu.	I'm very glad to meet you, madam.
ἡ τιμή	i timí	(the) honor, price
Μεγάλη μου ἡ τιμή.	meɣáli mu i timì.	The honor is mine.
ἡ δεσποινίς	i ðespinís	(the) young lady
Χάρηκα πάρα πολύ, δεσποινίς	xàrika pára polì,	Very glad to have met you,

μου.	δespiníz mu.	(my) Miss!
Εὐχαρίστησίς μου.	efxaristisíz mu.	It's been my pleasure.
καταγοητευμένος, -η, -ο	kataγoytevménos, -i, -o	delighted
ἡ γνωριμία	i γnorimía	(the) acquaintance
Καταγοητευμένος ἀπ'τήν γνωριμία σας.	kataγoytevménos aptin γnorimía sas.	I'm delighted to have made your acqaintance.

Narrative

Αὐτός ὁ κύριος φεύγει γιά ταξίδι. Πηγαίνει στήν 'Αθήνα, στήν πρεσβεία
πού εἶναι ἐκεῖ. Φεύγει μέ τό λεωφορεῖο. 'Ο σταθμός γιά τά λεωφορεῖα εἶναι
ἕνα χιλιόμετρο μακριά ἀπ'ἐδῶ. Στόν σταθμό εἶναι ἕνα καφενεῖο κι'ἐκεῖ εἶναι
ἡ θυρίδα πού ὁ ὑπάλληλος πουλάει τά εἰσιτήρια. "Ενα εἰσιτήριο μέ τό λεωφορεῖο
γιά τήν 'Αθήνα κάνει δέκα δραχμές. Δέν εἶναι ἀκριβό, εἶναι πολύ φτηνό. Κοντά
στόν σταθμό εἶναι ἕνα ξενοδοχεῖο, ἕνα ἐστιατόριο, μία ταβέρνα κι'ἕνα καφενεῖο.
Τό ἐστιατόριο ἔχει καφέ, τσάϊ καί γάλα. "Ολος ὁ κόσμος ἀπ'τά λεωφορεῖα πηγαίνει
στό ἐστιατόριο ἤ στό καφενεῖο καί πίνει τόν καφέ του ἤ τό τσάϊ του. Σ'αὐτό τό
ἐστιατόριο ἔχουν γιά πρόγευμα κουλούρια, ψωμί μέ βούτυρο καί μαρμελάδα ἤ
φρυγανιές μέ μέλι. Τό λεωφορεῖο φεύγει στίς δύο. Τό ταξίδι ἀπ'ἐδῶ στήν
'Αθήνα εἶναι πολύ μεγάλο. Τό λεωφορεῖο κάνει ὀκτώ ὧρες. 'Αλλά ἡ 'Αθήνα εἶναι
πολύ ὡραία. "Εχει ξενοδοχεῖα μέ πολύ μεγάλα δωμάτια, μεγάλα ἐστιατόρια, ταβέρ-
νες καί καφενεῖα. "Εχει κι'ἕναν πολύ μεγάλο σταθμό. 'Ο σταθμάρχης εἶναι ἀδερ-
φός μου. Κοντά στόν σταθμό εἶναι ἡ πρεσβεία καί τό προξενεῖο.

End of Tape 2B

Tape 3A

Unit 6

Basic Dialogue

πεινῶ	pinó	to be hungry
μπορῶ	boró	to be able
νά φάω	na fáo	that I eat
Πεινῶ. Ποῦ μπορῶ νά φάω;	pinó. pú boró na fáo?	I'm hungry. Where can I eat?
ἡ κουζίνα	i kuzína	(the) cuisine, kitchen
πᾶμε	páme	let's go
Αὐτή ἡ ταβέρνα ἔχει πολύ καλή κουζίνα. Πᾶμε ἐκεῖ.	aftí i tavérna éxi polí kalí kuzína. pám(e) ekí.	This tavern has a very good cuisine. Let's go there.
τό γκαρσόν	to garsón	(the) waiter
τό μενού	to menú	(the) menu
Γκαρσόν, τό μενού παρακαλῶ.	garsón. to menú parakaló.	Waiter! Menu, please!
ξέρω	kséro	to know
ὅτι/πώς	óti/pós	that (conj.)
φρέσκος, φρέσκια, φρέσκο	fréskos, fréskya, frésko	fresh
τό ψάρι	to psári	(the) fish
τό κοτόπουλο	to kotópulo	(the) chicken
νόστιμος, -η, -ο	nóstimos, -i, -o	tasty, pretty
τό κρέας	to kréas	(the) meat
μποροῦμε	borúme	we can
νά πιοῦμε	na pyúme	that we drink
Ξέρω ὅτι ἐδῶ ἔχουν φρέσκα	kséro óti eδó éxun fréska	I know that they have fresh fish,

ψάρια, καλά κοτόπουλα καί	psárya, kalá kotópula,	good chicken(s) and very tasty
πολύ νόστιμο κρέας. 'Αλλά	ke polí nóstimo kréas.	meat here. But what shall
τί μποροῦμε νά πιοῦμε;	alá tí borúme na	('can') we drink?
	pyúme?	
τό οὖζο	to úzo	a Greek alcoholic beverage
ἡ μπίρα	i bíra	(the) beer
ἡ ρετσίνα	i retsína	a kind of resinated wine
Στήν 'Ελλάδα ὅλος ὁ κόσμος	stin eláða ólos o kózmos	Everybody drinks 'uzo' in Greece,
πίνει οὖζο, ἀλλά ἐμεῖς	píni úzo, alá emís	but we can drink beer or
μποροῦμε νά πιοῦμε μπίρα	borúme na pyúme bíra,	'retsina'.
ἤ ρετσίνα.	í retsína.	
δηλαδή	ðilaðí	that is to say
νά πῶ	na pó	that I say
νά πῆτε	na píte	that you say
ἐθνικός, -ή, -ό	eθnikós, -í, -ó	national
τό ποτό	to potó	(the) beverage, drink
τό ἐθνικό τους ποτό	to eθnikó tus potó	their national drink
Δηλαδή θέλετε νά πῆτε ὅτι	ðilaðí θélete na píte,	In other words you're trying to
τό οὖζο εῖναι τό ἐθνικό	ðti to úzo íne to	say that 'uzo' is their
τους ποτό;	eθnikó tus potó?	national drink?
τό ἀρνάκι	to arnáki	(the) lamb
τό φαΐ/φαγητό	to faí/fayitó	(the) food
τά φαγιά/φαγητά	ta fayá/fayitá	pl.
Καί μήπως εῖναι τό ἀρνάκι	ke mípos **íne to arnáki,**	And isn't the lamb their
τό ἐθνικό τους φαΐ;	to eθnikó tus faí?	national food?
βεβαίως/βέβαια	vevéos/**vévea**	certainly, of course
τό σουβλάκι	to suvláki	(the) shishkebab
τά σουβλάκια	ta suvlákya	pl.
ὁ μουσακάς	o musakás	(the) musaka
ὅπως	ópos	as

ὅπως ἐπίσης	òpos epísis	as well as
καί τά λοιπά/κ.τ.λ.	ke ta lipá	etc.
Βεβαίως, ὅπως ἐπίσης τά σουβλάκια, ὁ μουσακᾶς καί τά λοιπά.	vevéos, òpos epísis ta suvlákya, o musakás, ke ta lipá.	Of course, as well as shjshkebab, musaka, ετc.
δοκιμάζω	ðokimázo	to taste
θά δοκιμάσουμε	θa ðokimásume	we'll try, we'll taste
ἀμέσως	amésos	right away
περίφημος, -η, -ο	perífimos, -i, -o	famous
ἡ ὄρεξις/ὄρεξι	i óreksi(s)	(the) appetite
Τότε θά δοκιμάσουμε ἀμέσως τά περίφημα φαγητά τους. Καλή ὄρεξι.	tòte θa ðokimásume amésos ta perífima fayitá tus. kalí óreksi.	well then we'll taste their famous food right away. Enjoy your meal ('good appetite')!
ὁ λογαριασμός	o loyaryazmós	(the) check, bill
Τόν λογαριασμό, παρακαλῶ.	to(n) loyaryazmó parakaló.	Check, please.
Ἀμέσως.	amésos.	Right away!

Useful words

τό πιάτο	to pyáto	(the) plate
τό μαχαῖρι	to maxéri	(the) knife
τό κουτάλι	to kutáli	(the) spoon
τό πηροῦνι	to pirúni	(the) fork
τό ἀλάτι	to aláti	(the) salt
τό πιπέρι	to pipéri	(the) pepper
ἡ πετσέτα	i petséta	(the) napkin
τό γλυκό	to γlikó	(the) sweets
τό παγωτό	to payotó	(the) ice cream
ἡ πάστα	i pásta	(the) pastry
ὁ πάγος	o páγos	(the) ice
τό κρασί	to krasí	(the) wine

ἡ μπριζόλα	i brizóla	(the) steak
οἱ πατάτες	i patátes	(the) potatoes
τά λαχανικά	ta laxaniká	(the) vegetables
ἡ σούπα	i súpa	(the) soup
ἡ σαλάτα	i saláta	(the) salad
τό αὐτοκίνητο	to aftokínito	(the) car

Response Drill

A´

tí éxi aftí i tavérna?	aftí i t avérna éxi polí kalí kuzína.
θέlete na páte ekí?	vevéos.
tí léte sto garsón?	'to menú parakaló.
tí éxun saftí ti(n) davérna?	éxun fréska psárya, kalá kotópula, ke
	polí nóstimo kréas.
tí borúme na pyúme?	borúme na pyúme úzo, ópos píni ólos o
	kózmos stin elóδa, bíra, ἱ retsína.
mípos to úzo íne to eθnikó tus potó, eδó?	né, íne.
ke mípos ksérete, pyó íne to eθnikó tus faí?	to arnáki, ta suvlákva, ta psárya, o musakás,
	ke ta lipá.
θέlete na δokimásete aftá ta fayitá?	vevéos.

Narrative

Τό ψητό ἀρνάκι εἶναι νόστιμο.	to psitó arnáki íne nóstimo.	roasted, baked
ψητός, -ή, -ό	psitós, -í, ó	
Στήν Ἀθήνα ὑπάρχουν πολλά	stin aθína ipárxun polá	many (n.pl.)
ξενοδοχεῖα.	ksenoδoxía.	
Δέν ἔχω καθόλου λεφτά.	δén éxo kaθólu leftá.	money
Πρέπει νά φάω ἀμέσως.	prépi na fáo amésos.	must, have to
Ἐκεῖ μπορεῖτε νά πιῆτε οὖζο.	ekí boríte na pyíte úzo.	you can drink
Ὅταν πᾶμε στήν ταβέρνα θά	ótan páme sti davérna, θa	when
δοκιμάσουμε τά σουβλάκια.	δokimásume ta suvlákya.	
Μπορεῖτε νά τό πιῆτε...	boríte na to pyíte.....	it (as an obj.)

ὅ,τι/ὅ τι		whatever
Πρέπει νά πᾶτε στήν Πάτρα	prèpi na pâte sti(m) bâtra	that you go
μέ τό τρένο.	me to tréno.	
Θέλετε νά φᾶτε μουσακᾶ;	thèlete na fâte musaká?	that you eat
Αὐτός ἔχει δέκα δολλάρια.	aftòs èxi ðèka ðolária.	
τό δολλάριο	to ðolário	dollar
Αὐτό τό φαΐ ἔχει δύο δολ-	aftò to faî èxi ðîo	costs
λάρια.	ðolária.	

Στήν Ἑλλάδα οἱ ταβέρνες ἔχουν ὅ,τι θέλετε. Φρέσκα ψάρια, ἀρνάκι ψητό, μπριζόλες, κοτόπουλα, σούπα, σαλάτα, φρέσκα λαχανικά κ.τ.λ. Αὐτές οἱ ταβέρνες ἔχουν ἐπίσης πολύ καλό οὖζο καί ρετσίνα. Ἡ ρετσίνα εἶναι ἕνα πολύ φτηνό κρασί. Εἶναι γιά τόν κόσμο πού δέν ἔχει πολλά λεφτά. Πρέπει νά ξέρετε πώς τό οὖζο εἶναι τό ἐθνικό ποτό στήν Ἑλλάδα καί μπορεῖτε νά τό πιῆτε σ'ὅλες τίς ταβέρνες καί τά ἐστιατόρια ἐκεῖ. Ὅταν εἶστε στήν Ἀθήνα πρέπει νά πᾶτε νά φᾶτε στήν ταβέρνα πού εἶναι κοντά στήν πρεσβεία. Τό φαΐ ἐκεῖ εἶναι πολύ φτηνό καί νόστιμο. Ὁ μουσακᾶς ἔχει ἕνα δολλάριο. Ὁ κόσμος μπορεῖ νά πηγαίνη ἐκεῖ κάθε μέρα. Ὅταν δοκιμάσετε τά ὡραῖα καί φτηνά φαγητά καί πιῆτε τήν νόστιμη ρετσίνα θά θέλετε νά πηγαίνετε σ'αὐτή τήν ταβέρνα ὅλη τήν ὥρα.

Response Drill

B´

tî èxun i tavèrnes stin elâða?	èxun óti thèlete. frèska psárya, arnâki psitó, brizóles, kotópula, súpa, saláta, frèska laxaniká, ke ta lipá.
èxun ùzo aftès i tavèrnes?	málista, èxun polí kalò ùzo, ke polí kalî retsîna.
îne akrivó krasî i retsîna?	óxi, îne polí ftinò.
pyós kózmos protimâi ti(n) retsîna?	aftî pu ðén èxun polà leftà.
pú borîte na pyîte ùzo?	sòles tis tavèrnes, ke ta estiatória stin elâða.
tî prèpi na kânete ótan îste stin athîna?	prèpi na pâte na fâte sti(n) davèrna, pu îne kondà sti(m) brezvîa.
pós îne to faî ekî?	îne polí ftinò ke nòstimo.

póso èxi o musakàs ekí?   èna ðolário.

tí θa θèlete na kànete ðtan ðokimàsete ta   θa θèlete na piyènete ekí, óli tin ðra.

  orèa ke ftinà fayità ke krasyà saftí

  ti(n) davérna?

Grammatical Notes

Note 6.1 Verb: Future of Class I verbs.

..θά δοκιμάσουμε τά περίφημα   θa ðokimàsume ta perífima   We'll taste their famous

  φαγητά τους.   fayitá tus.   food.

..θά θέλετε νά πηγαίνετε   ....θa θèlete na piyènete   ....you will be wishing to go

  σ'αύτήν τήν ταβέρνα, ὄλη   saftí ti(n) davérna,   to that tavern all the time.

  τήν ὤρα.   óli tin ðra.

 The above sentences illustrate the use of the future tense. Like all Greek tenses
(with the exception of the present tense which is always imperfective) the future can be
either imperfective or perfective.

 The imperfective future will be referred to in this course as 'Future Continuous' and
the perfective as 'Simple Future'.

Note 6.1.1 Future Continuous.

..θά θέλετε νά πηγαίνετε   ..θa θèlete na piyènete ekí, ...you'll be wishing to go there

  ἐκεῖ ὄλη τήν ὤρα.   óli tin ðra.   all the time.

 This tense implies a continuous action in the future ('I'll be doing so-and-so) and
is a combination of the word θά /θa/ (θ' /θ-/ before /a-/) with the verb forms in the
present tense, e.g.

θά πίνω ϗρασί ϗάθε μέρα.   θa píno krasí káθe mèra.   I'll be drinking wine every

                    day.

θά σᾶς βλέπω ϗάθε μέρα.   θa sas vlèpo káθe mèra.   I'll be seeing you every day.

 A small number of verbs which do not have a perfective stem, have only one future tense,
e.g. θά ἔχω   /θa éxo/, θά εῖμαι   /θa íme/.

Note 6.1.2 Simple Future

θά δοκιμάσουμε τά περίφημα   θa ðokimàsume ta perífima   We'll taste their famous food.

  φαγητά τους.   fayitá tus.

This tense refers to a single action in the future ('I'll do so-and-so' or 'I'm going to do so-and-so'), and is formed in the same way as the future continuous, but the verb form following the word θά /θa/, is based on the perfective stem. Thus in θά δοκιμάσω /θa δokimáso/ the perfective stem is δοκιμάσ- /δokimas-/, in θά ἀρχίσω /θa arxíso/ the perfective stem is ἀρχίσ- /arxís-/, etc.

Forms such as δοκιμάσω /δokimáso/ or ἀρχίσω /arxíso/ are not used by themselves but only in combination with θά /θa/, νά /na/ (Note 6.3), ἄν /an/ or ἐάν /eán/ 'if', and ὅταν /ótan/ 'when', πρίν /prín/ 'before' etc. (see later units).

These forms will be referred to in this Course as 'perfective stem forms'.

Personal endings of the Simple Future of this Verb class are the same as those of the present tense with only a slight difference in the spelling.

Present Tense		Simple Future	
δοκιμάζω	δokimázo	θά δοκιμάσω	θa δokimáso
δοκιμάζεις	δokimázis	θά δοκιμάσης	θa δokimásis
δοκιμάζει	δokimázi	θά δοκιμάση	θa δokimási
δοκιμάζουμε	δokimázume	θά δοκιμάσουμε	θa δokimásume
δοκιμάζετε	δokimazete	θά δοκιμάσετε	θa δokimásete
δοκιμάζουν(ε)	δokimázun(e)	θά δοκιμάσουν	θa δokimásun(e)

Note 6.2 Class I Verbs: Perfective Stem Forms.

The perfective stem is formed from the imperfective stem with various degrees of predictability.

The most predictable verbs of this class are those the imperfective stem of which ends in ζ /z/. With a very few exceptions the ζ /z/ of the imperfective stem is changed to σ /s/ in the perfective, e.g.

Imperfective Stem		Perfective Stem	
δοκιμάζ-	δokimáz-	δοκιμάσ-	δokimás-
ἀρχίζ-	arxíz-	ἀρχίσ-	arxís-

Other predictable perfective stems will be discussed in later units.

Note 6.3 Class I Verbs: Personal endings of verbs with stems in -α- / a/, -o- / o/,-ε- / e/.

Personal endings of verbs with the stems which end in -α-/ a/, -o-/ o/ or -ε- / e/

are as follows:

	Singular		Plural
–ω	/-o/	–με	/-me/
–ς	/-s/	–τε	/-te/
–ει	/-i/	–ν(ε)	/-n(e)/

Example:

	Singular		Plural
τρώω	tróo	τρῶμε	tróme
τρῶς	trós	τρῶτε	tróte
τρώει	trói	τρῶν(ε)	trón(e)

Note 6.4 Class I Verbs: Irregular Perfective Stem Forms.

A limited number of Class I verbs have 'irregular' perfective stems. The 'irregular' verbs which have so far occurred in this course are:

Verb			Imperfective Stem		Perfective Stem	
τρώω	tróo	'eat'	τρώ–	tro–	φά–	fa–
λέω	léo	'say'	λέ–	le–	π–	p–
φεύγω	févγo	'leave'	φεύγ–	fevγ–	φύγ–	fiγ–
πίνω	píno	'drink'	πίν–	pin–	πι–	py–
πηγαίνω ἤ πάω	piyéno or páo	'go'	πηγαίν–	piyen–	πά–	pa–
βλέπω	vlépo	'see'	βλέπ–	vlep–	δ–	δ–

Following are complete present tense and perfective stem forms of the above 'irregular' verbs in transcription:

Present		Perfect Stem Form	
Singular	Plural	Singular	Plural
tróo	tróme	fáo	fáme
trós	tróte	fás	fáte
trói	trór.(e)	fái	fán(e)
léo	léme	pó	púme
lés	léte	pís	píte
léi	lén(e)	pí	pún(e)

Present		Perfect Stem Form	
Singular	Plural	Singular	Plural
févɣo	févɣume	fíɣo	fíɣume
févɣis	févɣete	fíɣis	fíɣete
févɣi	févɣun(e)	fíɣi	fíɣun(e)
píno	pínume	pɣó	pɣúme
pínis	pínete	pɣís	pɣíte
píni	pínun(e)	pɣí	pɣún(e)
piɣéno or páo	piɣénume or páme	páo	páme
piɣénis or pás	piɣénete or páte	pás	páte
piɣéni or pái	piɣénun(e) or pán(e)	pái	pán(e)
vlépo	vlépume	ðó	ðúme
vlépis	vlépete	ðís	ðíte
vlépi	vlépun(e)	ðí	ðún(e)

Note 6.5 Notation.

Beginning with Unit 7 the two basic forms (i.e. the first person singular form of the present tense and that of the perfective stem form) of all Class I verbs occuring for the first time in the Basic Dialogues or in the Narratives will be given in the build-ups as follows:

ἀρχίζω (ἀρχίσω)	arxízo (arxíso)	to begin
πηγαίνω(πάω)	piɣéno (páo)	to go
βλέπω (δῶ)	vlépo (ðó)	to see
κ.τ.λ.	etc.

(The basic forms of Class II and Class III verbs will be discussed in later units).

Note 6.6. Verbs: Subjunctive of the Class I verbs.

Δηλαδή θέλετε νά πῆτε...	ðilaðí θélete na píte...	In other words you are trying to say....
Ποῦ μπορῶ νά φάω;	pú boró na fáo?	Where can I eat?
'Αλλά τί μποροῦμε νά πιοῦμε;	alá tí borúme na pɣúme?	..and what can we drink?

The verb forms νά πῆτε   /na píte/,   νά φάω   /na fáo/,   νά πιοῦμε   /na pyúme/ are subjunctive.

Subjunctive is most used to refer to time after that of the preceding verb (θέλετε νά πῆτε   /θélete na píte/ 'you want [now] to say [future with respect to the wanting, which is present]'). Subjunctive is used when the action is desired, possible, mandatory, doubtful, etc., particularly after verbs such as 'want', 'like', 'tell' and words like 'can', 'must', 'should', 'possible', 'impossible', etc. Used after another verb this form is most frequently equivalent to an English verb phrase with 'to' as 'he wants to go', 'I like to read' etc. But the subjunctive has an ending which indicates the actor. The literal translation of subjunctive clause, therefore, will be more accurately: 'that I eat', 'that I drink', 'that you say', 'that I taste', etc.

The subjunctive in Greek is formed exactly like future (Note 6.1.1) but the word preceding the verb form is νά   /na/ (ν' /n-/ before ἀ- /a-/). The verb in the subjunctive form can, of course, be either 'simple' or 'continuous'.

The continuous subjunctive is νά /na/ plus present tense, e.g. θέλω νά τρώω ὅλη τήν ὥρα   /θélo na tróo óli tin óra/ 'I want to eat all the time', and the simple subjunctive is νά /na/ plus perfective stem form; e.g. θέλω νά φάω /θélo na fáo/ 'I want to eat'.

Note 6.7 Verb: Impersonal Verb πρέπει /prépi/ 'it's necessary', 'must', 'should', 'ought'.

"Οταν θά εἶστε στήν 'Αθήνα   ótan θa íste stin aθína,   When you are in Athens you must
πρέπει νά πᾶτε νά φᾶτε   prépi na páte na fáte   ('go and') eat in a tavern'.
σέ μία ταβέρνα.   se mía tavérna.

The verb form πρέπει   /prépi/ is impersonal' since it can be used in the third person singular only. The verb that follows πρέπει   /prépi / is _always_ in the subjunctive.

Other impersonal verbs will be discussed in later units.

Note 6.8. Class II Verb μπορῶ   /boró/ 'to be able'.

'Ο κόσμος μπορεῖ νά πηγαίνη   o kózmos borí na piyéni   People can go there every day.
ἐκεῖ κάθε μέρα.   ekí, káθe méra.

The third person singular form of μπορῶ   /boró/ is μπορεῖ   /borí/ 'he (she,it) can, is able', like ἐννοεῖ /enoí/ εὐχαριστεῖ /efxaristí/ etc. (see Note 5.9).

Note 6.8.1 Impersonal use of the verb form μπορεῖ /borí/ 'it's possible', perhaps',
'one can, may, might'.

The third person singular form of the verb μπορῶ /boró/ can be used impersonally,
e.g.

Μπορεῖ νά πάω στήν 'Αθήνα.	borí na páo stin aθína.	Perhaps I'll go to Athens.
Μπορεῖ νά φάω ἀρνάκι.	borí na fáo arnáki.	It's possible that I'll eat lamb.

Note 6.9 Noun: The use of the word κόσμος /kózmos/ 'people', 'world'.

'Ο κόσμος μπορεῖ νά πη- γαίνη....	o kózmos borí na piyéni	People can go.....

It should be noted that the word κόσμος /kózmos/ is always used collectively;
the verb it governs is singular.

The expressions ὅλος ὁ κόσμος /ólos o kózmos/ means 'everybody'.

Note 6.10 Expressions of Time

Πότε φεύγει τό τρένο;	póte févyi to tréno?	When does the train leave?
"Οταν εἶστε στήν 'Αθήνα πρέπει νά πάτε νά φάτε σέ μία ταβέρνα.	ótan íste stin aθína, prépi na páte na fáte se mía tavérna.	When you are in Athens, you must ('go and') eat in a tavern.

Πότε /póte/ 'when' is used in questions as in Πότε ἀρχίζει ὁ κινηματόγραφος
/póte arxízi o kinimatóγrafos?/ 'When does the movie start?' and in indirect questions:

Δέν ξέρω πότε ἀρχίζει ὁ κινηματόγραφος.	δén gzéro póte arxízi o kinimatóγrafos.	I don't know when the movie start.

"Οταν /ótan/ is used to indicate a concurrent time 'when', as in

"Οταν θά ἔχω λεφτά θά πάω στήν 'Ελλάδα.	ótan θa éxo leftá, θa páo stin eláδa.	When I('ll) have money I'll go to Greece.

Note 6.11 Adjective πολύς, πολλή, πολύ /polís, -í, -í/ 'numerous', 'many', 'a lot'.

Εἶναι γιά τόν κόσμο πού δέν ἔχει πολλά λεφτά.	íne ya to(n) gózmo, pu δén éxi polá leftá.	It's for the people who don't have a lot of money.

The adjective πολύς /polís/ 'numerous', 'many', 'a lot' has the following
forms:

Singular

m.		f.		n.	
πολύς	polís	πολλή	polí	πολύ	polí

Plural

m.		f.		n.	
πολλοί	polí	πολλές	polés	πολλά	polá

Examples:

πολύς κόσμος	polís kòzmos	many people
πολλή ὥρα	polí òra	a lot of time
πολύ κρασί	polí krasí	a lot of wine
πολλοί σταθμοί	polí staθmí	many stations
πολλές πρεσβεῖες	polés prezvíes	many embassies
πολλά ξενοδοχεῖα	polá ksenoðoxía	many hotels

Grammatical Drills

Sample Drills

G.D.6.6

eγò prèpi na píno kafè káθe mèra.

esí prèpi na pínis γàla káθe mèra.

aftòs prèpi na píni tsài káθe mèra.

emís prèpi na pínume kafè káθe mèra.

esís prèpi na pínete polí neró.

aftès prèpi na pínun(e) kafè káθe mèra.

eγò prèpi na pyò neró.

esí prèpi na pyìs neró.

aftòs prèpi na pyí tsái.

emís prèpi na pyùme kafé.

esís prèpi na pyíte tsái.

aftí prèpi na pyùne kafé.

eγò prèpi na fèvγo pánda me to trèno.

esí prèpi na fèvγis pánda me to trèno.

aftòs prèpi na fèvγi pánda me to trèno.

emís prèpi na fèvγume pánda me to trèno.

esís prèpi na fèvγete pánda me to trèno.

aftí prèpi na fèvγun(e) pánda me to trèno.

eγò prèpi na fíγo amésos.

esí prèpi na fíγis amésos.

aftòs prèpi na fíγi amésos.

emís prèpi na fíγume amésos.

esís prèpi na fíγete amésos.

aftí prèpi na fíγun(e) amésos.

eγó θa piyéno sti(m) brezvía káθe méra.

esí θa piyénis sto proksenío káθe méra.

aftós θa piyéni sto estiatório káθe méra.

emís θa piyénume sto kafenío káθe méra.

esís θa piyénete sto proksenío káθe méra.

aftí θa piyénun(e) sto proksenío káθe méra.

eγó θa páo símera stin aθína.

esí θa pás símera sti(m) bátra.

aftós θa pái símera sto proskenío.

emís θa páme símera stin aθína.

esís θa páte símera sto proskenío.

aftí θa pán(e) símera sto(n) staθmó.

Substitution-Correlation Drills

Change the form of the underlined verb (or verbs) to agree with the pronouns listed to the right of each sentence:

prépi na pino kafé káθe méra.	esí, emís, aftés.
prépi na pyí γála stiz δéka.	eγó, esís, aftí (pl.).
aftés prépi na δokimásun to faí.	esí, aftós, emís.
símera θa páme sti(n) davérna.	eγó, esís, aftós.
prépi na fáo stis δéka.	aftós, esí, aftá.
θa fíγume ya tin aθína.	eγó, esís, aftés.
θélo na δό ton aδerfó sas.	emís, aftós, aftí (pl.).
θéli na sas vlépi óli tin óra.	aftés, emís, eγó.
δén θélis na pás stin aθína?	esís, aftós, aftés.
θa sas to pó símera.	aftí (pl.), emís, aftós.
δén boró na tróo psárya káθe méra.	esís, aftés, esí, aftós, emís.
δén borúme na léme pánda efxaristó.	esís, aftós, esí, aftés.
pínume γála káθe méra.	eγó, esís, aftós.
δén boró na pyó krasí.	aftós, aftés, esís, emís.
θélo na sas δό stis októ.	aftós, emís, aftí (pl.)
θélo na sas pó pós δén boró na s·s δό símera.	aítós, emís, aftés

Substitute the words to the right of each sentence for the underlined words and change the aspect of the verb accordingly.

prépi na tróo kréas káθe méra.   símera.

prépi na sas vlépume óli tin òra.   stis októ.

prépi na éxete pánda polá leftá.   símera.

aftés prépi na pínun(e) kafé óli tin òra.   stis októ.

aftós prépi na ðokimàzi pánda to paγotó.   símera.

emís prépi na ímast(e) eðó, óli tin òra.   stis októ.

prépi na févγo ya taksíði káθe mèra.   símera.

prépi na sas lème pánda pù pàme.   símera.

prépi na fàme stiz ðéka.   óli tin òra.

prépi na fíγo ya taksíði símera.   káθe mèra.

aftós prépi na ðí ton aðerfó tu símera.   óli tin òra.

prépi na pyíte to(n) gafè sas stis októ.   óli tin òra.

prépi na ðokimàsume ta γliká símera.   pánda.

prépi na ís(e) eðó símera.   káθe mèra.

aftós θa vlépi ton aðerfó tu káθe mèra.   stis októ.

θa tròo káθe mèra psàrya.   stiz ðéka.

emís θa éxume pánda polá leftá.   símera.

aftés arxízun na tròne kàθe mèra stiz ðío.   símera, stis eptá.

esí θa θélis na vlépis aftó(n) ton ipálilo,   símera

   káθe mèra.

emís θa pínume kafé káθe mèra.   stiz ðéka.

esís θa íst(e) eðó káθe mèra.   stiz ðío.

θa févγo káθe mèra me to trèno.   símera.

aftés θa fàne stiz ðéka pròγevma.   káθe mèra.

emís θa sas ðùme stis októ.   káθe mèra.

θa éxis leftá símera.   káθe mèra.

aftós θarxísi na tròi stiz ðéka.   káθe mèra stiz ðéka.

θa θélis na ðís ton ipálilo stiz ðío?   káθe mèra.

emís θa pyùme kafé símera.   káθe mèra.

emís θa ímast(e) eðó símera.   káθe mèra.

Response Exercise

tí θa kánete símera?

piyénete se tavérnes?

tí fayitá éxun i tavérnes eδó?

tí potá?

íne akrivá ta potá, stis tavérnes pu tróte?

pós íne ta krasyá saftés tis tavérnes?

tróte pánda saláta me to faí sas ?

tí γliká tróte?

pyó íne to eθnikó tus potó eδó?

θélete na δokimásete aftó to potó?

piyénete káθe méra sti(m) bátra?

θélete na páte stin aθína?

pós ín(e) i pátra?

me tí piyénete ekí?

pós íne ta tréna stin elάδa?

ín(e) akrivá ta isitíria ya ti bróti θési
    sto tréno?

éxi i pátra kalá ksenoδoxía?

ín(e) akrivá?

boríte na mu píte tí óra íne?

Useful words

ὁ ἄνθρωπος	o ánθropos	man
ὁ φοιτητής	o fititís	student
ὁ ναύτης	o náftis	sailor
ὁ λοχίας	o loxías	sergeant
ὁ νοσοκόμος	o nosokómos	medic
ὁ λόγος	o lóγos	word; reason, motive
ἡ κόρη	i kóri	daughter
ἡ θάλασσα	i θálasa	sea
ἡ ὁδός	i oδós	street
ἡ ἄγκυρα	i ángira	anchor
τό αὐγό	to avγό	egg
τό πλοῖο/τό καράβι	to plío/to karávi	ship

End of Tape 3A

Tape 3B

Unit 7

Basic Dialogue

ἡ γυναίκα	i yinéka	(the) wife, woman
Καλημέρα σας, πῶς εἶσθε;	kaliméra, pós ísθe?	Good morning, how are you?
Πῶς εἶναι ἡ γυναίκα σας;	pós ín(e) i yinéka sas?	How is your wife?
κι'οἱ δυό/καί οἱ δύο μας	ki ὃyó / ke i ὃío mas	both ('all the two') us, our
κι'οἱ δυό μας/καί οἱ δύο μας	ki ὃyó mas/ke i ὃío mas	both of us
ἡ μητέρα	i mitéra	(the) mother
τῆς γυναίκας	tis yinékas	of the wife
μου	mu	me, my, mine
τῆς γυναίκας μου	tis yinékaz mu	of my wife
ἄρρωστος, -η, -ο	árostos, -i, -o	sick, ill
Κι'οἱ δυό μας εἶμαστε καλά, ἀλλά ἡ μητέρα τῆς γυναί-κας μου εἶναι ἄρρωστη.	ki ὃyó mas ímaste kalá. alà i mitéra tiz yinékas mu, ín(e) árosti.	We're both fine, but my wife's mother is sick.
ὁ γιατρός	o yatrós	(the) doctor
ὁ γιατρός της	o yatrós tis	her doctor
νομίζω (νομίσω)	nomízo (nomíso)	to think
ἡ καρδιά	i karὃyá	(the) heart
ἀδύνατος, -η, -ο	aὃínatos, -i, -o	weak, slim
ἐπικίνδυνος, -η, -ο	epikínὃinos, -i, -o	dangerous
Ὁ γιατρός της νομίζει, πῶς ἡ καρδιά της εἶναι πολύ ἀδύνατη, κι'αὐτό εἶναι	o yatròs tis nomízi pos i karὃyà tis íne polí aὃínati, kyaftò ín(e)	Her doctor thinks that her heart is very weak, and that's dangerous.

ἐπικίνδυνο.	epikínðino.	
ὁ χρόνος	o xrónos	(the) year
χρονῶν	xronón	of years
Πόσων χρονῶν εἶναι;	póso(n) xronón íne?	How old is she?
μᾶλλον	málon	rather, quite
νέος	néos, -a, -o	young
γερός, -ή, -ό	yerós, -í -ó	healthy
Εἶναι μᾶλλον νέα. Εἶναι σαράντα πέντε χρονῶν καί πολύ γερή γυναίκα.	íne málon néa, íne saránda pénde xronón,ke polí yerí yinèka.	She's quite young, she is 45 years old and she's in good health ('very healthy woman').
τό νοσοκομεῖο	to nosokomío	(the) hospital
Πρέπει νά τήν πᾶτε στό νο- σοκομεῖο.	prépi na ti(m) bàte sto nosokomío.	You ought to take ('go') her to the hospital.
τοῦ νοσοκομείου	tu nosokomíu	of the hospital
ἡ πόλις	i pólis	(the) city
τῆς πόλεως	tis pólecs	of the city
Δυστυχῶς, οἱ γιατροί τοῦ νοσοκομείου τῆς πόλεώς μας, δέν εἶναι καλοί.	ðistixós, i yatrí tu nosokomíu tis poleós mas, ðén íne kalí.	Unfortunately, the doctors in our city hospital aren't good.
ἡ Θεσσαλονίκη	i θesaloníki	(the) Thessaloniki
τῆς Θεσσαλονίκης	tis θesaloníkis	of (the) Thessaloniki
καθαρός, -ή, -ό	kaθarós, -í, ó	clean, pure
᾽Αλλά οἱ γιατροί τῆς Θεσσα- λονίκης εἶναι πολύ καλοί καί τά νοσοκομεῖα πάρα πολύ καθαρά.	alà i yatrí tis θesalo- níkis íne polí kalí, ke ta nosokomía pára polí kaθarà.	But the doctors in Thessaloniki are very good, and the hospitals are extremely clean.
μάλιστα	málista	as a matter of fact, indeed, certainly
ὁ φίλος, ἡ φίλη	o fílos, i fíli	(the) friend

Ἕνας, μάλιστα, γιατρός εἶ-   ènas màlista yatròs   As a matter of fact one of them
ναι φίλος μου. Τόν λένε   ìne fìloz mu. ton(e)   ('one doctor') is a friend of
Παπαδόπουλο. Νά τήν πᾶτε   lène papaδòpulo. na   mine. His name is ('they
σ'αὐτόν. Εἶναι πάρα πολύ   ti(m) bàte saftén. ìne   call him') Papaδopulos. You
καλός.   pàra polì kalòs.   should take her to him. He's
                                                                        very good.

        συμφωνῶ   simfonó   to agree

        μαζί   mazì   together

        ἕτοιμος, -η, -ο   ètimos, -i, -o   ready

        ἕτοιμοι   ètimi   pl.

        ἀργά   aryá   late

        ἡ νύχτα   i nìxta   (the) night

Τό ξέρω. Συμφωνῶ μαζί σας   to ksèro, simfonó mazì   I know it [and] I agree with you;
κι'εἴμαστε ἕτοιμοι νά τήν   sas, kìmaste ètimi na   we're ready to take her to him
πᾶμε σ'αὐτόν ἀργά τήν   ti(m) bàm(e) saftón,   late[r] tonight.
νύχτα.   aryá ti nìxta.

                                 Useful words

        τό σῶμα   to sòma   body

        τά μέλη τοῦ σώματος   ta mèli tu sòmatos   parts   of human body

        τό χέρι   to xèri   hand, arm

        τό πόδι   to pòδi   foot, leg

        τό κεφάλι   to kefàli   head

        τό πρόσωπο   to pròsopo   face

        τό μάτι   to màti   eye

        ἡ μύτη   i mìti   nose

        τό στόμα   to stòma   mouth

        τό αὐτί   to aftì   ear

        τό δόντι   to δò(n)di   tooth

        τό δέρμα   to δèrma   skin, leather

        τό δάκτυλο/δάχτυλο   to δàktilo/δàxtilo   finger or toe

        τά μαλλιά   ta malyà   hair

        τά φρύδια   ta frìδya   eyebrows

Response Drill

A´

tí èxi i mitèra tis yinèkas sas?	in(e) àrosti aptin garδyá tis.
tí nomízi o yatrós tis?	nomízi, pos aftó íne polí epikínδino.
póso(n) xronòn ín(e), i mitéra tis?	íne màlon néa, íne sarànda pénde xronòn, ke polí yerí.
íne kalí i yatrí,tu nosokomíu tis poleós sas?	óxi, δistixós, δén íne kalí.
pós ín(e) i yatrí tis θesaloníkis?	íne polí kalí.
pós íne ta nosokomía tis θesaloníkis?	íne polí kaθarà.
pyós ín(e) o fílos sas?	o fíloz mu, ín(ε) o yatrós.
pós ton(e) lène?	ton(e) lène papaδópulo.
θa pàte ti(n) mitèra tis yinèkas sas sto nosokomío?	málista, ímaste étimi na ti(m) bàm(e) ekí, aryá ti nìxta.

Narrative

Τό παιδί εἶναι ἄρρωστο.	to peδí ín(e) árosto	child
"Ετσι τό λεωφορεῖο δέν θά φύγη σήμερα.	ètsi to leoforío δén θa fíyi sìmera.	thus, so
Ὁ πατέρας μας εἶναι ἄρρω-στος.	o patéraz mas ín(e) árostos.	father
Ἡ νοσοκόμα αὐτή εἶναι πολύ ὡραία.	i nosokòma aftí íne polí orèa.	nurse
Δέν πηγαίνουμε πουθενά.	δén piyènume puθená.	nowhere, anywhere
Αὐτή ἡ περιοχή τῆς πόλεως εἶναι πολύ μεγάλη.	aftí i periexí tis póleos, íne polí meyàli.	area, region, section
Τοῦ χρόνου θά πᾶμε στήν Ἑλ-λάδα.	tu xrónu θa pàme stin elàδa.	next year

Τό παιδί ἑνός φίλου μου εἶναι πολύ ἄρρωστο ἀπ'τήν καρδιά του. Πρέπει νά πάη στό νοσοκομεῖο, ἀλλά δυστυχῶς στήν πόλι μας δέν ὑπάρχει κανένα νοσοκομεῖο. "Εχουμε ἕναν γιατρό, ἀλλά αὐτός δέν εἶναι καθόλου καλός. "Ετσι στίς ὀκτώ τό

παιδί μαζί μέ τόν πατέρα του θά πάη μέ τό τρένο στήν 'Αθήνα. Τά νοσοκομεῖα
τῆς 'Αθήνας εἶναι περίφημα. Εἶναι καινούργια κι ἔχουν πολύ καλούς γιατρούς καί
νοσοκόμες καί εἶναι πολύ φτηνά. Δέν ὑπάρχουν πουθενά ἐκεῖ ἀκριβά νοσοκομεῖα.
Τά νοσοκομεῖα αὐτά εἶναι ὅλα μαζί σέ μιά πολύ καλή περιοχή τῆς πόλεως.

Response Drill

B

pyós ín(e) árostos?	to peδí enós fílu mu.
pú prépi na pái?	prépi na pái sto nosokomío.
ipárxi kanéna nosokomío sti(m) bóli sas?	óxi, δén ipárxi kanéna.
éxete yatrús, sti(m) bóli sas?	málista, éxume énan, alá δén íne kaθólu kalós.
pú θa pái,to árosto peδí stis októ?	θa pái stin aθína.
pyós álos θa pái stin aθína?	o patéras tu.
íne kenúrya ta nosokomía tis aθínas?	né, íne kenúrya, ke polí kalá.
éxun aftá ta nosokomía kalús yatrús ke nosokómes?	málista, éxun.
pú íne ól(a) aftá ta nosokomía?	íne se mná polí kalí perioxí tis póleos.
tí θa éxete tu xrónu sti(m) bóli sas?	tu xrónu θa éxume sti(m) bóli mas éna meγálo nosokomío, ya polús anθrópus.

Grammatical Notes

Note 7.1. The use of Genitive Case.

ἡ μητέρα τῆς γυναίκας μου	i mitéra tis yinékaz mu.	my wife's mother
Πόσων χρονῶν εἶναι;	póso(n) xronón íne?	How old is she (of how many year's).
Εἶναι σαράντα πέντε χρονῶν.	íne saránda pénde xronón.	She's forty five years old.
οἱ γιατροί τοῦ νοσοκομείου	i yatrí tu nosokomíu	the doctors of the hospital
οἱ γιατροί τῆς Θεσσαλονίκης	i yatrí tis θesaloníkis	the doctors of Thessaloniki

The above examples illustrate the use of genitive case.

In Note 5.2 the genitive case was described as 'possessive' case, i.e. one that generally corresponds to 'of' or the apostrophe-plus-s suffix in English.

In addition the genitive case may be used in Greek with certain prepositions (see later units) as well as in certain expressions indicating quantity (age, price, measure, etc.) as shown by the second and third examples above.

Other examples:

Τό δωμάτιο τοῦ ὑπαλλήλου εἶναι ἀριστερά.	to δomátio tu ipalílu ín(e) aristerá.	The employee's room is on the left.
'Η κουζίνα αὐτῆς τῆς ταβέρνας εἶναι πολύ καλή.	i kuzína aftís tis tavérnas íne polí kalí.	The food of this tavern is excellent.
"Ενα ταξίδι ὀκτώ ἡμερῶν.	èna taksíδi októ imeròn.	an eight day trip

Note 7.1.1 Genitive Case - Articles.

The definite article in the genitive case is:

	m.		f.		n.	
Sing.	τοῦ	tu	τῆς	tis	τοῦ	tu
Pl.	τῶν	ton	τῶν	ton	τῶν	ton

and the indefinite article:

	m.		f.		n.	
	ἑνός	enós	μίας	mías <u>or</u>	ἑνός	enós
			μιᾶς	mn^yás		

Following is the Chart of definite and indefinite article declensions:

Definite Article

	Sg.			Pl.		
	m.	**f.**	**n.**	**m.**	**f.**	**n.**
N.	ὁ	ἡ	τό	οἱ	οἱ	τά
	o	i	to	i	i	ta
G.	τοῦ	τῆς	τοῦ	τῶν	τῶν	τῶν
	tu	tis	tu	ton	ton	ton
A.	τόν	τήν	τό	τούς	τίς	τά
	to(n)	ti(n)	to	tus	tis	ta

Indefinite Article

	m.	f.	n.
N.	ἕνας	μία/μιά	ἕνα
	énas	mía/mnᵞá	éna
G.	ἑνός	μίας/μιᾶς	ἑνός
	enós	mías/mnᵞás	enós
A.	ἕνα(ν)	μία(ν)/μιά	ἕνα
	éna(n)	mía/mnᵞá	énà

Note 7.1.2 - Genitive Case - Nouns

The genitive case endings of nouns are as follows:

First Declension

			G.Sg.	G.Pl.
Masc.	oxytones in	-ís	-í	-ón
	paroxytones in	⌐is	⌐i	-ón
		⌐as	⌐a	-ón
Fem.	oxytones in	-í	-ís	-ón
	paroxytones in	⌐i	⌐is	-ón
	oxytones "	-á	-ás	-ón
	paroxytones "	⌐a	⌐as	-ón
	proparoxytones "	⌐-a	⌐-as/-⌐as/-⌐is	-ón

Second Declension

			G.Sg.	G.Pl.
Masc.+ fem.	oxytones in	-ós	-ú	-ón
	paroxytones "	⌐os	⌐u	⌐on
	proparoxytones in	⌐-os	⌐u	⌐on
Neut.	oxytones in	-ó	-ú	-ón
	paroxytones "	⌐o	⌐u	⌐on
	proparoxytones "	⌐-o	⌐u	⌐on

Note 7.2. Noun: First and Second Declensions:

Following are Charts of First and Second Declension nouns:

CHART ONE
FIRST DECLENSION

	Masculine Nouns			Feminine Nouns					Neuter Nouns	
	oxytone	paroxytone	paroxytone	oxytone	paroxytone	oxytone	paroxytone	proparoxytone	oxytone	paroxytone
Sing.										
N	o...ís	´...is	´...as	i...í	´...i	´...á	´...a	´...a	to...í	´...i
G	tu...í	´...i	´...a	tis...ís	´...is	´...ás	´...as	´-as/-ás / ´-as/-is	tu...yú	-...yú
Acc.	to(n)...í(n)	´...i(n)	´...a(n)	ti(n)...í(n)	´...i(n)	´...á(n)	´...a(n)	´-a(n)	to...í	´...i
Plur.										
N	i...és	´...es	´...es	i...és	´...es	´...és	´...es	´...es	ta...yá	´...ya
G	ton...ón	-...ón	-...ón	ton...ón	-...ón	-...ón	-...ón	--ón	ton...yón	-...yón
Acc.	tus...és	´...es	´...es	tis...és	´...es	´...ís	´...es	´-es	ta...yá	´...ya

Examples:

Masculine			Feminine					Neuter	
o fititís 'student'	o náftis 'sailor'	o loxías 'sergeant'	i periofí 'area'	i kóri 'daughter'	i karðyá 'heart'	i kiría 'lady'	i áŋira 'anchor' / i θálasa 'sea'	to peðí 'child'	to karávi 'ship'

Note: Neuter oxytone and paroxytone nouns in /-i/ have been included in the First Declension Chart due to the similarity of their inflection pattern.

88

CHART TWO
SECOND DECLENSION

	Masculine Nouns			Feminine Nouns			Neuter Nouns		
Sing.	oxytone	paroxytone	proparoxytone	oxytone	paroxytone	proparoxytone	oxytone	paroxytone	proparoxytone
N	o..-ós	´ os	´- os	i..-ós	´ os	´-os	to..-ó	´ o	´-o
G	tu..-ú	´ u	´- u	tis..-ú	´ u	´-u	tu..-ú	´ u	´-u
A	to(n)..-ó(n)	´ o (n)	´- o(n)	ti(n)..-ó(n)	´ o(n)	´-o(n)	to..-ó	´ o	´-o
Plur.									
N	i..-í	´ i	´- i	i..-í	´ i	´-i	ta..-á	´ a	´-a
G	ton..-ón	´ on	´- on	ton..-ón	´ on	´-on	ton..-ón	´ on	´-on
A	tus..-ús	´ us	´- us	tis..-ús	´ us	´-us	ta..-á	´ a	´-a

Examples:

	Masculine	Feminine	Neuter
oxytone	o aðelfós 'brother'	i oðós 'street'	to avɣó 'egg'
paroxytone	o nosokómos 'medic'	i páros 'Paros'	to plío 'ship'
proparoxytone	o ánθropos 'man'	i ðiéksoðos 'outlet'	to aftokínito 'automobile'

From the charts above, the following rules can be observed with regard to the shifting of stress in Greek nouns.

1) The stress on Greek nouns may shift only from 'left' to 'right', i.e. from an earlier syllable to a later one: from antepenult (third syllable from the end) to penult (second syllable from the end) or to the last syllable, and from the penult to the last syllable. The stress on oxytone nouns is, therefore, constant.

2) The paroxytone and proparoxytone nouns of the First Declension including paroxytone Neuter nouns in /ᵢi/, shift their stress to the last syllable in the genitive plural. In addition Neuter nouns in /ᵢi/ shift their stress to the last syllable in the genitive singular, (e.g. karávi → karavyí).

3) The stress on proparoxytone nouns of the Second Declension shifts to the penultimate (second from the end) syllable in the genitive singular and plural, and in the accusative plural (masculine and feminine only), e.g. o kírios - tu kiríu - ton giríon - tus kiríus; to aftokínito - tu aftokinítu - ton aftokiníton, but: ta aftokínita.

Note 7.2.1. Noun: Irregular Declension: ὁ χρόνος /o xrónos/ 'year' and ὁ λόγος /o lóyos/ 'word', 'speech', 'reason'.

The words ὁ χρόνος /o xrónos/ and ὁ λόγος /o lóyos/ are inflected in the singular like Second Declension masculine nouns. In the plural, however, these two words (and a limited number of other nouns) have two forms: one 'regular': οἱ χρόνοι /i xróni/, οἱ λόγοι /i lóyi/ and one 'irregular': τά χρόνια /ta xrónya/, τά λόγια /ta lóya/.

It should be noted that the plural form οἱ λόγοι /i lóyi/ means 'speeches' or 'reasons' while the form τά λόγια /ta lóya/ means 'words' only.

Sing.				Pl.				
ὁ χρόνος	o xrónos	οἱ χρόνοι	i xróni	or	τά χρόνια	ta xrónya		
τοῦ χρόνου	tu xrónu	τῶν χρόνων	ton xrónon	or	τῶν χρονῶν	ton xronón		
τόν χρόνο(ν)	to(n) xróno(n)	τούς χρόνους	tus xrónus	or	τά χρόνια	ta xrónya		

Note 7.3. Adjectives:

First and Second Declensions.

It was stated in Note 3.1 that the most frequently used adjectives end either in -ος, -η, -ο /-os, -i, -o/(like καλός,-ή,-ό /kalós,-í,-ó/) or in -ος, -α, -ο /-os, -a,

-o/(like   ὡραῖος, ὡραία, ὡραῖο   /oréos, oréa, oréo/).

All feminine adjectives ending in −η   /-i/ or −α   /-a/ are declined like First
Declension feminine nouns,

All masculine adjectives ending in −ος   /-os/ are declined like Second Declension
masculine nouns.

All neuter adjectives ending in −ο   /-o/ are declined like Second Declension
neuter nouns.

Examples:

	Sg.			Pl.	
N.	ἡ ὡραία καί καλή γυναίκα			οἱ ὡραῖες καί καλές γυναῖκες	
	i oréa ke kalí yinéka			i orées ke kalés yinékes	
G.	τῆς ὡραίας καί καλῆς γυναίκας			τῶν ὡραίων καί καλῶν γυναικῶν	
	tis oréas ke kalís yinékas			ton oréon ke kalón yinekón	
A.	τήν ὡραία(ν)καί καλή(ν)γυναίκα			τίς ὡραῖες καί καλές γυναῖκες	
	tin oréa ke kalí yinéka			tis orées ke kalés yinékes	

N.	ὁ καλός ναύτης τό καλό παιδί	οἱ καλοί ναῦτες τά καλά παιδιά
	o kalós náftis to kaló peðí	i kalí náftes ta kalá peðyá
G.	τοῦ καλοῦ ναύτη τοῦ καλοῦ παιδιοῦ	τῶν καλῶν ναυτῶν τῶν καλῶν παιδιῶν
	tu kalú náfti tu kalú peðyú	ton galón naftón ton galón peðyón
A.	τόν καλό(ν) ναύτη(ν)τό καλό παιδί	τούς καλούς ναῦτες τά καλά παιδιά
	ton galó náfti to kaló peðí	tus kalús náftes ta kalá peðyá

N.	τό καλό ξενοδοχεῖο	τά καλά ξενοδοχεῖα
	to kaló ksenoðoxío	ta kalá ksenoðoxía
G.	τοῦ καλοῦ ξενοδοχείου	τῶν καλῶν ξενοδοχείων
	tu kalú ksenoðoxíu	ton galón ksenoðoxíon
A.	τό καλό ξενοδοχεῖο	τά καλά ξενοδοχεῖα
	to kaló ksenoðoxío	ta kalá ksenoðoxía

It should be noted that the stress on the adjectives is always persistent and does not shift as it does with some types of nouns (see Note 7.2 above).

The only exception to this rule are proparoxytone adjectives which (depending on the speaker) may or may not shift their stress in the genitive plural, e.g. τῶν νοστίμων γυναικῶν /ton nostímon yinekón/ or τῶν νόστιμων γυναικῶν /tón nóstimon yinekón/ 'of the pretty women.' Both pronunciations are acceptable in 'Kathomiluméni'.

Note 7.4. Adjective: αὐτός /aftós/ ὅλος /ólos/.

Βλέπετε αὐτόν τόν κύριο ;	vlépete afto(n) to(n) gírio.	Do you see that gentleman?
"Ολες οἱ θέσεις σ'αὐτό τό λεωφορεῖο εἶναι πιασμένες.	óles i θésis saftó to leoforío, íne pyazménes.	All the seats in this bus are taken.

The adjective αὐτός /aftos/ 'this' is followed by the article plus the noun it modifies. Contrast κανένα καλό ξενοδοχεῖο /kanéna kaló ksenoδoxío/ or τό καλό ξενοδοχεῖο /to kaló ksenoδoxío/.

Most adjectives, like καλός /kalós/ occur between the article and the noun (as in English).

/ólos/ 'all, every' is also generally followed by the article and the noun, e.g.

"Ολος ὁ κόσμος εἶναι ἐδῶ.	ólos o kózmos ineδó.	Everybody is here.

Note 7.5. Adjective: πολύς, πολλή, πολύ /polís, -í, -í/

This adjective is inflected as follows:

	Sing.			Pl.		
	m.	**f.**	**n.**	**m.**	**f.**	**n.**
N.	πολύς	πολλή	πολύ	πολλοί	πολλές	πολλά
	polís	polí	polí	polí	polés	polá
G.	πολλοῦ/πολύ	πολλῆς	πολλοῦ/πολύ	πολλῶν	πολλῶν	πολλῶν
	polú / polí	polís	polú / polí	polón	polón	polón
A.	πολυκ	πολλή(ν)	πολύ	πολλούς	πολλές	πολλά
	polí(n)	polí(n)	polí	polús	polés	polá

Note 7.6. The word μάλιστα   /málista/ used in the sense of 'as a matter of fact', indeed', 'in particular'.

"Ενας μάλιστα γιατρός εἶναι   ènas mălista yatròs   As a matter of fact one of the
φίλος μου.   ìne fíloz mu.   doctors is a friend of mine.

This example shows the idiomatic use of the word μάλιστα   /málista/ 'as a matter of fact'.

Other examples:

"Ολες οἱ ταβέρνες αὐτῆς τῆς   óles i tavèrnes   All the taverns of this town
πόλεως ἔχουν ρετσίνα. Μία,   aftìs tis pòleos èxun have 'retsina';. one [of them]
μάλιστα, ἀπ'αὐτές ἔχει ὅ,τι   retsìna, mía mălista   in particular has [any kind of]
κρασί θέλετε.   apaftès, èxi óti krasì wine that you [may] want.
                                   θèlete.

"Ολες οἱ νοσοκόμες ἐδῶ εἶναι   óles i nosokòmes eδò   All the nurses here are good,
καλές, μία,μάλιστα,ἀπ'αὐτές   ìne kalés, mía mălista [but] one of them in
εἶναι πάρα πολύ καλή.   avaftès, ìne pára   particular is excellent.
                                   polì kalí.

Note 7.7 The use of the verb πηγαίνω /piyéno/ 'to go' as equivalent to English 'to take (someone somewhere)'.

Πρέπει νά τήν πᾶτε στό νο-   prèpi na ti(m) bàte   You must take her to the
σοκομεῖο.   sto nosokomío.   hospital.

νά τήν πᾶτε σ'αὐτόν   na ti(m) bàte saftón. ...you must take her to
                                                          him!

When the verb πηγαίνω /piyéno/'go' is used with a direct object, its meaning corresponds to the English transitive verb 'to take (someone somewhere)'.

Other examples:

Θέλετε νά σᾶς πᾶμε μέ τ'αὐτο-   θèlete na sas pàme   Do you want us to take you
κίνητο στόν σταθμό;   me to aftokìnito   by car to the station?
                                   sto(n) staθmó?

Ναί, θέλω νά μέ πᾶτε ἐκεῖ.   né, θélo na me pàt(e) Yes, I'd like you to take me
                                   ekì.   there.

Note 7.8. The use of the word πουθενά   /puθená/'nowhere', any place' and

κανένας, καμμία, κανένα   /kanénas, kamía, kanéna/'nobody', 'none'

'anybody','any one'.

Δέν πηγαίνουμε πουθενά.	ðen piyénume puθená.	We are not going anywhere.
Δέν ὑπάρχουν πουθενά ἐκεῖ ἀκριβά νοσοκομεῖα.	ðèn ipárxun puθená ekí akrivà nosokomía.	There isn't any expensive hospital over there ('nowhere there expensive hospitals do not exist').

It should be noted that the word πουθενά   /puθená/ is always used with a negative verb in the statements as in the examples above.

In the interrogative sentences, however, the verb may be either affirmative or negative depending on the meaning, e.g.

Θά πᾶτε πουθενά σήμερα;	θa pàte puθenà sîmera?	Are you going any place today?
Δέν θά πᾶτε πουθενά σήμερα;	ðén θa pàte puθenà, sîmera?	Aren't you going any place today?

The word   κανένας, καμμία / καμμιά, κανένα   /kanénas, kamía (kammʸá, kanéna/ behaves in the same way, e.g.

Δέν εἶναι κανένας ἐδῶ.	ðèn îne kanénas eðð.	There is no one here.
but:		
Εἶναι κανένας ἐδῶ;	îne kanénas eðð?	Is any one here?
Δέν εἶναι κανένας ἐδῶ;	ðèn îne kanénas eðð?	Isn't anybody here?

Grammatical Drills

Sample Drills

vlêpume to karàvi tu náfti.

ksêrume ton aðelfð tu fitití.

ksêri tin yinèka tu staθmárxi.

piyèni mazî me tis yinèkes ton naftón.

ksêri ti(n) mitèra ton fititón.

ksêri ton aðerfð tu loxía.

ksérune to(n) yatrð tu loxía.

prctimài ti(n) θêsi tu loxía.

piyènun sta trêna ton loxión.

vlêpun tis yinèkes ton loxión.

kséro tus náftes aftú tu karavyú.

vlépun tus aðerfùs tu peðyú.

íne to γála tu peðyú.

protimái to fai ton estiatoríon.

kséri óles tis θésis ton karavión.

ksérume ton aðerfó tu ipalílu.

protimái to aftokínito tu yatrú.

kséri óla ta ksenoðoxía aftís tis oðú.

γiyénun sta ðomátia ton aðerfón sas.

θélun taftokínita aftón ton ipalílon.

vlépo ton aðerfó tis yinékas sas.

íne to tsáy tis kirías.

kséro tus ipalílus ton brezvión.

piyénun stis kuzínes ton davernón.

ksérun tus aðerfùs ton yinekón mas.

protimáne ta ðomátia aftú tu ksenoðoxíu.

vlépi ta paráθira tu ðomatíu.

éxi ta isitíria ton leoforíon.

piyénun sta estiatória ton plíon.

protimún aftés tis θésis ton aftokiníton.

<u>Transform Model Drills</u>

G.D.7.3

<u>Outline</u>:

Subject (Adjective + Noun)———▶ Object (Adjective + Noun)

<u>Model</u>:

aftós ín(e) o kalós kírios. (vlépo).

vlépo to(n) galó(n) gírio.

----

aftós ín(e) o kenúryos staθmós. (kséro)

aftí ín(e) i oréa tavérna. (éxun)

aftó íne to ftinó estiatório. (θéli)

aftós ín(e) o néos staθmárxis.(kséro)

aftós ín(e) o árostos epivátis.(vlépun)

aftí ín(e.) i oréa nosokóma.   (vlépun)

aftós ín(e) o kalós ipálilos. (ksérun)

aftí ín(e) i perífimi retsína. (protimó)

aftó ín(e) to akrivó potó.   (pínun)

aftós ín(e) o oréos kinimatóγrafos.(vlépun)

aftí ín(e) i oréa yinéka. (ksérun)

aftó íne to mikró peðí. (éxi)

aftós ín(e) o nóstimos kafés. (ðokimázi)

aftí ín(e) i árosti mitéra. (vlépun)

aftó íne to meγálo leoforío. (protimún)

aftó íne to eθnikó potó. (pínun)

aftós ín(e) o nóstimos yatrós. (kséro)

aftá íne ta fréska psárya. (tróne)

aftés ín(e) i meγáles amaksostixíes.(févγun me)

aftí ín(e) i perífimi ánθropi. (ksérume)

G.D.7.1-3

1) Use the nouns in parentheses as 'possessors' (genitive case) in the following sentences.

Model:

aftò ìne to kalò peδí.   (o náftis)

aftò ìne to kalò peδí tu náfti.

aftòs ìn(e) o nèos kinimatóγrafos.	(o aδerfós, i prezvía, to ksenoδoxío)
aftì ìn(e) i ftinì tavérna.	(i pólis, to plío, o staθmós)
aftò ìne to meγàlo karávi.	(o náftis, aftòs o kírios, o fílos sas)
aftòs ìn(e) o kalòs ipálilos.	(o staθmós, i kiría, to nosokomío)
aftì ìn(e) i orèa yinéka.	(o yatrós, o staθmárxis, o aδerfós sas, o fílos sas)
aftò ìne to krìo tsáγ.	(o kírios, i kiría, i yinéka sas, o ipálilos)
aftò ìne to perífimo faí.	(i tavérna, to estiatório, to plío)

2) Put the above sentences in plural.

Model:

aftò ìne to kalò peδí. (o náftis)

aftà ìne ta kalà peδγà ton naftón.

Response Exercise

póson xronòn ìsθe?

póson xronòn ìn(e) i yinèka sas?

éxete peδγá?

póson xronòn ìne ta peδγà sas?

pú ìn(e) o patèras sas ke i mitèra sas?

pós ìne i iγìa tu patèra sas ke tis

mitèras sas?

nomízete pos i yatrì ton nosokomìon tis

poleóz mas, ìne kalí?

èxun ta nosokomía tis poleóz mas polús

aròstus.

ìne ftiná, aftà ta nosokomía?

tí prèpi na kànete, òtan ìste árostos?

tí prèpi na kànete, òtan i yinèka sas

ìne árosti?

ìne epikínδino na èxete aδìnati karδγà?

borìte na mu píte ta mèli tu sòmatos?

<u>End of Tape 3B</u>

Tape 4A

Unit 8

Basic Dialogue

μαθαίνω (μάθω)	maθéno (máθo)	to learn, to study
Ἑλληνικός, -ή, -ό	elinikós, -í, -ó	Greek (adj.)
τά Ἑλληνικά	ta eliniká	the Greek language
Ἐγώ μαθαίνω Ἑλληνικά.	eγó maθéno eliniká.	I'm studying Greek.
ἡ τάξις	i táksis	(the) class, order
κάποτε	kápote	sometimes
Στήν τάξι μας εἴμαστε πέντε φοιτηταί καί κάποτε ἕξι.	sti(n) dáksi mas ímaste pénde fititè , ke kápote, éksi.	We have five students in our class (' in our class we are five students') and sometimes six.
διπλωματικός, -ή, -ό	ðiplomatikós, -í, -ó	diplomatic
ἡ ὑπηρεσία	i ipiresía	(the) service
ἡ Ὑπηρεσία Πληροφοριῶν	i ipiresía pliroforión	U.S.I.A.
Οἱ τέσσερεις εἶναι διπλωματικοί ὑπάλληλοι κι'ὁ ἕνας ἀπ'τήν Ὑπηρεσία Πληροφοριῶν.	i téseris íne ðiplomatikí ipálili, kyo énas aptin ipiresía pliroforión.	Four are Foreign Service Officers and one is from U.S.I.A.
ὁ συμφοιτητής	o simfititís	(the) fellow student
ἔξυπνος, -η, -ο	éksipnos, -i, -o	intelligent
μιλάω/μιλῶ (μιλάει)	miláo/miló (milái)	to speak (he speaks)
ἡ γλῶσσα	i γlósa	(the) language, tongue
Ἕνας συμφοιτητής μου εἶναι πολύ ἔξυπνος, μιλάει ἕξι	énas simfititíz mu íne polí éksipnos, milái	One fellow student of mine is very intellignet, he speaks

97

γλῶσσες.	éksi γlôses.	six languages.
ὁ καθηγητής	o kaθiyitís	(the) professor, high school teacher
ἡ καθηγήτρια	i kaθiyítria	(the) teacher (female)
ὁ ῞Ελληνας	o élinas	(the) Greek (male)
ἡ ῾Ελληνίδα	i eliníδa	(the) Greek (female)
τ᾽ὄνομα	t(o) ónoma	(the) name

῾Ο καθηγητής μας εἶναι ῞Ελ- ληνας ἀπ᾽τήν ᾽Αθήνα. Τ᾽ ὄνομά του εἶναι Παπαδόπου- λος.	o kaθiyitíz mas íne élinas aptin aθína. tónomá tu, íne papaδópulos.	Our teacher is a Greek from Athens. His name is Papadopoulos.

διαβάζω (διαβάσω)	δyaνázo (δyaváso)	to read
διάφορος, -η, -ο	δiáforos, -i, -o	**various**
ἡ φράσις	i frásis	(the) sentence
ἡ πρότασις (προτάσεις)	i prótasis (pl. protásis)	(the) sentence; proposition
ἐπαναλαμβάνω (ἐπαναλάβω)	epanalamváno (epana- lávo)	to repeat

Αὐτός μᾶς διαβάζει διάφορες προτάσεις κι᾽ἐμεῖς τίς ἐπαναλαμβάνουμε.	aftós mas δyaνázi δiáfores protásis, kemís tis epana- lamvánume.	He reads us various sentences and we repeat them.

ρωτάω/ρωτῶ	rotáo/rotó	to ask
ρωτάει/ρωτᾶ	rotái	he asks
ἡ ἐρώτησις/ἐρώτησι	i erótisis/i erótisi	(the) question
οἱ ἐρωτήσεις	i erotísis	pl.
μιλᾶμε	miláme	**we talk**
καθένας, καθεμία/ καθεμιά, καθένα	kaθénas, kaθemía/ kaθemmᵞá, kaθéna	each one, every one
ἡ γνώμη	i γnómi	(the) opinion

῞Υστερα μᾶς ρωτάει ἐρωτήσεις, μιλᾶμε κι᾽ὁ καθένας λέει	ístera mas rotái erotísis, miláme, kyo kaθénas léi	Then he asks (us) questions, we talk and every one gives ('says') his

τήν γνώμη του.	ti γnómi tu.	opinion.
τό διάλειμμα	to ðyálima	(the) intermission, break
εὐχάριστος, -η, -ο	efxáristos, -i, -o	pleasant
ἡ συζήτησις/συζήτησι	i sizítisi/i sizíti-sis	discussion, conversation

Στό διάλειμμα πίνουμε τόν
ἑλληνικό καφέ μας κι'ἔχου-
με εὐχάριστη συζήτησι.

sto ðyálima pínume ton
elinikò kafé mas kéxume
efxáristi sizítisi.

During the break we drink our
Greek coffee and have
a pleasant discussion.

τό βράδυ	to vráði	(the)evening; in the evening, at night
τό σπίτι	to spíti	(the) house, home
τό μάθημα	to máθima	(the) lesson
τά μαθήματα	ta maθímata	pl.
ἡ βοήθεια	i voíθia	(the) help
ἡ ταινία	i tenía	(the) film, picture
ἡ μαγνητοφωνική ταινία	i maγnitofonikí tenía	(the) tape

Τό βράδι στό σπίτι μας πρέ-
πει νά μάθουμε τό μάθημά
μας μέ τήν βοήθεια τῶν
μαγνητοφωνικῶν ταινιῶν.

to vráði, sto spíti mas,
prèpi na máθume to
maθimá mas, me ti
voíθia ton maγnito-
fonikòn teniòn.

We have to learn our lesson at
home at night with the help
of tapes.

δύσκολος, -η, -ο	ðískolos, -i, -o	difficult, hard
ἡ δουλειά	i ðulyá	(the) work, job
συγχρόνως	sinxrónos	at the same time, simultaneously

Εἶναι δύσκολη δουλειά, ἀλλά
συγχρόνως καί πολύ εὐχά-
ριστη.

íne ðískoli ðulyà, alà
sinxrònos ke polí
efxàristi.

It's a difficult job but at
the same time a very
pleasant one.

Response Drill

A´

pyós maθéni eliniká?	eγó maθéno eliniká.
pósi fititè, ìsaste sti(n) dáksi sas?	stin dáksi mas, ìmaste pénde fitite.
ìn(e) óli i fititè, ðiplomatikì ipálili?	óxi, o énas apaftùs ìn(e) aptin ipiresìa pliroforión.
tí ìne ènas simfititìs sas?	ènas simfititìz mu, ìne polí èksipnos.
póses γlòses milài aftòs?	milài éksi γlòses.
apo pú ìn(e) o kaθiyitìs sas?	ìne élinas, aptin aθína.
pós ton lène?	ton lène papaðòpulo.
tí kàni o kaθiyitìs sas sti(n) dàksi?	mas ðiavàzi ðiàfores protásis.
tí kànun i fititè?	epanalamvànun tis protásis.
tí rotài ìstera o kaθiyitís?	mas rotài erotìsis.
tí kàni kàθe fititìs?	milái, ke lèi tin γnómi tu.
tí kànete sto ðyàlima?	pìnume ton elinikò kafé mas, kèxume efxáristi sizìtisi.
tí prèpi na kànete to vràði sto spìti sas?	prèpi na màθume to maθimá mas, me ti(n) voìθia ton maγnitofonikòn tenión.
pós ìn(e) aftì i ðulyá?	ìne ðìskoli, alà sinxrònos ke polí efxàristi.

Narrative

Πρίν φύγω μέ τό τρένο πρέπει νά ἔχω ἕνα εἰσιτήριο.	prìn fìγo me to tréno, prèpi na èxo èna isitírio.	before, ago
Ἡ Ἑλλάδα εἶναι ὡραία χώρα.	i elàða ìn(e) oróa xòra.	country
Ἡ σχολή αὐτή εἶναι πολύ ἀκριβή.	i sxolì aftì ìne polí akrivì.	school
τό σχολεῖο	to sxolío	lower school
Τό Ὑπουργεῖο Ἐξωτερικῶν	to ipuryìo eksoterikòn	Department of State/Ministry of Foreign Affairs
τό ὑπουργεῖο	to ipuryìo	(the) Ministry

Αὐτός <u>θά σπουδάση</u> γιατρός.	aftós <u>θa spuδási</u> yatrós.	
σπουδάζω (σπουδάσω)	spuδázo (spuδáso)	to study
<u>Ἐκείνη</u> ἡ χώρα εἶναι πολύ μακρυά.	<u>ekíni</u> i xóra íne polí makriá.	
ἐκεῖνος, -η, -ο	ekínos, -i, -o	that one
Κάθε μέρα <u>μεταφράζω</u> τό μάθημά μου.	káθe méra, <u>metafrázo</u> to maθimá mu.	
μεταφράζω (μεταφράσω)	metafrázo (metafráso)	to translate
Δέν θά πᾶμε <u>μόνο</u> στήν 'Αθήνα, θά πᾶμε καί στήν Πάτρα.	δén θa páme <u>móno</u> stin aθína, θa páme ke sti(m) bátra.	only
Αὐτό τό ξενοδοχεῖο ἔχει πολλά <u>πράγματα</u>.	aftó to ksenoδoxío, éxi polá <u>práγmata</u>.	
τό πράγμα	to práγma	thing
Αὐτή ἡ χώρα ἔχει ἔναν μεγάλο <u>πολιτισμό</u>.	aftí i xóra, éxi énan meγálo <u>politizmó</u>.	
ὁ πολιτισμός	o politizmós	civilization
στίς τέσσερεις	stis téseris	at four o'clock
Αὐτός <u>ἀκούει</u> πάντα τήν μητέρα του.	aftós <u>akúi</u> pánda tin mitéra tu.	
ἀκούω (ἀκούσω)	akúo (akúso)	to hear, to listen
'Εσεῖς διαβάζετε πάντα μέ <u>προσοχή</u>.	esís δyavázete pánda me <u>prosoxí</u>.	
ἡ προσοχή	i prosoxí	attention
'Η κόρη της τήν <u>βοηθάει</u> σ' ὅλες τίς δουλειές της.	i kóri tis tin <u>voiθái</u> sóles tis δulyés tis.	
βοηθῶ	voiθó	to help, assist

Πολλοί διπλωματικοί ὑπάλληλοι σήμερα θέλουν νά πᾶνε στήν 'Ελλάδα. 'Αλλά πρίν πᾶνε σ'αὐτή τήν χώρα πρέπει νά μάθουν ἑλληνικά. Γι'αὐτό ἀρχίζουν μαθήματα ἑλληνικῶν στήν Διπλωματική Σχολή τοῦ 'Υπουργείου 'Εξωτερικῶν στήν Γουάσιγκτον. Ἡ ἑλληνική τάξις ἔχει πάντα ἕνα μικρό ἀριθμό φοιτητῶν. Οἱ φοιτηταί σπουδάζουν ἔξι ὧρες τήν ἡμέρα. Ὁ καθηγητής τούς διαβάζει προτάσεις κι'ἐκεῖνοι τίς ἐπαναλαμβάνουν καί ὕστερα αὐτός τούς ρωτάει ἐρωτήσεις, ἔχουν συζήτησι καί κάποτε μεταφράζουν τό μάθημά τους. Καί δέν μαθαίνουν μόνο τήν γλῶσσα ἀλλά μαθαίνουν καί πολλά πράγματα γιά τόν πολιτισμό τῆς Ἑλλάδας.

Ὕστερα ἀπό τήν τάξι στίς πέντε, οἱ φοιτηταί πηγαίνουν κι'ἀκοῦνε μέ προσοχή τίς μαγνητοφωνικές ταινίες πού ὑπάρχουν στήν Διπλωματική Σχολή κι' αὐτό τούς βοηθάει πολύ γιά νά μάθουν τό μάθημά τους.

Ἔτσι πολύ γρήγορα μποροῦν καί μιλᾶνε πολύ καλά ἑλληνικά.

Response Drill

Β´

pyí anθropi θélun símera na páne stin eláδa?	polí δiplomatikí ipálili.
tí prépi na kánun, prin páne stin xòr(a) aftí?	prépi na máθun eliniká.
pú arxízun maθímata elinikón?	stin δiplomatikí sxolí tu ipuryíu eksoterikón, stin γuásinkton.
éxi i elinikí táksis polús fititès?	óxi, i elinikí táksis, éxi pánda éna mikró ariθmò fititòn.
póses òres tin iméra spuδàzun i fititè sti(n) dáksi tus?	spuδázun éksi òres tin iméra.
tí kánun ekí?	o kaθiyitís tus δyavàzi protásis kekíni tis epanalamvànun. ístera aftòs tus rotài erotísis, éxun sizítisi ke kápote metafràzun to maθimà tus.
maθénun móno ti(n) γlòsa saftí ti sxolí?	óxi, maθénun epísis ke polá práγmata ya ton bolitizmò tis elàδas.
tí kánun i fititè ístera apo ti(n) dáksi?	piyènun kyakùne me prosoxí tis maγnitofonikès teníes.
tus voiθài aftó, ya na máθun tin γlósa?	málista, tus voiθài pára polí.

Grammatical Notes

Note 8.1. Pronoun: Possessive Pronouns

Στήν τάξι μας εἴμαστε πέντε	stin dáksi mas, ímaste	We have five students in our
φοιτηταί.	pénde fitité.	class.
ἕνας συμφοιτητής μου...	énas simfititíz mu..	one of my fellow students.
ὁ γιατρός της νομίζει...	o yatrós tis nomízi...	her doctor thinks...

The above sentences illustrate the use of the genitive case of personal pronouns ('of us', 'of me', 'of her') as equivalent to English possessive pronouns ('our', 'my', 'her').

The complete set of these forms is:

μου	mu	my ('of me')
σου	su	your (fam.) ('of you')
του	tu	his ('of him')
της	tis	her ('of her')
του	tu	its ('of it')
μας	mas	our ('of us')
σας	sas	your ('of you')
τους	tus	their ('of them')

These pronouns are <u>unstressed</u> and follow the noun they modify, e.g. τό παιδί μου /to peðí mu/'my child'. However, if the noun is modified by another adjective the possessive pronoun may follow either the adjective or the noun, e.g. τό καλό μου παιδί /to kaló mu peðí/ or τό καλό παιδί μου /to kaló peðí mu/ 'my good child'.

When the noun modified by the possessive adjective is proparoxytone, the stress is automatically shifted to the last syllable, e.g. ὁ ἄνθρωπος /o ánθropos/ 'the man', but ὁ ἄνθρωπός μας /o anθropóz mas/ 'our man'.

Note 8.2. Pronoun: Personal pronouns used as direct and indirect objects.

As in English personal pronouns can be used either as direct or indirect objects of a verb (e.g. he saw <u>me</u> - direct obj.; he said <u>to me</u> - indirect obj.)

Pronouns used as direct object of a verb are:

μέ	me	me
σέ	se	you
τόν(ε)	ton	him

τήν(ε)	tin	her
τό	to	it
μᾶς	mas	us
σᾶς	sas	you (pl.)
τούς	tus	them(m.)
τίς	tis	' (f.)
τά	ta	' (n.)

Direct object pronouns always come before the verb, except in some imperative (command) constructions (see later units).

Examples:

Τόν λένε Παπαδόπουλο.	ton léne papaδópulo.	They call him Papadopoulos.
Σέ θέλει ὁ γιατρός.	se θéli o yatrós.	The doctor wants you.
Τούς ρωτάει ἐρωτήσεις.	tus rotái erotísis.	He asks them questions.

The indirect object pronouns are the same as the possessive pronouns but are differentiated in writing by an accent mark.

μου	mu	to me
σοῦ	su	to you (sg.)
τοῦ	tu	to him
τῆς	tis	to her
τοῦ	tu	to it
μᾶς	mas	to us
σᾶς	sas	to you
τούς	tus	to them (m.,f.,n.)

But, unlike the possessive pronouns, the indirect object pronouns always precede the verb.

Examples:

Μοῦ πουλάει εἰσιτήρια.	mu pulái isitíria.	She sells tickets to me.
Σοῦ μιλάει ὅλη τήν ὥρα.	su milái óli tin óra.	He talks to you all the time.
Θά τοῦ μιλάω πάντα Ἑλληνικά.	θa tu miláo pánda eliniká.	I'll speak with him always in Greek.

When two pronouns are used as direct and indirect object of a verb, the indirect
precedes the direct, e.g.

Θά σᾶς τό πῶ σήμερα.   θa sas to pò símera.   I'll tell it to you today.

Θά σᾶς τά διαβάσουμε τό βράδυ.   θa sas ta ŏyavàsume to vráŏi.   We'll read them to you tonight.

In addition to the prcnominal forms described above, there are longer forms which
can be used as direct or indirect object of the verb.

The long pronominal forms are:

ἐμένα	eména	me or to me
ἐσένα	eséna	you or to you
αὐτόν	aftón	him or to him
αὐτήν	aftí(n)	her or to her
αὐτό	aftó	it or to it
ἐμᾶς	emás	us or to us
ἐσᾶς	esás	you or to you
αὐτούς	aftús	them (m.) or to them
αὐτές	aftés	͡ (f.) ᵗᵗ
αὐτά	aftá	͵ (n.) ͵͵

The long pronominal forms must be used either for emphasis,

e.g.

Ὁ καθηγητής βλέπει ἐμένα.	o kaθiyitìs vlèpi eména.	It's me (direct object) that the teacher sees.
Αὐτός θέλει ἐσένα.	aftòs θèli eséna.	It's you (dir.obj.) that he wants.
Αὐτός μοῦ μιλάει ἐμένα.	aftòs mu milài eména.	He's talking to me (indir.obj.).

or after prepositions, e.g.:

Θά διαβάσω μ'ἐσᾶς.	θa ŏyavàso m(e) esás.	I'll read together with you.
Θά φύγω μ'αὐτούς.	θa fíyo m(e) aftús.	I'll leave with them.
Δέν θέλω νά διαβάσω σ'ἐσένα ἐλληνικά.	ŏén θèlo na ŏyavàso, s(e) eséna elinikà.	I don't want to read Greek to you.

<u>Note 8.3</u> Pronoun: Demonstrative pronouns: αὐτός, -ή, -ό   /aftós-í-ó/ and

ἐκεῖνος, -η, -ο   /ekínos-i-o/.

Αὐτός, αὐτή, αὐτό   /aftós, aftí, aftó/ 'this', 'that' and ἐκεῖνος,

ἐκείνη, ἐκεῖνο   /ekínos, ekíni, ekíno/ 'that', are used both ι) independently,

as 'demonstrative pronouns', and 2) modifying a noun, as adjectives.

Αὐτός, -ή, -ό   /aftós, -í, -ó/ may correspond in meaning to English 'this' or

'that' depending on the context, e.g.

Αὐτός ὁ ἄνθρωπος εἶναι	aftós o ánθropos,íne	This man is good.
καλός.	kalós.	
Αὐτό πού λέτε δέν εἶναι	aftó pu léte, δén	That what you say is not
ιαλό.	íne kaló.	good.

In order to avoid any ambiguity the adverb   ἐδῶ   /eδó/ 'here' can be added to

αὐτός, -ή, -ό   /aftós, -í, -ó/ to mean specifically 'this' and ἐκεῖ   /ekí/ 'there'

to mean specifically 'that', e.g.

Αὐτός ἐδῶ εἶναι γιατρός.	aftós eδó íne yatrós.	This one is a doctor.
Αὐτά ἐκεῖ εἶναι τά παιδιά	aftá ekí íne ta	Those are my children.
μου.	peδyá mu.	

Αὐτός, -ή, -ό   /aftós, -í, -ό/ which usually means either 'this' or 'that' in

respect to distance, becomes definitely 'this' when paired with   ἐκεῖνος, -η, -ο

/ekínos,-i,-ο/, e.g.

Αὐτός ὁ κύριος εἶναι ἐδῶ,	aftós o kírios ineδó,	This gentleman is here
ἐκεῖνος ὁ κύριος εἶναι	ekínos o kírios inekí.	and that one is there.
ἐκεῖ.		
. κι'ἐκεῖνοι τόν ἀκοῦνε μέ	kekíni ton akúne me	..and they ('those') listen to him
προσοχή.	prosoxí.	attentively.

Εκεῖνος, ἐκείνη, ἐκεῖνο   /ekínos, ekíni, ekíno/ corresponds in meaning

to English 'that' To specify clearly 'that one over there' it may be combined with the

word ἐκεῖ /ekí/ 'there'. Thus ἐκεῖνος ἐκεῖ   /ekínos ekí/ means 'that one over

there', e.g.

'Εκεῖνος ἐκεῖ μιλάει ἑλλη-	ekínos ekí milái	That one over there speaks
νικά.	eliniká.	Greek.

It should be also noted that both αὐτός /aftós/ and ἐκεῖνος /ekínos/
may either precede or follow the noun they modify, e.g.

Αὐτός ὁ ἄνθρωπος εἶναι κα- λός.	aftós o ánθropos,íne kalós.	This man is good.

<u>ἤ</u>
<u>or</u>

Ὁ ἄνθρωπος αὐτός εἶναι κα- λός.	o ánθropos aftós, íne kalós.	

<u>Note 8.3.1</u> Alternate forms of αὐτός, -ή, -ό   /aftós, -í, -ó/ and ἐκεῖνος, -η, -o
/ekínos, -i, -o/.

Αὐτός, αὐτή, αὐτό   /aftós, aftí, aftó/ has alternate forms in the genitive
singular and plural, while ἐκεῖνος, -η, -o /ekínos, -i, -o/ has alternate forms in the
genitive singular only.

	<u>Gen.Sing</u>	<u>Gen.Pl.</u>	<u>Acc.Pl.</u>
αὐτός	αὐτοῦ / αὐτουνοῦ	αὐτῶν / αὐτωνῶν	αὐτούς
aftós	aftú / aftunú	aftón / aftonón	aftús
αὐτή	αὐτῆς / αὐτηνῆς	αὐτῶν / αὐτωνῶν	αὐτές
aftí	aftís / aftinís	aftón / aftonón	aftés
αὐτό	αὐτοῦ / αὐτουνοῦ	αὐτῶν / αὐτωνῶν	
aftó	aftú / aftunú	aftón / aftonón	aftá
ἐκεῖνος	ἐκείνου / ἐκεινοῦ	ἐκείνων	ἐκείνους
ekínos	ekínu / ekinú	ekínon	ekínus
ἐκείνη	ἐκείνης / ἐκεινῆς	ἐκείνων	ἐκεῖνες
ekíni	ekínis / ekinís	ekínon	ekínes
ἐκεῖνο	ἐκείνου / ἐκεινοῦ	ἐκείνων	ἐκεῖνα
ekíno	ekínu / ekinú	ekínon	ekína

Examples:

Τό σπίτι αὐτοῦ (αὐτουνοῦ) τοῦ ἀνθρώπου εἶναι ἀκρι- βό.	to spíti aftú (or:aftunú) tu anθrópu, ín(e) akrivó.	This man's house is expensive.
Τό παιδί αὐτῆς (αὐτηνῆς) τῆς γυναίκας εἶναι μικρό.	to peδí aftís (or:aftinís) tis yinékas, íne mikró.	This woman's child is small.

Note 8.4 Question words   πόσος, -η, -ο   /pósos, -i, -o/ 'how much, how many' and

   ποιός, -ά, -ό   /pyós, -á, -ó/ 'which','which one','who'.

Πόσο κάνουν;	póso kánun?	How much do they cost?
Ποιός εἶναι αὐτός ὁ κύριος;	pyós ín(e) aftòs o kírios?	Who is that gentleman?

The question word   πόσο   /póso/ 'how much' is used adverbially in the above sentence. The same word is used in the form of an adjective   πόσος, πόση, πόσο /pósos, pósi, póso/ to modify a noun with which it agrees (like any other adjective) in gender, number and case.

Examples:

Πόσος κόσμος εἶναι ἐδῶ;	pósos kòzmos ineðð?	How many people are here?
Πόσου κόσμου τά παιδιά φεύγουν γιά τήν 'Αθήνα;	pósu kòzmu ta peðyà fèvyun ya tin aθína?	The children of how many persons are leaving for Athens?
Ξέρετε πόσες μέρες θά κάνη τό τρένο;	ksèrete pòses mères θa kàni to tréno?	Do you know how many days will it take[for]the train [to arrive]?
Πόσους ἀνθρώπους ξέρετε;	pósus anθròpus ksérete?	How many people do you know?
Πόσα παιδιά θά εἶναι στό σπίτι;	pósa peðyà θa íne sto spíti?	How many children will be in the house?

The question word ποιός,-ά,-ό /pyós-á-ó/ 'who', 'which', 'which one', is declined as follows:

	Sg.			Plur.		
	m.	f.	n.	m.	f.	n.
N.	ποιός ⁻	ποιά	ποιό	ποιοί	ποιές	ποιά
	pyós	pyá	pyó	pyí	pyés	pyá
G.	ποιοῦ	ποιᾶς	ποιοῦ	ποιῶν	ποιῶν	ποιῶν
	pyú or	pyás or	pyú or	pyón or	pyón or	pyón or
	ποιανοῦ	ποιανῆς	ποιανοῦ	ποιανῶν	ποιανῶν	ποιανῶν
	pyanú	pyanís	pyanú	pyanón	pyanón	pyanón
A	·ποιόν	ποιά(ν)	ποιό	ποιούς	ποιές	ποιά
	pyón	pyá(n)	pyó	pyús	pyés	pyá

Examples:

Ποιανοῦ εἶναι τό καφενεῖο;	pyanú íne to kafenío?	Whose café is this?
Ποιανῶν εἶναι αὐτό τό σπίτι;	pyanón ín(e) aftó to spíti?	Whose (pl.) house is this?
Ποιές ξέρετε;	pyés ksérete?	Whom (f.pl.) do you know?
Ποιούς κυρίους θά δῆτε;	pyús kiríus θa ðíte?	Which gentlemen are you going to see?
Ποιούς ξέρετε;	pyús ksérete?	Whom (m.pl.) do you know?

<u>Note 8.5</u> The use of the verb λέω /léo/ in the sense of 'to name', 'to call (by name)'.

Τόν λένε Παπαδόπουλο.   ton(e) léne papaðópulo.   His name is Papadopoulos (they call him Papadopoulos).

The 3rd person plural of the verb λέω   /léo/ 'to say' is commonly used in Greek to correspond in meaning to the English 'one's name is so-and-so (literally: 'they call him (me, her, etc.) so-and-so').

Other examples:

Μέ λένε Νίκο.	me léne níko.	My name's Nicholas.
Τό παιδί μου τό λένε 'Αλέξανδρο.	to peðí mu to léne aléksandro.	My child's name is Alexander.

Grammatical Drills
Sample Drill

G.D. 8.1

to spíti mu ineðó.

to leoforío su févyi símera.

i θésis tu ðén íne kalí.

i ðulyá tis íne polí kalí.

to ðomatió tu éxi polá paráθira.

to potó mas ín(e) i retsína.

to eθnikó sas faí íne to arnáki.

i yinékes tus íne nées.

ta nosokomía tus ðén íne kaθólu kalá.

o kinimatoγrafós tus íne meγálos.

G.D. 8.1-2

eména me léne dzón.

eséna se léne níko.

aftón ton rotáne erotísis.

aftí(n) tin léne maría.

emás mas nomízun éksipnus.

esás sas θéli to peðí sas.

aftús tus léne dzón ke níko.

aftés tis vlépun káθe méra.

me lène dzón.

se ksèrun kalá.

ton vlèpun kàθe méra.

tin θèlun ya δulyá.

to pìni me γála.

mas lène maría ke níko.

sas pìni to tsáy sas.

tus vlèpi kàθe méra.

tis rotài erotísis.

ta pulài δèka δraxmés.

mu milài eliniká.

su lèo kaliméra.

tu epanalamvàni protásis.

tis δyavàzi to máθima.

tu milài eliniká.

mas pulài to estiatóric.

sas lèi polá pràγmata.

tus milàne ta peδyá tus.

tus δyavàzun to máθima.

tus milàne eliniká.

eména,mu milài eliniká.

eséna,su pulàne isitíria.

emás, mas epanalamvànun protásis.

esás, sas lène níko.

G.D.8.3

aftòs ìne kalós.

aftunù to spìti ìn(e) akrivó.

aftinìs i mitèra ìn(e) árosti.

aftunù to estiatòrio ìne ftinó.

aftòn ton lène níko.

aftìn tin gzéro.

aftò to vlèpo káθe mèra.

aftì ìne polí èksipni.

aftonòn taftokìnito ìne mikró.

aftonòn i sxolì ìne kondá sto ipuryìo.

aftùs tus lène níko ke aléksandro.

aftès tis ksérun i mitèrez mas.

aftà ta vlèpun káθe mèra.

ekìnos ekí ìne nàftis.

ekinù to spìti ìne polí makrià.

o aδerfòs ekínis, ìn(e) ipálilos.

taftokìnito ekinú, ìne polí mikrò.

ta peδyà ekínon ìne polí èksipna.

ekìnus ekí tus lène dzón ke níko.

ekìnes ekí, δén dis ksèrun kalà.

ekìna ìne ta peδyá tus.

G.D.8.4

pyós ìn(e) aftòs?	pósos kòzmos θa ìne sto spìti sas?
pyá ìn(e) aftì?	póson gafè θèlete?
pyó ìn(e) aftò?	pósi zàxari θèlete?
pyanú ìn(e) aftò to spìti?	póso γàla θèlete?
pyanís ìne taftokìnito?	pósi kìrii θa ìne sto estiatòrio?
pyanú ìn(e) aftò to ksenoδoxìo?	póses yinèkes ineδò?
pyí θa pàne sto estiatòrio?	pósa ksenoδoxìa ìne stin aθìna?
pyés θa pàne sto ipuryìo?	póson naftòn i yinèkes θa pàne stin aθìna?
pyá peδyà piyènun saftì ti sxolì?	póson yinekòn ta peδyà θa pàne stin aθìna?
pyanón ìn(e) aftà ta leoforìa?	pósus fititès èxete?
pyús θa rotísete erotìsis?	póses yinèkes vlèpete?
pyés δèn simfonùn razì sas?	pósa peδyà èxete?
pyá estiatòria èxun retsìna?	
me pyón θa pàte stin aθìna?	

Correlation Substitution Drill

G.D.8.2

Use the proper form of pronoun as indicated by the English given in parentheses:

me lène nìko. (him, you).

sas θèli i kirìa. (her, him, us, them(m.)).

se vlèpun kàθe mèra. (him, her, them (f.))

ton rotài erotìsis. (her, them (n.)).

tis pulàne èna aftokìnito. (them (n.), it)

tin lène marìa. (you, you (pl.))

mas nomìzun èksipnus. (you (pl.) them (m.))

tus vlèpun kàθe mèra. (us, you (pl.))

mu pulàne isitìria. (her, him, them (f.))

mu milài elinikà. (to us, to him, to her,
to them (m.)

su epanalamvàni to màθima.(to him, to me,
to us)

tis lèi kalimèra. (to him, to them (f.), to
us, to you (pl.))

mas pulài èna isitìrio. (to you (pl.), to him,
to her, to them (m.))

tus milàne ta peδyà. (to you, to me, to us,
to him)

emèna me lène dzòn. (him, you)

esás, sas θèli aftòs o kìrios. (us, them (m.),
(f.),(n.), you (sing.))

esèna se ksèryn kalà. (me, you (pl.), him,
her, them (m.))

aftòn ton rotàne erotìsis. (them(f.), her,
you (sg.))

aftá ta puláne ðéka ðraxmès. (it).

aftòn ton vlèpune káθe mèra. (you (pl.), her,
  it, them (f.))

emàs mas nomìzun éksipnus. (you (pl.),
  them (m.)

aftùs tus lène dzòn ke nìko (you (pl.), us)

Transform Model Drill

Model:

tonomà mu ìne nìkos.
↓
me lène nìko.

tonomà su ìne maría.

tonomà tu ìne yórɣos.

tonomà mas ìne maría ke yórɣos.

tonomà tis ìne maría.

tonomà tus ìne nìkos ke yórɣos.

tonomà tu ìne yánis (neuter)

tonomà sas ìn(e) aléksandros.

tonomà tus ìne maría k(e) eléni.

tonomà tus ìne nìkos ke yórɣos. (neuter)

tonomà mu ìne yórɣos

Response Exercise

pòsi fititè ìne stin dáksi sas?

pòsi apaftùs ìne ðiplomatikì ipàlili?

pòsi aptin ipiresìa pliroforiòn?

tì kànete stin dáksi sas?

tì kàni o kaθiyitìs sas stin dáksi?

ton rotàte kàpote erotìsis ton kaθiyitì sas?

tì lèi aftòs,òtan ðèn gsèrete to maθimá sas?

pòses ɣlòses milàte?

tì kànun i fititè,sto ðyálima?

pòs maθènete to maθimá sas?

borìte na metafràsete ðìskoles elinikès
  protásis?

akùte káθe mèra,tis maɣnìtofonikès tenìes?

pyó ìne tònoma tis sxolìs pu spuðàzete
  elinikà?

pòs tone*lène ton kaθiyitì sas?

ìne ðìskoli i ðulyà sas,sto ipuryìo
  eksoterikòn?

nomìzete pos ta elinikà ìne ðìskoli ɣlòsa?

nomìzete pos i elàða ìn(e) oréa xòra?

nomìzete pos i èlines ìn(e) oréi ke pos
  i elinìðes èxun oréa ke meɣála màtya?

End of Tape 4A

---

*/tóne/ is sometimes used for euphony instead of /ton/.

Tape 4B

Unit 9

Basic Dialogue

αὔριο	ávrio	tomorrow
τό πρωΐ	to proí	(the) morning
παραγγέλνω (παραγγεί-λω)	parangélno (parangí-lo)	to order
τό κουστούμι	to kustúmi	(the) suit
Αὔριο τό πρωΐ θά παραγγεί-λω ἕνα κουστούμι.	ávrio to proí, θa parangílo èna kustúmi.	I'm going to order a suit tomorrow morning.
εὐτυχῶς	eftixós	fortunately
τό κατάστημα	to katástima	(the) store, shop
τά καταστήματα	ta katastímata	pl.
τό ὕφασμα	to ífazma	(the) cloth, material, fabric
τά ὑφάσματα	ta ifázmata	pl.
Εὐτυχῶς ὑπάρχει ἕνα κατά-στημα πού πουλάει πολύ καλά ὑφάσματα	eftixós, ipàrxi èna katástima, pu pulài polí kalà ifàzmata.	Fortunately, there is a store which sells very good material(s),
ἡ ποικιλία	i pikilía	(the) variety
τῶν ὑφασμάτων	ton ifazmáton	of material(s)
κι ἔχει καί μία μεγάλη ποικι-λία ὑφασμάτων.	kèxi ke mìa meγáli pikilìa ifazmàton.	and it has a large variety of fabrics.
μάλλινος, -η, -ο	málinos, -i, -o	woollen
βαμβακερός, -ή, -ό	vamvakerós, -í, -ó	cotton
νάϋλον	náilon	nylon
Ὑφάσματα μάλλινα, βαμβακε-ρά, νάϋλον καί τά λοιπά.	ifàzmata málina, vamva-kerá, náilon ke ta	Woolen material(s), cotton, nylon, etc.

lipá.

ἀγοράζω (ἀγοράσω)	aɣorázo (aɣoráso)	to buy
Οἱ Ἕλληνες δέν θέλουν ν' ἀγοράζουν ἕτοιμα κουστού- μια.	i élines ðén θélun naɣorázun étima kustùmnya.	The Greeks don't like to buy ready-made suits.
συνηθίζω (συνηθίσω)	siniθízo (siniθíso)	to be accustomed to
ὁ ράφτης / ράπτης	o ráftis/o ráptis	(the) tailor
Συνηθίζουν νά πηγαίνουν στόν ράφτη.	siniθízun na piɣènun sto(n) ráfti.	They usually go to the tailor.
παίρνω (πάρω)	pérno (páro)	to take
τά μέτρα	ta métra	(the) measurements
χρησιμοποιῶ (χρησιμο- ποιήσω)	xrisimopió (xrisi- mopiíso)	to use
ἡ ἐπιτηδιότητα/-της	i epitiðiótita/-tis	(the) skill
ἡ φορεσιά	i foresyá	(the) suit
τέλειος, -α, -ο	télios, -a, -o	perfect
Ὁ ράφτης θά σᾶς πάρη τά μέτρα καί θά χρησιμοποιή- ση ὅλη τήν ἐπιτηδιότητά του, γιά νά σᾶς κάνη τήν φορεσιά σας τέλεια.	o ráftis θa sas pàri ta métra, ke θa xrisimopiísi ðli tin epitiðiotitá tu, ya na sas kàni ti(n) foresyá sas, télia.	The tailor will take your measurements, and will use all his skill to make your suit perfect.
ἴδιος, -α, -ο	íðyos, -a, -o	(the) same
ἡ ντουζίνα	i duzína	(the) dozen
ἄσπρος, -η, -ο	áspros, -i, -o	white
τό πουκάμισο	to pukámiso	(the) shirt
Ἀπ'τό ἴδιο κατάστημα θ' ἀγοράσω καί μία ντουζίνα ἄσπρα πουκάμισα.	apto íðyo katástima θaɣoràso ke mía duzína áspra pukàmisa.	I'll also buy a dozen white shirts from the same store.

μεταξωτός, -ή, -ό	metaksotós, -í, -ó	made of silk
ἡ γραβάτα	i γraváta	(the) tie
τό χρῶμα	to xróma, pl. ta xrómata	(the) color

| Σ'αὐτό τό κατάστημα ἔχουν καί πολύ καλές μεταξωτές γραβάτες σ'ὅλα τά χρώματα. | saftó to katástima, èxun ke polí kalès metaksotès γravàtes, sóla ta xrómata. | They also have very good silk ties in all colors, in this store. |

ἄν/ἐάν	án/eán	if
μένω (μείνω)	méno (míno)	to remain, to stay, to dwell
μερικοί, -ές, -ά	merikí, -és, -á	any, some
τό χρῆμα , τά χρήματα	to xríma pl. ta xrímata	(the) money
ἡ κάλτσα	i káltsa	socks, stockings
τό παπούτσι	to papútsi	(the) shoe

| Κι'ἄν θά μοῦ μείνουν καί μερικά χρήματα θ'ἀγοράσω κάλτσες καί παπούτσια. | kyan θa mu mínun ke merikà xrímata, θaγoráso káltses ke papútsia. | And if I have any money left ('some money will remain') I'll buy [some] socks and shoes. |

Ἀριθμοί   ariθmí

πενήντα ἕνα	penínda éna	fifty one
πενήντα δύο	penínda δío	fifty two
ἐξῆντα	eksínda	sixty
ἐβδομῆντα	evδomínda	seventy
ὀγδόντα	oγδónda	eighty
ἐνενήντα	enenínda	ninety
ἐκατό	ekató	one hundred

Response Drill

A'

tí θa kàni aftòs, àvrio to proí?   θa parangíli èna kustúmi.

pú θa pài na parangíli to kustúmi?   sèna katástima, pu pulài polí kalà

115

ifàzmata.

èxi polá ifàzmata aftò to katàstima?

málista, èxi mìa meɣáli pikilìa ifazmàton.

ifàzmata málina, vamvakerá, náilon,

ke ta lipá.

θèlun i èlines naɣoràzun étima kustúmnya?

óxi. δén θèlun.

pú siniθìzun na piyènun ya ta kustúmnya tus?

siniθìzun na piyènun sto(n) ráfti.

tí kàni o ràftis,sto katastimá tu?

o ràftis sas pèrni ta métra, ke xrisimopii

óli tin epitiδiotità tu, na sas kàni ti

foresyà sas, télia.

tí epìsis θaɣoràsi aftòs o kìrios apto
íδyo katàstima?

θaɣoràsi ke mìa duzìna áspra pukàmisa.

tí àlo èxun saftò to katàstima?

saftò to katàstima èxun ke polí kalès

metaksotès ɣravàtes, sóla ta xròmata.

tí θa kàni aftòs án θa tu mìnun merikà
xrìmata?

θaɣoràsi káltses, ke papútsia.

Narrative

Αὐτός δείχνει μεγάλο ἐνδια-φέρον σ'αὐτήν τήν γυναῖκα.	aftòs δíxni meɣálo enδiafèron saftì ti yinèka.	interest
δείχνω (δείξω)	δíxno (δíkso)	to show
Σήμερα ἡ ταβέρνα ἔχει πολ-λούς πελάτες.	sìmera i tavèrna èxi polús pelàtes.	
ὁ πελάτης	o pelátis	customer, patron, client
Τί ἀκριβῶς θέλετε;	tí akrivòs θèlete?	exactly
Αὐτό πού λέτε μ'εὐχαριστεῖ.	aftò pu lète mefxaristí.	it pleases me
Δέν ἀγοράζω πουκάμισα μέ σχέδια.	δén aɣorazo pukàmisa me sxèδia.	
τό σχέδιο	to sxéδio	design, plan
Ὁ Νίκος λέει πάντα τήν ἀλήθεια.	o nìkos lèi pánda tin alíθya.	
ἡ ἀλήθεια	i alíθya	truth

Αὐτός δίνει ὅλα τά χρήματά του.	aftòs ðíni óla ta xrimatà tu.	
δίνω (δώσω)	ðíno (ðóso)	to give
Μᾶς δίνει πάντα πολ- λές συμβουλές.	mas ðíni pànda polés simvulès.	
ἡ συμβουλή	i simvulí	advice
'Η ἐκλογή σας εἶναι πολύ καλή.	i ekloyí sas íne polí kalí.	
ἡ ἐκλογή	i ekloyí	choice
Αὐτός ἔχει πολύ γοῦστο.	aftòs èxi polí γùsto.	taste

Τό κατάστημα τοῦ φίλου μου τοῦ Νίκου εἶναι κοντά στήν πρεσβεία στήν 'Αθήνα. Εἶναι ἕνα πολύ καλό κατάστημα, πού τό προτιμοῦν αὐτοί πού θέλουν ν' ἀγοράζουν τέλεια κουστούμια. 'Εκεῖ ἔχουν πολύ καλά μάλλινα, βαμβακερά, μεταξωτά καί νάϋλον ὑφάσματα. 'Ο ράφτης τοῦ καταστήματος, ἄνθρωπος πού δείχνει μεγάλο ἐνδιαφέρον στούς πελάτες του καί μέ μεγάλη ἐπιτηδιότητα σᾶς παίρνει τά μέτρα σας καί σᾶς κάνει τό κουστούμι σας ὅπως ἀκριβῶς τό θέλετε.

Σ'αὐτό τό κατάστημα πᾶνε ὅλοι οἱ διπλωματικοί ὑπάλληλοι τοῦ 'Υπουργείου 'Εξωτερικῶν καί τῆς 'Υπηρεσίας Πληροφοριῶν, ὅπως ἐπίσης πολλοί γιατροί καί ὑπάλληλοι τοῦ Προξενείου. Πηγαίνουν ἐκεῖ διότι τούς εὐχαριστεῖ ἡ ποικιλία τῶν σχεδίων τῶν ὑφασμάτων του.

'Ο φίλος μου ὁ Νίκος, πού εἶναι ἀλήθεια ἕνας πολύ ἔξυπνος καί εὐχάριστος ἄνθρωπος, σᾶς δίνει τήν συμβουλή του γιά ὅ,τι ἀγοράσετε κι'ἔτσι ἡ ἐκλογή σας ἔχει πάντα ἕνα πολύ καλό γοῦστο.

Response Drill

B´

pós ton lène to filo sas?	ton lène níko.
pú íne to katàstima tu fílu sas?	íne kondà sti(n) brezvía, stin aθína.
pyí protimùn to katàstima aftò?	aftí pu θèlun naγoràzun télia kustùmnya.
èxun ekí kalá ifàzmata?	né, èxun polí kalà, málina, vamvakerá, metaksotà ke náilon ifàzmata.
tí ànθropos ín(e) o ráftis?	ín(e) ènas ánθropos, me meγáli epitiðiòtita.
tí ðíxni stus pelàtes tu?	ðíxni saftùs meγálo enðiaféron.
kàni o ràftis aftòs kalá kustùmnya stus pelàtes tu?	málista, kàni ta kustùmnya tus ópos akrivòs ta θèlun.

pyí pàne sto katàstima aftò?

pyí àli pàn(e) ekí?

ya pyó lòγo piyènun ekí?

tí ànθropos ín(e) o níkos?

tí ðìni stus pelàtes tu?

pós íne ta pràγmata pu aγorázun?

óli i ðiplomatikí ipàlili,tu ipuryíu eksote-
    rikón, ke tis ipiresías pliroforión.

polí yatrí ke ipàlili tu prokseníu.

piyènun ekí, ðiòti tus efxaristí i pikilía
    ton sxeðíon ton ifazmáton tu.

íne ènas polí èksipnos ke efxàristos
    ànθropos.

tus ðìni ti(n) simvulí tu, ya òti aγorázun.

íne polí kalà kèxun polí γùsto.

Grammàtical Notes

Note 9.1. Noun: Third declension neuter nouns in -μ-α /-ma/.

Ὑπάρχει ἕνα κατάστημα, πού	ipàrxi èna katástima, pu	There is a store which sells
πουλάει πολύ καλά ὑφάσμα-	pulài polí kalà	very good material.
τα.	ifàzmata.	
....ποικιλία ὑφασμάτων	pikilía ifazmáton	.. variety of materials
σ'ὅλα τά χρώματα...	s(e) óla ta xrómata.	in all colors..,
κι'ἄν θά μοῦ μείνουν	kyán θa mu mínun,ke	and if I nave any money left...
καί μερικά χρήματα...	merikà xrímata...	

In Note 5.4 it was stated that the third declension includes a large number of nouns
with various endings. The above examples illustrate one class of third declension nouns,
namely neuter nouns in -μ-α /-ma/.

All neuter nouns in   /-ma/ are declined as follows:

Paroxytone n.				Proparoxytone n.			
	Sg.		Pl.		Sg.		Pl.
N.	to	xróma	ta xrómata	to	katástima	ta	katastímata
G.	tu	xrómatos	ton xrumáton	tu	katastímatos	ton	katastimáton
A.	to	xróma	ta xrómata	to	katástima	ta	katastímata

Note 9.1.1 Noun: Third declension neuter nouns   τό γάλα   /to γála/ 'milk' and
    τό κρέας /to kréas/'meat'.

These two nouns are declined like neuter nouns in -μ-α /-ma/.

Sg.			Pl.		
N.	τό γάλα	to γála	τά γάλατα	ta γálata
G.	τοῦ γάλακτος	tu γálaktos	τῶν γαλάτων	(ton γaláton)
A.	τό γάλα	to γála	τά γάλατα	ta γálata
N.	τό κρέας	to kréas	τά κρέατα	ta kréata
G.	τοῦ κρέατος	tu kréatos	τῶν κρεάτων	ton kreáton
A.	τό κρέας	to kréas	τά κρέατα	ta kréata

Grammatical Drills

Sample Drills

aftò to xròma îne kaló.

to àspro ifazma ìn(e) akrivó.

ipàrxi polí xrìma stin elàδa sìmera.

to katàstima aftò ìne ftinó.

aftò to màθima ìne polí δískolo.

i ipàlili aftù tu katastímatos, ìne kalí.

ta pukàmisa aftù tu xrómatos, ìne kalá.

to xròma aftù tu ifázmatos, ìn(e) áspro.

i protàsis aftù tu maθímatos, δén ìne kalès.

protimò aftó to xròma.

aftès θèlun to áspro ifazma.

aftì i yatrì èxun polá xrìmata.

emìs èxume èna kaló katàstima.

i fititè epanalamvánun to máθima.

aftà ta xrómata, îne kalá.

ta àspra ifázmata, ìn(e) akrivá.

aftà ta maθímata, ìne δískola.

aftà ta xrímata, δén ìne polà.

ta meγàla katastímata, ìne δeksiá.

i pelàtes aftòn ton katastimáton, ìne kalí.

i kàltses aftòn ton xromáton, ìn(e) akrivès.

o kaθiyitìs aftòn ton maθimáton, ìne polí èksipnos.

to xròma aftòn ton ifazmáton, ìn(e) áspro.

emìs èxume δèka katastímata.

aftès i foresyès èxun polá xrìmata.

aftòs δén θèli ifàzmata me polá sxèδia.

aftò to ìfazma èxi polá xròmata.

Correlation Substitution Drill

Put the words in parentheses into the appropriate case (singular or plural, as necessary).

o ipàlilos aftù (to katàstima) θa pàri àvrio polá (to xrìma).

aftì i fititè maθènun polí kalà (to máθima) tus.

i pikilìa (to ìfazma) aftòn (to katàstima) ìne polí meγàli.

(to ífazma) aftòn ton áspron (xróma),ine polí akrivà.

(to xróma aftòn ton akrivòn (ífazma) íne polí orèa.

Substitute the words in parentheses for the underlined word or words of the sentence, and change the aspect of the verbs accordingly.

emís aɣoràzume ifàzmata óli tin òra. (stis éksi)

aftès θa epanalàvun to màθima, stis δío. (káθe

  mèra)

prèpi na δyavàzo aftò to màθima káθe mèra.

  (stis októ)

esís prèpi na màθete to màθima stiz δéka. (óli

  tin òra)

aftòs va spuδàzi pánda elinikà. (àvrio)

emis θa δokimàsume ta krasyà àvrio. (káθe mèra)

pínete kafè óli tin òra. (àvrio to proí).

θa fàme musakà àvrio. (kàθe mèra)

aftòs prèpi na piyèni stin elàδa, káθe xròno.

  (àvrio)

aftès θa δínun pánda xrìmata sta nosokomía.

  (àvrio to proí)

esís θa δíte símera to níko. (kàθe méra)

o níkos aɣoràzi foresyès óli tin òra.

  (àvrio)

emís θa parangílume ta pukamisà mas sto(n)

  yáni, àvrio. (pánda)

esís siniθízete na tròte pánda stiz δéka.

  (stis októ)

emís pínume to(n) gafè mas kàθe proí

  stis októ. (stis éksi àvrio)

esí mènis pánda stin elàδa. (sèna xróno)

aftí xrisimopiùn pànda óli tin epitiδiotitá

  tus ya na sas efxaristísun. (àvrio)

aftòs o ipàlilos aɣoràzi kalá kustùmya pànda.

  (àvrio to proí)

o ràftis sas pérni ta métra óli tin òra.(àvrio)

tí òra tròte pánda? (àvrio)

pú piyènete kàθe mèra? (àvrio)

tí θa kànete, àvrio to proí?

ipàrxun kalá katastímata sti(m) bóli sas?

tí èxun aftà ta katastímata?

íne akrivá ta pràɣmata ekí?

tí kànete sèna katàstima?

íne i ɣravàtes ke ta pukàmisa akrivá sto

  katàstima pu pàte?

pàte saftò to katàstima káθe mèra?

pàte pánda ston íδyo ràfti?

ín(e) o ràftis sas kalós?

δíxni o ràftis sas enδiaféron stus

  pelàtes tu?

protimàte naɣoràzete ètima kustúmnya, í

  na piyènete sto(n) ràfti?

ipàrxun kalá ifàzmata, ke ála pràɣmata

  sta katastímata tis poleós sas?

End of Tape 4B

120

Tape 5A

Unit 10

Basic Dialogue

ὁ καιρός	o kerós	(the) time, weather
πόσον καιρό	póson geró	how long, ('how much time')
μείνατε	mínate	you stayed, remained
Πόσον καιρό μείνατε στήν 'Αθήνα;	póson geró mínate stin aθína?	How long did you stay in Athens?
ἔμεινα	émina	I stayed, remained,
περίπου	perípu	approximately, about
ἡ ἐβδομάδα	i evðomáða	(the) week
"Εμεινα ἐκεῖ δύο ἐβδομάδες περίπου.	émina ekí, ðío evðomáðes, perípu.	(I stayed there) two weeks approximately.
ἡ 'Ακρόπολις	i akrópolis	(the) Acropolis
εἴδατε	íðate	you saw
Εἴδατε τήν 'Ακρόπολι;	íðate tin akrópoli?	Did you see the Acropolis?
χθές	xθés	yesterday
(ἐ)πῆγα	(e)píγa	I went
(ἐ)πάνω	(e)páno	up
Ναί, χθές τό πρωῖ ἐπῆγα ἐκεῖ πάνω μαζί μέ ἄλλους.	né, xθès to proí,epíγa ekí páno, mazi ne álus.	Yes, I went up there ('together') with others yesterday morning.
βρίσκω (βρῶ)	vrísko (vró)	to find
βρῆκα / εὑρῆκα	vríka / evríka	I found
εὔκολος, -η, -ο	éfkolos, -i, -o	easy
εὔκολα	éfkola	easily

ὁ ὁδηγός	o οδιγós	(the) guide, driver
Βρήκατε εὔκολα ἔναν ὁδηγό;	vríkate éfkola,ènan οδιγó?	Did you find a guide easily?
βρήκαμε	vríkame	we found
ἐξηγῶ	eksiγó	to explain
ἐξήγησε	eksíyise	he explained
ἡ λεπτομέρεια	i leptoméria	(the) detail
μὲ λεπτομέρειες	me leptoméries	in detail
ἡ ἀρχιτεκτονική	i arxitektonikí	(the) architecture
ὁ ναός	o naós	(the) temple
Ναί, βρήκαμε ἔναν, πού μᾶς ἐξήγησε μὲ λεπτομέρειες τὴν ἀρχιτεκτονική τῶν ναῶν.	né, vríkame ènan, pu mas eksíyise me leptoméries, tin arxitektonikí ton naón.	Yes we found one who explained to us in detail the architecture of the temples.
ἀρέσει	arési	it pleases
ἄρεσε	árese	it pleased
σᾶς ἄρεσε	sas árese	it pleased you
περισσότερο	perisótero	most (adv.)
Ποιός ναός σᾶς ἄρεσε περισσότερο;	pyós naòs sas àrese perisòtero?	Which temple did you like the best ('pleased you the most)?
ἁπλός, -ή, -ό	aplós, -í, -ó	simple
θαυμάσιος, -α, -ο	θavmásios, -a, -o	wonderful, beautiful
ὁ Παρθενώνας	o parθenónas	(the) Parthenon
'Ο ἁπλός καί θαυμάσιος Παρθενώνας,	o aplós ke θavmásios parθenónas.	The simple and beautiful Parthenon.
χρησιμεύω (χρησιμεύσω/ χρησιμέφω)	xrisimévo (xrisi-mépso)	to serve, to be of use
ἦσαν/ἦταν(ε)	ísan/ítan(e)	was/were
ἀρχαῖος, -α, -ο	arxéos, -a, -o	ancient
ἡ τέχνη	i téxni	(the) art

πού χρησιμεύει νά δείχνη στόν κόσμο πόσο τέλεια ἦταν ἡ ἀρχαία ἑλληνική τέχνη.	pu xrisimèvi na ðîxni sto(n) gózmo, póso tèlia ìtan i arxèa eliniki téxni.	that shows ('serves to show') the world how perfect the ancient Greek art was.
καταλαβαίνω (κατα-λάβω)	katalavéno (kata-lávo)	to understand
πραγματικός, -ή, -ό	praɣmatikós, -í, -ó	real
ὁ καλλιτέχνης	o kalitéxnis	(the) artist
καί μόνο τότε κατάλαβα ὅτι οἱ ᾽Αρχαῖοι ῞Ελληνες ἦσαν πραγματικοί καλλιτέχνες.	ke mòno tóte katàlava, òti i arxèi élines, ìsan praɣmatikí kalitèxnes.	And only then did I understand that the ancient Greeks were real artists.

Response Drill

Α´

póson gerò ìtan aftòs o kírios stin aθìna?	ìtan ekí, ðío evðomàðes perípu.
póte pìye stin akròpoli?	pìye xθés to proí.
mazí me pyús pìy(e) ekì pàno?	pìye ekì páno, mazí me álus.
vrìke éfkola ènan oðiɣò?	málista, vrìke polí éfkola ènan.
tí tu eksíyise aftòs o oðiɣòs?	tu eksíyise tin arxitektonikí ton arxèon naón.
pyós naòs tu àrese perisòtero?	o parθenónas venèos.
ya pyó lòɣo?	ðiòti ìn(e) aplós, ke θavmásios.
tí ðîxni o parθenónas?	ðîxni póso tèlia, ìtan i arxèa elinikí téxni.
tí katàlave aftòs o kírios, òtan ìðe ton barthenóna?	katàlave pos i arxèi élines, ìtan praɣmatikí kalitèxnes.

Narrative

Πέρυσι ἐπῆγα στήν ᾽Ελλάδα.	périsi, pìɣa stin elàða.	last year
῾Ο φίλος σας εἶναι ᾽Αμερικα-νός.	o fílos sas ìn(e) amerikanós.	
᾽Αμερικανός, -ίδα		American

Greek	Transcription	English
Ὁ χρόνος ἔχει δώδεκα μῆνες.	o xrònos èxi δόδeka mínes.	
ὁ μήνας	o mínas	month
Θέλω νά πάω παντοῦ.	θèlo na pào pandú.	everywhere
Αὐτός ἤπιε ρετσίνα μόνο μία φορά.	aftòs ìpye retsina móno mìa forà.	time, occasion
Κοντά στήν Θεσσαλονίκη εἶναι πολλά ἐρείπια.	kondà stin θesaloníki íne polá erípia.	
τό ἐρείπιο	to erípio	ruin
Ἀγοράζετε πολλά βιβλία.	aγoràzete polá vivlía.	
τό βιβλίο	to vivlío	book
ἤξεραν/ξέρανε	íkseran/ksérane	they knew
ἤθελαν/θέλανε	íθelan/θélane	they wanted
Τά σημερινά παιδιά θέλουν πολλά πράγματα.	ta simerinà peδyá, θèlun polá pràγmata.	
σημερινός, -ή, -ό	simerinós, -í, -ó	contemporary, present
Αὐτοί οἱ ὑπάλληλοι ζοῦν πολύ καλά.	aftì i ipálili zùn polí kalà.	
ζῶ (ζήσω)	zó (zíso)	to live
Αὐτή ἡ γυναίκα ἔχει πολλή ζωή.	aftí i yinèka èxi polí zoí.	
ἡ ζωή	i zoí	life
Ἐμεῖς συχνάζουμε στό καφενεῖο τοῦ Νίκου.	emìs sixnàzume sto kafenìo tu níku.	
συχνάζω	sixnázo	to visit often, to frequent
Τά λαϊκά καταστήματα εἶναι δεξιά.	ta laikà katastímata, íne δeksyá.	
λαϊκός, -ή, -ό	laikós, -í, -ó	popular
Σᾶς ἀρέσουν οἱ διασκεδάσεις;	sas arèsun i δiaskeδásis?	
ἡ διασκέδασις	i δiaskéδasis	fun, amusement
Μένω κοντά στό κέντρο τῆς πόλεως.	mèno kondà sto kèndro tis póleos.	center
τό κέντρο διασκεδάσεως	to kèndro δiaskeδáscos	nightclub

Αὐτός εἶναι ἕνας μεγάλος   aftòs ìne ènas meγálos

λαός.   laòs.   people, crowd,

Αὐτή ἡ πόλις μ'ἀρέσει τόσο   aftì i pòlis marèsi tóso polì,   so (much)

πολύ, πού θέλω νά μείνω ἐκεῖ.   pu θèlo na míno ekì.

Αὐτός ὁ φοιτητής κοντεύει νά   aftòs o fititìs kondèvi na

μάθη αὐτή τήν δύσκολη γλῶσσα. mà θi aftì ti δìskoli γlosa.

     κοντεύω (κοντέψω)   kondévo (kondépso)   to be about (to do something)

Γιατί πίνετε καφέ ὅλη τήν ὥρα; γiatì pìnete kafè, óli tin òra?   why, because

Πέρυσι ἕνας Ἀμερικανός μέ τήν γυναῖκα του πῆγαν στήν Ἑλλάδα. "Ἔμειναν
ἐκεῖ πέντε μῆνες περίπου καί πῆγαν παντοῦ. Στήν Ἀθήνα, τήν Θεσσαλονίκη, τήν
Πάτρα καί σέ πολλές ἄλλες πόλεις. "Ὅταν ἦταν στήν Ἀθήνα πῆγαν στήν Ἀκρόπολι
καί στούς ἄλλους ἀρχαίους ναούς μερικές φορές. Τούς ἄρεσαν πολύ ὅλα αὐτά τά
ἀρχαῖα ἐρείπια, ἀλλά αὐτοί ἤξεραν πολλά πράγματα γι'αὐτά ἀπ'τά διάφορα βιβλία
πού διάβασαν καί ἤθελαν νά μάθουν καί μερικά πράγματα γιά τούς σημερινούς
"Ἕλληνες καί τήν σημερινή Ἑλλάδα. "Ἤθελαν νά ξέρουν πῶς ζοῦν οἱ ἄνθρωποι
αὐτοί, πῶς βλέπουν τήν ζωή καί τί κάνουν σήμερα γιά τήν χώρα τους καί τόν
ἄλλον κόσμο. Γι'αὐτό ἐπῆγαν ἐκεῖ πού συχνάζουν ὅλοι οἱ "Ἕλληνες. Στίς
ταβέρνες, στά καφενεῖα, στά ἐστιατόρια καί στά λαϊκά κέντρα διασκεδάσεως.
Κι'ἐκεῖ ἔμαθαν πολλά πράγματα γι'αὐτούς. "Ἔμαθαν πῶς οἱ "Ἕλληνες εἶναι ἕνας
λαός μέ καρδιά καί ἕνας λαός πού ξέρει νά ζῆ. Κι'αὐτό τούς ἄρεσε τόσο πολύ
πού κόντεψαν νά μείνουν γιά πάντα στήν Ἑλλάδα.

Response Drill

Β'

pyí pìγan stin elàδa?   ènas amerikanòs me ti γinéka tu.

póte pìγan ekì?   périsi.

póso(n) γerò èminan ekì?   pénde mìnes perìpu.

se pyés pòlis tis elàδas pìγan?   pìγan pandú. stin aθína, sti θesaloníki,

                                     sti(m) bàtra ke se polés àles pòlis.

pú pìγan òtan ìtan stin aθína?   pìγan stin akrópoli, ke stus álus arxèus

                                     naùs.

póses forès pìγan ekì?   pìγan ekì merikès forès.

tus áresan ta arxèa aftà erípia?

tí íkseran ya tin arxèa elàða?

apo pú íkseran, óla aftà ta pràγmata?

tí àlo íθelan na màθun epísis?

tí akrivòs íθelan na ksèrun ya tus
   simerinùs èlines?

pú pìγan ya na ta màθun òl(a) aftà?

ke tí èmaθan yaftùs?

tus árese aftò?

né, tus àresan pára polí.

íkseran polá pràγmata ya tin arxèa elàða.

apò polá vivlía pu òyàvasan.

íθelan na màθun merikà pràγmata ya tus
   simerinús èlines,ke ti simeriní elàða.

íθelan na ksèrun pós zùn aftì i ànθropi,
   pós vlèpun ti zoí ke tí kànun sìmera ya
   ti xòra tus,ke ton álo kózmo.

pìγan ekí pu sixnàzun òl(i) i èlines. stis
   tavèrnes, sta kafenía, sta laiká kèndra
   ðiaskeðàseos,ke ta lipá.

pos íne ènas laòs me karòγá, ènas laós
   pu kséri na zí.

né, tus àrese tóso polí pu kòndepsan na
   mìnun ya pánda stin elàða.

Grammatical Notes

Note 10.1 Verb: Past tense of the verb 'be'.

Καί μόνο τότε κατάλαβα πώς	ke mòno tóte katàlava,	And only then did I understand
οἱ 'Αρχαῖοι "Ελληνες	pos i arxèi élines,	that the ancient Greeks were
ἦσαν πραγματικοί καλλι-	ítan praγmatikí	real artists.
τέχνες.	kalitèxnes.	

The past tense of the verb 'be' is as follows:

Sg.

1.	ἤμουν(α)	ímun(a)	I was
2.	ἤσουν(α)	ísun(a)	you were (fam.)
3.	ἦταν(ε)	ítan(e)	he,she,it was

Pl.

1.	ἤμαστε / ἤμασταν	ímaste or ímastan	we were
2.	ἤσαστε / ἤσασταν/ἦσθε	ísaste or ísastan or ísθe	you were
3.	ἦσαν / ἦταν	ísan or ítan	they were

Note 10.2 Verb: Class I Verb: Past tense personal endings.

Εἴδατε τήν ᾿Ακρόπολι;	ίδate tin akrópoli?	Did you see the Acropolis?
᾿Επῆγα ἐκεῖ πάνω μαζί μέ	epíγa ekí páno, mazí me	I went up there with the others.
ἄλλους.	álus.	
῏Εμαθαν πολλά πράγματα.	émaθan polá práγmata.	They learned many things.

The present tense personal endings of the Class I verbs (used with present, future and subjunctive) were discussed in Note 4.5. The above examples illustrate the past tense personal endings of the same verb class.

The complete set of these endings is:

	Sg.		Pl.	
1.	-α	-a	-αμε	-ame
2.	-ες	-es	-ατε	-ate
3.	-ε	-e	-αν(ε)	-an(e)

Note 10.3 Class I Verbs: Simple Past.

Πόσον καιρό μείνατε στήν ᾿Αθήνα;	póso(n) geró mínate stin aθína?	How long did you stay in Athens?
῏Εμεινα ἐκεῖ δύο ἐβδομάδες.	émina ekí, δío evδomáδes.	I stayed there for two weeks.
῏Εμαθαν πολλά πράγματα.	émaθan polá práγmata.	They learned many things.
῏Ηθελαν νά ξέρουν...	íθelan na ksérun...	They wanted to know...
῏Ηξεραν πολλά πράγματα ἀπ᾿ τά βιβλία πού διάβασαν.	íkseran polá práγmata apta vivlía pu δγávasan.	They knew many things from books they read.

The Greek Simple Past corrésponds in meaning to the Simple Past in English ('I did so-and-so').

The Simple Past of the Class I verbs is formed by (1) adding past tense personal endings to the perfective stem of the verb and (2) shifting the stress to the third syllable from the end.

Thus, for example, the verb ἀρχίζω /arxízo/ 'I begin' has the perfective stem ἀρχίσ- /arxís-/. The Simple Past of this verb is, therefore:

	Sg.		Pl.	
1.	ἄρχισα	árxisa	ἀρχίσαμε	arxísame

2.	ἄρχισες	árxises	ἀρχίσατε	arxísate
3.	ἄρχισε	árxise	ἄρχισαν ἤ	árxisan <u>or</u>
			ἀρχίσανε	arxísane

As can be seen from this example, the stress in the plural forms of the verb comes one syllable later than the stress in the singular forms. The reason for this is that the plural endings -αμε, -ατε, -ανε /-ame/, /-ate/ and /-ane/ contain two syllables. When the third person plural -αν /-an/ is used (as in ἄρχισαν /árxisan/ above) the stress falls on the same syllable as in the singular forms.

All 'regular' polysyllabic verbs of this class have their stress shifted in Simple Past according to the above pattern.

The dissyllabic Class I verbs have a stressed 'augment' prefixed to the stem of the verb.

This augment is usually the vowel ἔ- /é-/ (e.g. maθéno-máθo-émaθa) or sometimes /í-/(with a limited number of verbs only, as ἤθελα /íθela/ from the verb θέλω /θélo/ 'to want', ἤξερα /íksera/ from the verb ξέρω /kséro/, etc.)

The augment is prefixed to all 'regular' dissyllabic verbs of this class only when a one syllable past tense ending is added to the verb stem. Where the ending consists of two syllables (e.g. plural ending -αμε, -ατε, -ανε /-ame/, /-ate/ and /-ane/) the augment may or may not be prefixed to the verb.

κάνω /káno/ (κάνω/κάμω /káno/kámo) 'to do'

1.	ἔκανα	ékana	'I did'	(ἐ)κάναμε	(e)káname
2.	ἔκανες	ékanes	etc.	(ἐ)κάνατε	(e)kánate
3.	ἔκανε	ékane		ἔκαναν ἤ	ékanan <u>but:</u>
				κάνανε	kánane

The Simple Past of the verb παίρνω (πάρω) /pérno (páro)/ as well as that of the six other 'irregular' verbs listed in Note 6.2 is as follows:

παίρνω /pérno/ (πάρω /páro/) 'to take'

1.	(ἐ)πῆρα	(e)píra	(ἐ)πῆραμε	(e)pírame
2.	(ἐ)πῆρες	(e)píres	(ἐ)πῆρατε	(e)pírate
3.	(ἐ)πῆρε	(e)píre	(ἐ)πῆραν	(e)píran(e)

τρώ(γ)ω/tróo/ (φάω/fáo/) 'to eat'

1.	ἔφαγα	éfaγa	(ἐ)φάγαμε	(e)fáγame
2.	ἔφαγες	éfaγes	(ἐ)φάγατε	(e)fáγate
3.	ἔφαγε	éfaγe	-ἔφαγαν ἤ	éfaγan <u>or</u>
			φάγανε	fáγane

λέ(γ)ω/léo/(πῶ/pó/) 'to say'

1.	εἶπα	ípa	εἴπαμε	ípame
2.	εἶπες	ípes	εἴπατε	ípate
3.	εἶπε	ípe	εἶπαν(ε)	ípan(e)

φεύγω/févγo/(φύγω /fíγo/) 'to leave'

1.	ἔφυγα	éfíγa	(ἐ)φύγαμε	(e)fíγame
2.	ἔφυγες	éfíyes	(ἐ)φύγατε	(e)fíγate
3.	ἔφυγε	éfíye	ἔφυγαν ἤ	éfíγan <u>or</u>
			φύγανε	fíγane

πίνω/píno/(πιῶ /pyó/) 'to drink'

1.	ἤπια	ípya	ἤπιαμε	ípyame
2.	ἤπιες	ípyes	ἤπιατε	ipyate
3.	ἤπιε	ípye	ἤπιαν(ε)	ípyan(e)

πηγαίνω ἤ πάω /piyéno <u>or</u> páo/ (πάω /páo/ 'to go'

1.	(ἐ)πῆγα	(e)píγa	(ἐ)πήγαμε	(e)píγame
2.	(ἐ)πῆγες	(e)píyes	(ἐ)πήγατε	(e)píγate
3.	(ἐ)πῆγε	(e)píye	(ἐ)πῆγαν(ε)	(e)píγan(e)

βλέπω/vlépo/ (δῶ/δό/) 'to see'

1.	εἶδα	íδa	εἴδαμε	íδame
2.	εἶδες	íδes	εἴδατε	íδate
3.	εἶδε	íδe	εἶδαν(ε)	íδan(e)

The verb βρίσκω /vrísko/ 'to find' belongs to a mixed verb class: while its perfective stem form is constructed like any other 'irregular' Class I verb (βρῶ, βρῆς, βρῆ /vró/, /vrís/, /vrí/ etc.) its Simple Past is formed by adding the past suffix

-ῆκ- /-ik-/ to the perfective stem /vr-/. The resulting form:

βρῆκα, βρῆκες, βρῆκε, βρήκαμε, βρήκατε, βρήκανε (or εὑρῆκαν, ηὑραν/evríkan,ívran/)
/vríka, vríkes, vríke, vríkame, vríkate, vríkane/ is a typical Simple Past form of Class III
verbs which will be discussed in later Units.

The impersonal verb πρέπει /prépi/ (Note 6.7) has the Past form ἔπρεπε /éprepe/
'it was necessary', 'had to'.

Note 10.4. Verb: The use of the verb ἀρέσω /aréso/'to please' as equivalent to the
English verb 'to like something or somebody'.

Ποιός ναός σᾶς ἄρεσε περισ-   pyós naòs sas àrese   Which temple did you like the
σότερο;   perisòtero?   best ('pleased you most')?

The verb ἀρέσω /aréso/ 'to please' is commonly used in Greek as equivalent to the
English verb 'to like'. Thus:

μοῦ ἀρέσει ἤ μ'ἀρέσει   mu arési or marési 'I like' ('it pleases me')
σοῦ ἀρέσει ἤ σ'ἀρέσει   su arési or sarési 'you (fam.) like'
τοῦ ἀρέσει, τῆς ἀρέσει,τοῦ ... tu arési, tis.. tu.. 'he,she,it likes'
μᾶς ἀρέσει   mas arési   'we like'
σᾶς ἀρέσει   sas arési   'you like'
τούς ἀρέσει   tus arési   'they like'

The person 'liking' is either in the genitive case (as μου, τοῦ, σοῦ, /mu, tu,
su, etc./ above) or in the accusative preceeded by the preposition σέ /s(e)/ 'to'.

Thus the English sentence 'this gentleman likes this temple very much' may be either:

Αὐτοῦ τοῦ κυρίου τοῦ ἀρέσει πολύ αὐτός ὁ   aftù tu kiríu tu arèsi polí aftòs o naòs.
ναός.   or
Αὐτός ὁ ναός ἀρέσει πολύ σ'αὐτόν τόν κύριο.aftòs o naòs arèsi polí saftò(n) ton gìrio.

and in the plural:'This gentleman likes these temples very much':

Αὐτοῦ τοῦ κυρίου τοῦ ἀρέσουν πολύ αὐτοί   aftù tu kiríu tu arèsun polí aftí i naí.
οἱ ναοί.   or
Αὐτοί οἱ ναοί ἀρέσουν πολύ σ'αὐτόν τόν   aftí i naí arèsun polí saftò(n) to(n)
κύριο.   gìrio.

The Simple Past of this verb is ἄρεσα, ἄρεσες, ἄρεσε, ἀρέσαμε, ἀρέσατε, ἄρεσαν
/áresa, áreses, árese/ etc.

Note 10.5 Verb: The use of the verb κοντεύω (κοντέψω) /kondévo (kondépso)/

'to be near to','on the verge of','to be about to'.

Ὁ φοιτητής κοντεύει νά μάθη αὐτήν τήν δύσκολη γλῶσσα.	o fititis kondèvi na máθi afti ti δískoli γlòsa.	The student is about to master this difficult language.

Other examples:

Κόντεψα ν'ἀγοράσω αὐτό τό αὐτοκίνητο.	kòndepsa naγoráso aftò taftokìnito.	I almost bought that car.
Κοντεύω νά διαβάσω ὅλο αὐτό τό βιβλίο.	kondèvo na δyavàso ólo aftò to vivlìo.	I'm about to [cmplete] reading (all) this book.
Κόντεψα νά πιῶ ὅλο τό κρασί.	kóndepsa na pyò, ólo to krasì.	I almost finished ('drank') all this wine.
Κοντεύει νά μιλήση ἑλλη-νικά.	kondèvi na milísi elinikà.	He'll soon be able to speak Greek.
Κοντεύω νά φάω τό φαΐ μου.	kondèvo na fáo to faì mu.	I'm about to eat up my meal.

The above examples show that the verb κοντεύω (κοντέψω) /kondévo (kondépso)/ used in the Past tense means 'I almost did so-and-so'. Used in the Present tense it means 'I am about to do so-and-so.

Note that the verb κοντεύω /kondévo/ is used with νά /na/ plus Subjunctive.

Grammatical Drills
Sample Drill

G.D.10-1.2.3

i fìli mas xθès δén θèlane na fàne pròyevma.

o níkos ìpye ólo to krasí.

tí èkanes peδí mu?

àrxisan δulyà prìn pénde xrònya.

i kìrii èfiγan prìn δío òres.

aftòs δèn ìδe xθès kaθólu tus aδerfùs tu.

esìs δokimàsate óla ta potà.

o níkos pìye ya δulyá stin italìa.

aftòs spùδase yatrós.

aftès δén δyàvasan ta vivlìa sas.

emìs δén aγoràsame polá pràγmata.

se tí sas xrisìmepse aftò?

aftòs o kalitèxnis pìre óla ta xrimata mazì tu.

o aδerfòs mu ki yinèka tu èminan éna xròno mòno stin elàδa.

píɣate saftò to kèndro ðiaskeðáseos?

ðèn vrìkame kanéna isitìrio ya ton

ginimatòɣrafo.

aftì ðèn èðosan leftà se kanénan.

mas àrese tóso polì i elàða, pu θèlame na

mìnume ekì.

tí ìpes peðì mu?

ðén katàlava kìrie, tí θèlete na pìte?

pú ìsuna xθès?

tí èfaɣes nìko?

xθès kondèpsame na fìɣume ya ti(m) bátra.

Correlation-Substitution Drill

G.D.10.3

Use the words in patentheses and change the underlined verb accordingly:

o aðerfòs mu ðén θèli na pài sti(m) brezvìa.	(xθés)
o nìkos pìni móno retsìna.	(xθés)
arxìzume ðulyà stis októ.	(xθés)
fèvɣete ya tin aθína?	(xθés)
tí kànete stin tàksi sas?	(prìn èna mína)
emis θa pàme stin akrópoli, na ðùme ton parθenóna.	(prìn mìa evðomáða)
ðyavàzete polà vivlìa?	(xθés)
aftès ðén aɣoràzun polà pràɣmata apaftò to katástima.	(xθés)
aftòs pèrni óla ta vivlìa sto spìti tu.	(xθés)
aftì i ðiplomatikì ipálili, θa mìnun saftó to ksenoðoxìo.	(prìn mìa evðomáða)
ðèn vrìskume estiatòrio na fáme.	(xθés)
ðèn ðìnete xrìmata se kanénan.	(xθés)
sas arèsi o keròs?	(xθés)
aftòs piɣèni sto kafenìo.	(xθés)
emìs lème óti mas arèsi.	(tóte)
aftòs ðén katalavèni, tí akrivòs θèlete.	(xθés)
θa ìne stis éksi sto(n) staθmò.	(xθés)
tròo stis ðóðeka.	(xθés)

Response Exersice

pú ménate périsi?

tí kànate ekì?

se pyó kèndro ðiaskeðáseos sixnàzate, saftì

ti(n) bóli?

pú θa mínete tu xrònu?

ìsaste kàpote stin elàδa?

se pyés àles xòres ìsaste?*

sas árese i elàδa?

tí sas àrese perisótero ekí?

sas áresan,ta arxèa eripiá tis?

sas arési na δyavàzete vivlìa?

δyavázete elinikà vivlìa?

δyavàsate polá vivlìa ya tin arxèa elàδa?

tí nomízete ya ton arxèo elinikò politizmò?

tí nomízete ya tin arxèa elinikì téxni?

tí nomízete ya tus simerinùs èlines?

θèlete na   pàte stin elàδa?

θèlete na   mínete ya pánda ekí?

---

*/anglía/'England',/γalía/'France', /yermanía/'Germany', /italía/'Italy'.

Review Units 6-10

Review Drills

Fill in each blank with the proper form of the word given on the right. If it is a noun, use the appropriate form of the article, where necessary.

Nouns

ta fayitá aftis _ _____ íne polí nòstima.	tavérna
_ _____ aftòn ton ksenoðoxíon íne polí kalès.	kuzína
stin elàða _ _____ íne ftiná.	psári
aftòs ksèri polí _____ safti(n) ti(m) bóli.	kózmos
to xròma _ _____ íne oréo.	retsína
_ _____ ðén íne kalà ya ti(n) garðyà.	potó
safti(n) ti(n) davèrna borìte na fàte móno _____.	suvláki
kàpote aɣoràzume polá _____.	ɣlikó
i ðulyà _ _____ mu èxi polí enðiafèron.	mitéra
i elàða èxi polí orèes _____.	yinéka
èxete pànda polí _____.	óreksis
_ _____ aftù tu nosokomíu ðén íne kalí.	yatrós
i èlines èxun meɣáli _____.	karðyá
o níkos θa fìyi ton àlo _____ ya ti(m) bátra.	xrónos
íxate polí òreksi, prín ðíte _ _____.	loɣaryazmós
i póliz mas èxi pénde _____.	nosokomío
i fitidè aftis _ _____ íne polí èksipni.	táksis
aftí i ipàlili arxízun ðulyà símera stin _____ pliroforiòn.	ipiresía
θa parangílete esís _ _____?	brizóla
_ _____ mu íne polí kalà peðyà.	simfititís
o aðerfòs tu patèra mu milài pénde _____.	ɣlósa
aftò to vivlío èxi èna meɣálo ariθmò _____.	prótasis
ðén marèsun i polès _____.	erótisis
_ _____ stin elàða òli pìnun retsína.	vráði
o yatròs sas èxi ðío _____.	spíti
aftò to vivlío èxi polá _____.	máθima
aftòs o ráftis, èxi meɣáli _____.	epitiðiótis
aftòs o kaθiyitis èxi ðío _____.	ðulyá

to kèndro _____ ín(e) ekí.

o aðerfòs sas èxi polá _____.

i aθína èxi polá _____.

ta màlina _____ ín(e) akrivá.

aftès _ _____ íne polí akrivès.

ksèro ènan _____.

saftò to katàstima íne ðío _____.

i prezvía ín(e) ekató _____ makrià apoðð.

i italía íne perífimi ya tis orèes _____ tis.

θaγoràsume trís _____ pukàmisa.

ta ðomàtia tu ksenoðoxíu sas èxun polí orèa _____.

èxete polús kalùs _____.

ta _____ tu piyènun sto krasí

tus arèsi nakùne _ _____ (pl.) tu patéra tus.

_ _____ aftù tu katastímatos, íne polí orées.

_ _____ íne polí ftinà eðð.

símera _ _____ ðén íne kalòs.

sas arèsi aftí _ _____?

se éksi _____ θa pàme sti(m) bàtra.

stin akrópoli, vrískete pánda _____.

tu arèsun i polés _____.

ðén katalavèno _ _____ aftù tu naù.

stin akrópoli ipàrxun polí _____.

aftòs milái óli tin òra ya _____.

sta _____ pìnume elinikó kafè.

ðén prèpi na pàte saftí(n) _ _____.

prèpi na milàte me _____.

i elàða èxi èna polí meγàlo _____.

θèlume na mas pìte _ _____ sas.

fàγate poté _____?

xθès pìγame se ðío _____.

saftí ti(n) davèrna vlèpete polús _____ sas.

ðiaskéðasis

kustúmi

katàstima

ífazma

foresyá

élinas

ráftis

métro

γravàta

duzína

xróma

fílos

xríma

simvulí

kàltsa

kotópulo

kerós

tenía

evðomàða

oðiγós

leptoméria

arxitektonikí

naós

téxni

ðyálima

sxolí

prosoxí

politizmós

γnómi

musakás

ipuryío

pelátis

ðén marèsi _ _____ aftìs tis yinèkas.   γústo

stin italìa piyènun polí _____.   kalitéxnis

aftò to peðì ðèn lèi poté _ _____.   alíθya

ìxan pànda efxáristes _____.   sizítisis

aryà _ _____ ìðame to(m) batéra sas.   níxta

Adjectives

sìmera ta psàrya ìne polí _____.   fréskos

aftò to katàstima èxi mìa meγáli pikilìa _____ ifazmàton.   málinos

èxete ðéka _____ pukàmisa.   vamvakerós

ìne _____ to faì sas?   étimos

aftà ta sxèðia ìne _____.   télios

i fìli sas ìne polí _____ ànθropi.   efxáristos

ta paràθira aftòn ton _____ spityòn ìne polí meγàla.   áspros

ìxame polí _____ pràγmata mazì mas.   líγos

marèsi polí to xròma aftù _ _____ pukamìsu sas.   metaksotós

prèpi na ksèrete pòs aftò ìne polí _____.   epikínðinos

i èlines ìne ènas _____ laòs.   aplós

i tèxni aftòn ton naòn ìne _____ .   θavmásios

i italìa èxi polí _____ yinèkes.   nóstimos

_ _____ potà aftòs ton xoròn ìne polí akrivà.   eθnikós

i akròpolis èxi _____ naùs.   perífimos

i kòri sas ìne polí _____.   aðínatos

ðèn s as arèsi i _____ téxni?   néos

i mitèra sas ìne polí _____ yinèka.   yerós

i ðío aðerfì mu ìne _____ ipàlili.   ðiplomatikós

aftà ta estiatòria ìne polí _____.   kaθarós

i fititè aftìs tis tákseos ìne polí _____.   éksipnos

aftò to leoforìo èxi _____ epivàtes.   líγos

Verbs

emìs ðén θa _____ xrìmata saftòn.   ðíno

aftòs xθès _____ ólo to krasì.   píno esís _____ stin eláða prin ðio xrònya.   íme

ta peðyà sas ðèn sas _____ kaθólu.   akúo

tí _____ (esís) xθès?   káno

aftès θ_____ ðulyà stis éksi.   arxízo

θèlame n_____ ðio kenúryes foresyès.   aɣorázo

o alèksandros _____ prin èna xróno ya tin elàða.   févɣo

emis θa sas _____ to vràði stis októ.   vlépo

_____ na mínume stin elàða ya pánda.   kondévo

eɣò kyo níkos _____ xθès sti(n) davérna.   tróo

(esís) _____ aftò to krasí?   ðokimázo

(esís) tí _____ pòs prèpi na kànete?   nomízo

aftí _____ stin italía, prin èna xróno.   spuðázo

esís prèpi na _____ aftò to vivlío.   ðyavázo

aftòs _____ xθès to maθimà tu ðío forès.   epanalamváno

pú (esís) _____ stin aθína?   sixnázo

emis prèpi na _____ to maθimá mas.   maθéno

esí xθès _____ polá pràɣmata.   aɣorázo

pú _____ (esís) na piyènete ta vràðya?   siniθízo

(esís) pú θa _____ símera?   piyéno

tu xrònu o níkos θa pài na _____ stin eláða.   méno

pós (esís) _____ tus èlines?   vrísko

emis ðén _____ elinikà.   katalavéno

tí òra _____ to trèno xθès sti(m) bátra?   ftáno

prèpi na _____ (esís) perisótero enðiafèron saftòn.   ðíxno

se tí _____ aftò to pràɣma?   xrisimévo

Narrative

Σέ λίγο θά φᾶμε.   in a while, soon

    λίγος, -η, -ο   little, few

Τό τρένο θά φτάση στίς δύο.

    φτάνω (φτάσω)   to arrive

    'Ο Πειραιᾶς/ Πειραιεύς   Piraeus

    'Ένας 'Αμερικανός τῆς 'Υπηρεσίας Πληροφοριῶν ἤθελε νά πάη στήν 'Ελλάδα.
Πρίν ἀπό λίγα χρόνια διάβασε πολλά βιβλία γιά τήν χώρα αὐτή, γιά τόν λαό της,
γιά τόν πολιτισμό της καί γιά τά ἀρχαῖα της ἐρείπια, πού τοῦ ἄρεσαν πάρα πολύ.
Γι'αὐτό μιά μέρα ἀγόρασε ἕνα εἰσιτήριο γιά ἕνα ἑλληνικό πλοῖο, γιά νά πάη ἐκεῖ.
Σ'αὐτό τό πλοῖο βρῆκε πολλούς Ἕλληνες. Ἕνας ἀπ'αὐτούς ἦταν καθηγητής τῶν
'ελληνικῶν καί αὐτός τοῦ εἶπε πώς θά τόν μάθη ἑλληνικά καί τοῦ ἔδωσε ἕνα μι-
κρό ἑλληνικό βιβλίο. 'Ο 'Αμερικανός τό ἐδιάβασε καί μέ τήν βοήθεια τοῦ Ἕλληνα
σέ μιά ἑβδομάδα ἄρχισε νά μιλάη καί νά καταλαβαίνη λίγα ἑλληνικά. 'Ο Ἕλληνας
καθηγητής ἦταν ἕνας πολύ καλός καί εὐχάριστος ἄνθρωπος καί τοῦ ἄρεσε πολύ τοῦ
'Αμερικανοῦ κι'ἔτσι σέ λίγο ἦταν δύο καλοί φίλοι. Ἦταν ὅλη τήν ὥρα μαζί.
Στό ἐστιατόριο τοῦ πλοίου ὁ 'Αμερικανός ἤθελε νά παραγγέλνη πάντα τό φαΐ τους
'ελληνικά καί ἤθελε νά τούς φέρνη τό γκαρσόν σούπα, σαλάτα, μπριζόλες, λαχανικά,
ψάρια, κ.τ.λ. Μαζί μ'ὅλα αὐτά ἤθελε πάντα ἕνα πιάτο μουσακᾶ καί μερικά ποτήρια
ρετσίνα. Μετά τό φαΐ, ἀργά τήν νύχτα, τούς ἄρεσε νά πηγαίνουν στήν ταβέρνα τοῦ
πλοίου, πού εἶχαν πάντα μεγάλη διασκέδασι. 'Εκεῖ ἦταν μερικοί ἄλλοι 'Αμερικανοί
ἀπό τό 'Υπουργεῖο 'Εξωτερικῶν πού ἤθελαν νά πᾶνε κι'αὐτοί στήν 'Ελλάδα. Κι'
εἶχαν πάντα εὐχάριστη συζήτησι καί ἄρεσε στόν καθένα νά λέη τήν γνώμη του γιά
κάθε πρᾶγμα καί ἤθελαν πάντα νά μιλᾶνε γιά τήν 'Ελλάδα, πού εἶναι μιά θαυμάσια
χώρα καί γιά τούς Ἕλληνες, πού εἶναι ἕνας πολύ εὐχάριστος καί ἔξυπνος λαός.
Ὕστερα ἀπό ἔντεκα θαυμάσιες ἡμέρες τό πλοῖο ἔφτασε στόν Πειραιᾶ. 'Ο Πειραιᾶς
εἶναι μιά πολύ ὡραία πόλις ἑπτά χιλιόμετρα μακρυά ἀπ'τήν 'Αθήνα. 'Ο'Αμερικανός
δέν ἔμεινε πολύ σ'αὐτή τήν πόλι. Πῆγε στόν σταθμό, πῆρε τό τρένο καί σέ λίγη
ὥρα ἦταν στήν 'Αθήνα. 'Εκεῖ ἔμεινε σ'ἕνα πολύ καλό ξενοδοχεῖο. 'Απ'τά παράθυρα
τοῦ δωματίου του τοῦ ἄρεσε νά βλέπη ὅλη τήν πόλι καί τήν 'Ακρόπολι. Καί ἦταν,
ἀλήθεια, πολύ ὡραία πόλι ἡ 'Αθήνα. Παντοῦ ἦταν μεγάλα καί ὡραῖα σπίτια, ξενο-

δοχεῖα, ἐστιατόρια, καφενεῖα, κέντρα διασκεδάσεως κ.τ.λ. "Ενα πρωΐ πῆγε στήν
'Ακρόπολι. 'Εκεῖ ἐπάνω ἔμεινε πολλή ὥρα καί εἶδε ὅλους τούς ἀρχαίους ναούς.
'Η ἀρχιτεκτονική αὐτῶν τῶν ναῶν ἀπλῆ καί τέλεια τόν ἔκανε νά καταλάβη πόσο
μεγάλος καί ἔξυπνος λαός ἦταν οἱ 'Αρχαῖοι "Ελληνες. Αὐτός ὁ 'Αμερικανός ἔμεινε
στήν 'Ελλάδα ἕνα μῆνα περίπου. 'Επῆγε ταξίδια σ'ὅλη τήν χώρα καί ἔμεινε κατα-
γοητευμένος ἀπ'αὐτήν. Βρῆκε πώς ἡ 'Ελλάδα εἶναι μία θαυμάσια χώρα καί οἱ "Ελ-
ληνες ἕνας ἀπλός καί εὐχάριστος λαός, πού τοῦ ἀρέσει τό ὡραῖο καί ξέρει νά ζῆ.

<u>End of Tape 5A</u>

Tape 5B

Unit 11

Basic Dialogue

δουλεύω (δουλέψω)	to work
δούλευα	I used to work, I was working
ἡ τράπεζα	(the) bank
ἡ ᾿Εθνική Τράπεζα τῆς ᾿Ελλάδος	The National Bank of Greece

Πρίν ἀπό δύο χρόνια δούλευα στήν ᾿Εθνική Τράπεζα τῆς ᾿Ελλάδος.

Two years ago I worked at the National Bank of Greece.

ἄρχιζα	I used to start
ἕως	until
τό ἀπόγευμα	(the) afternoon

"Αρχιζα τήν δουλειά μου ἀπ᾿τίς ὀκτώ τό πρωῒ ἕως τίς δύο τό ἀπόγευμα.

I used to start (my) work at 8 o'clock in the morning [and work] until two in the afternoon.

ἐξυπηρετῶ	to serve
ξένος, -η, -ο	foreign, foreigner
ἀλλάζω (ἀλλάξω)	to change, cash, exchange

"Επρεπε νά ἐξυπηρετῶ πολλούς ξένους πού θέλανε ν᾿ἀλλάξουν τά χρήματά τους.

I had to serve ('It waw necessary that I serve') a lot of foreigners who wanted to exchange their money.

περισσότερος, -η, -ο	most (adj.)
εἶχαν	they had

Οἱ περισσότεροι ἀπ᾿αὐτούς εἶχαν τά χρήματά τους σέ δολλάρια.

Most of them had their money in dollars.

ἀξίζω	to be worth, to be of value, to deserve
κάποιος,-α,-ο	someone, anyone

Ἕνα δολλάριο ἀξίζει τριάντα δραχμές
καί μ'αὐτά τά λεφτά μπορεῖ κάποιος
νά κάνη πολλά πράγματα στήν Ἑλλάδα.

A dollar is worth 30 drachmas and with this
[much] money one can do many things in
Greece.

φανερός, -ή, -ό

obvious

Εὐρωπαῖος, -α,

European (persons)

εὐρωπαϊκός, -ή, -ό

(things)

Εἶναι φανερό πῶς καί οἱ Εὐρωπαῖοι καί
οἱ Ἀμερικανοί ξέρουν πῶς ἡ Ἑλλάδα
εἶναι φτηνή χώρα.

It is obvious that the Europeans as well as
the Americans know that Greece is an
inexpensive country.

ἔρχομαι

to come

ἔρχονται

they come

ἡ χιλιάδα

(the) thousand

κατά χιλιάδες

by the thousands

Καί γι'αὐτό ἔρχονται κατά χιλιάδες.

And for that [reason] they come by the
thousands.

ὅταν ἔρθουν

when they come

ἡ ὀμορφιά

(the) beauty

τό κλῖμα

(the) climate

ἡ ἀρχαιότητα

(the) antiquity, ancient monument

ἐπιστρέφω (ἐπιστρέφω)

to return

πάλι

again

Κι'ὅταν ἔρθουν καί δοῦν τήν ὀμορφιά
της, τό κλῖμα της, καί τίς ἀρχαιό-
τητές της, θέλουν νά ἐπιστρέψουν
ἐδῶ κάποτε πάλι.

And when they come and see its beauty, its
climate and its monuments, they want to
come back here again sometime.

πράγματι

indeed

Αὐτή ἡ δουλειά εἶχε πράγματι
πολύ ἐνδιαφέρον.

**This work was very interesting ('had
a lot of interest') indeed.**

προτείνω (προτείνω)	to offer, to suggest
καλλίτερος, -η/-α, -ο	better
ὁ μισθός	(the) salary
πληρώνω (πληρώσω)	to pay

'Αλλά μοῦ πρότειναν μία καλλίτερη
θέσι μέ περισσότερο μισθό, διότι σ'αὐ-
τήν τήν Τράπεζα,ξέρετε, δέν μέέπλήρωναν
τόσο καλά καί γι'αὐτόν τόν λόγο ἔφυγα.

But I was offered ('they offered me') a better
position with more salary. (Because) you know
they didn't pay me so well in that bank,
(and) so I left.

'Αριθμοί

ἑκατόν ἕνα	101
ἑκατόν δύο	102
ἑκατόν δέκα	110
διακόσια	200
τριακόσια	300
τετρακόσια	400
πεντακόσια	500
ἑξακόσια	600
ἑπτακόσια	700
ὀκτακόσια	800
ἐννιακόσια	900
χίλια	1000

Response Drill

A

Πρίν ἀπό πόσα χρόνια δούλευε αὐτός ὁ ὑπάλληλος στήν 'Εθνική Τράπεζα τῆς 'Ελλάδος;	Πρίν ἀπό δύο χρόνια.
Τί ὥρα ἄρχιζε τήν δουλειά του;	Στίς ὀκτώ τό πρωί.
"Εως τί ὥρα τό ἀπόγευμα;	"Εως τίς δύο τό ἀπόγευμα.
Τί ἀκριβῶς ἔκανε;	"Επρεπε νά ἐξυπηρετῆ πολλούς ξένους πού ἤθελαν ν'ἀλλάξουν τά χρήματά τους.

Τί χρήματα εἶχαν οἱ περισσότεροι ξένοι   Εἶχαν δολλάρια.
μαζί τους;

Πόσο ἀξίζει ἕνα δολλάριο;   Τριάντα δραχμές.

Τί ξέρουν οἱ Εὐρωπαῖοι καί οἱ Ἀμερι-   Πώς εἶναι μία φτηνή χώρα.
κανοί γιά τήν Ἑλλάδα;

"Ερχονται πολλοί ξένοι στήν Ἑλλάδα;   Ναί, ἔρχονται κατά χιλιάδες.

Τί θέλουν νά κάνουν ὅταν ἔρθουν καί   Θέλουν νά ἐπιστρέφουν ἐδῶ κάποτε πάλι.
δοῦν τήν ὀμορφιά της καί τά λοιπά;

Εἶχε ἐνδιαφέρον ἡ δουλειά αὐτοῦ τοῦ   Ναί, εἶχε πράγματι πολύ ἐνδιαφέρον.
ὑπαλλήλου;

Γιατί τότε ἤθελε νά φύγη ἀπό τήν Τρά-   Γιατί τοῦ πρότειναν μία καλλίτερη
πεζα;   θέσι μέ περισσότερο μισθό.

Narrative

Ἡ χώρα αὐτή ἔχει πολλά <u>ἀεροπλάνα</u>.
     τό ἀεροπλάνο   airplane
Στίς ἕξι θά <u>γνωρίσω</u> τήν μητέρα σας.
     γνωρίζω (γνωρίσω)   to know, to meet
Ὁ Νίκος <u>ταξίδεφε</u> σέ πολλές ξένες
χῶρες.
     ταξιδεύω (ταξιδέψω)   to travel
Ἡ Ἑλλάδα ἔχει ὡραῖα <u>νησιά</u>.
     τό νησί   island
Εἶναι <u>φυσικό</u> νά σᾶς ἀρέση τόσο ἡ
Ἑλλάδα.
     φυσικός, -ή, -ό   natural
Τί μᾶς <u>φέρατε</u>;
     φέρνω (φέρω)   to bring
Θέλετε νά <u>ἐξαργυρώσετε</u> αὐτό τό <u>τσέκ</u>.
     ἐξαργυρώνω (ἐξαργυρώσω)   to cash
     τό τσέκ   check

"Ενα εἰσιτήριο λεωφορείου <u>παραδείγμα-</u>   for example

<u>τος χάριν</u> κάνει δέκα δραχμές.

Σήμερα ἀγόρασα ἕνα <u>κιλό</u> κρέας.

      τό κιλό   kilogram

"Ενα <u>πακέτο</u> ἔχει εἴκοσι τσιγάρα.

      τό πακέτο   pack (of cigarettes)

    Σήμερα στήν 'Ελλάδα ἔρχονται ξένοι ἀπ'ὅλο τόν κόσμο. "Ερχονται κατά
χιλιάδες μέ αὐτοκίνητα, ἀεροπλάνα, τρένα καί πλοῖα, γιά νά δοῦν τήν ὡραία
αὐτή χώρα, νά γνωρίσουν τόν λαό της, νά δοῦν τίς ἀρχαιότητές της καί νά ταξι-
δέψουν στά νησιά της.

    "Οπως εἶναι φυσικό αὐτοί οἱ ξένοι φέρνουν μαζί τους πολλά χρήματα. "Ετσι
ὅταν φτάσουν στήν 'Ελλάδα πρέπει νά πᾶνε σέ μία τράπεζα,γιά νά ἐξαργυρώσουν
τά τσέκ τους ἤ γιά ν'ἀλλάξουν τά χρήματά τους.

    "Ενα δολλάριο ἀξίζει 30 δραχμές καί μ'αὐτά τά λεφτά μπορεῖ κάποιος νά ἀ-
γοράση πολλά πράγματα στήν 'Ελλάδα. "Ενα κιλό ρετσίνα παραδείγματος χάριν
κάνει ὀκτώ δραχμές, ἕνα πακέτο τσιγάρα δώδεκα, ἕνα εἰσιτήριο γιά τόν κινημα-
τόγραφο δέκα, καί τά λοιπά.

    Οἱ περισσότεροι ξένοι μένουν στήν 'Ελλάδα δύο ἤ τρεῖς ἑβδομάδες καί τούς
ἀρέσει πάρα πολύ. Μένουν ὅλοι τους καταγοητευμένοι.

Response Drill

B

"Ερχονται ξένοι σήμερα στήν 'Ελλάδα;	Μάλιστα, ἔρχονται ξένοι ἀπ'ὅλο τόν κόσμο.
Μέ τί ἔρχονται στήν 'Ελλάδα οἱ ξένοι αὐτοί;	Μέ ἀεροπλάνα, αὐτοκίνητα, τρένα καί πλοῖα.
Γιατί ἔρχονται;	Γιά νά δοῦν τήν ὡραία αὐτή χώρα, νά γνωρίσουν τόν λαό της, νά δοῦν τίς ἀρχαιότητές της καί νά ταξιδέψουν στά νησιά της.
"Εχουν μαζί τους πολλά χρήματα οἱ ξένοι αὐτοί;	Μάλιστα, ἔχουν.

Τί κάνουν ὅταν φτάσουν στήν ῾Ελλάδα;   Πηγαίνουν σέ μία τράπεζα γιά ν'
                                                            ἀλλάξουν τά χρήματά τους.

Τί μπορεῖ ν'ἀγοράση κάποιος μέ τριάντα   Πολλά πράγματα. Παραδείγματος χάριν
   δραχμές στήν ῾Ελλάδα;   ἕνα κιλό κρασί, ἕνα πακέτο τσιγάρα
                                                            καί πολλά ἄλλα πράγματα.

Πόσον καιρό μένουν οἱ περισσότεροι   Δύο ἤ τρεῖς ἑβδομάδες.
   ξένοι στήν ῾Ελλάδα;

Τούς ἀρέσει ἡ ῾Ελλάδα;   Μάλιστα, τούς ἀρέσει πάρα πολύ.

Grammatical Notes

Note 11.1 Class I Verbs. Continuous (Imperfective) Past.

Πρίν ἀπό δύο χρόνια δούλευα στήν   Two years ago I worked in the bank.
   τράπεζα.

"Αρχιζα τήν δουλειά μου......   I used to start my work......

    The Continuous Past describes a habitual or continuous state or action in the past
and corresponds roughly to the English used to do so-and-so.

    The Continuous Past of the Class I verbs is formed by affixing past tense personal
endings to the imperfective stem of the verb, the stress pattern and the augment (if any)
are the same as those of the Simple Past, e.g.

Polysyllabic Verbs		Dissyllabic Verbs	
ἄρχιζα	I used to begin	ἔπινα	I used to drink
ἄρχιζες	etc.	ἔπινες	etc.
ἄρχιζε		ἔπινε	
ἀρχίζαμε		(ἐ)πίναμε	
ἀρχίζατε		(ἐ)πίνατε	
ἄρχιζαν		ἔπιναν	
or ἀρχίζανε		or πίνανε	

    The Continuous Past is always 'regular'. Some verbs (such as ἔχω and εἶμαι and
some others) have only one past tense form, which may have either perfective (Simple Past)
or imperfective (Continuous Past) meaning.

    The Cont. Past of the verbs λέω and τρώω is ἔλεγα and ἔτρωγα respectively.

Note 11.2 Verb: Past tense of the verb ἔχω 'to have'.

The past tense of the verb ἔχω is:

Sg.			Pl.		
	εἶχα	I had		εἴχαμε	we had
	εἶχες	you had		εἴχατε	you had
	εἶχε	he (she, it) had		εἴχαν(ε)	they had

Note 11.3 Verb: The verb ἔρχομαι 'to come'.

Καί γι'αὐτό ἔρχονται κατά χιλιάδες   And for that reason they come by thousands

στήν Ἑλλάδα.   to Greece.

The verb ἔρχομαι 'to come' is an 'irregular' Class III verb.

Class III verbs will be discussed in later units. At this stage, however, the student should already be able to use this verb in its three basic forms which are as follows:

Present Tense

	Sg.		Pl.
1.	ἔρχομαι	I come etc.	ἐρχόμαστε
2.	ἔρχεσαι		ἔρχεστε or ἔρχεσθε
3.	ἔρχεται		ἔρχονται

Simple Past

	Sg.		Pl.
1.	ἦρθα	I came etc.	ἤρθαμε
2.	ἦρθες		ἤρθατε
3.	ἦρθε		ἤρθαν(ε)

Perfective Stem Form

	Sg.			Pl.	
1.	ἔρθω	or	ρθῶ	ἔρθουμε or	ρθοῦμε
2.	ἔρθης	or	ρθῆς	ἔρθετε ,	ρθῆτε
3.	ἔρθη	or	ρθῆ	ἔρθουν(ε) ,	ρθοῦνε

The Future and the Subjunctive forms of this verb are constructed by combining the present and the Perfective stem forms with the particles θά and νά .

It should be noted that the Simple Past and Perfective stems of this verb may also be ἦλ- and ἐλ- respectively. So that one may hear αὐτός ἦλθε 'he came' and αὐτός θά ἔλθη 'he'll come' parallel to αὐτός ἦρθε and αὐτός θά ἔρθη.

Other forms of this verb will be discussed in later units, together with other Class III verbs.

Note 11.4 Adjectives denoting nationalities.

Εἶναι φανερό πῶς κι'οἱ Εὐρωπαῖοι κι' οἱ 'Αμερικανοί ξέρουν πῶς ἡ 'Ελλάδα εἶναι φτηνή χώρα.

It's obvious that the Europeans as well as the Americans know that Greece is an inexpensive counstry.

..... πόσο τέλεια ἦταν ἡ ἀρχαία ἑλληνική τέχνη.

..... how perfect the ancient Greek art was.

..... πῶς οἱ 'Αρχαῖοι "Ελληνες ἦσαν πραγματικοί καλλιτέχνες.

..... that the ancient Greeks were real artists.

Adjectives denoting nationalities have two forms depending whether they modify persons or things, e.g. (1) ἕνας 'Αμερικανός ναύτης   but (2) ἕνας ἀμερικανικός σταθμός.
'an American sailor'   'an American station'

Other examples:

(1)	ἕνας Γάλλος γιατρός	a French doctor
	ἕνας 'Ισπανός ναύτης	a Spanish sailor
	ἕνας Γερμανός καθηγητής	a German professor
	ἕνας Ρῶσσος φοιτητής	a Russian student.
(2)	ἕνα γαλλικό κατάστημα	a French shop
	ἕνας ἰσπανικός ναός	a Spanish temple
	ἡ γερμανική τέχνη	German art
	ἡ ρωσσική πόλις	Russian town

Adjectives of the first category (i.e. those that modify persons) are also used, like in English, as nouns, e.g.

ὁ 'Αμερικανός	American
ὁ "Ελληνας	Greek
ὁ Γάλλος	Frenchman
ὁ Ρῶσσος	Russian
ὁ Γερμανός	German

With only a few exceptions the adjectives (or nouns) of the first category have feminine forms in −ιδα e.g.

ἡ 'Ελληνίδα	Greek woman
ἡ Γαλλίδα	French *

ἡ Ἰσπανίδα	Spanish woman
ἡ Γερμανίδα	German '
ἡ Ρωσσίδα	Russian '

Note 11.4.1 Noun: Names of languages.

Ἐγώ μαθαίνω ἑλληνικά.	I study Greek.

The languages of various countries

e.g.

ἡ ἑλληνική γλῶσσα	the Greek language,
ἡ γαλλική γλῶσσα	the French language,
ἡ γερμανική γλῶσσα	the German language,
ἡ ρωσσική γλῶσσα	the Russian language, etc.

are also referred to as

τά ἑλληνικά	Greek
τά γαλλικά	French
τά γερμανικά	German
τά ρωσσικά	Russian, etc.

Note that these nouns are used in the plural neuter form only.

Τά ἑλληνικά εἶναι δύσκολα.	Greek is difficult.
Τά ἰσπανικά εἶναι εὔκολα.	Spanish is easy.
Τά γαλλικά εἶναι ὡραία γλῶσσα.	French is a beautiful language.

Grammatical Drills

Sample Drills

D.D.11.1

"Ἔβλεπα τούς φίλους σας κάθε μέρα.	Διάβαζα ἑλληνικά κάθε βράδυ.
Ἐσύ ἔβλεπες αὐτόν ὅλη τήν ὥρα.	Ἐσύ διάβαζες πολλά βιβλία πέρυσι.
Αὐτός ἔβλεπε τήν μητέρα σας κάθε μέρα.	Αὐτός διάβαζε ἕνα βιβλίο κάθε βράδυ.
Ἐμεῖς σᾶς βλέπαμε κάθε μέρα.	Ἐμεῖς διαβάζαμε πολλά βιβλία σέ ξένες
Ἐσεῖς βλέπατε αὐτούς κάθε βράδυ.	γλῶσσες.
Οἱ ἀδερφοί σας βλέπανε τούς φίλους σας κάθε πρωΐ.	Ἐσεῖς τί διαβάζατε;
	Αὐτοί διάβαζαν τό μάθημά τους κάθε πρωΐ.

Πέρυσι ἔτρωγα κάθε μέρα στίς δώδεκα.

'Εσύ ταξίδευες ὅλη τήν ὥρα.

Αὐτός ἔβλεπε τόν φίλο σας ὅλη τήν ὥρα.

'Εμεῖς πρίν ἕνα χρόνο δουλεύαμε πολύ.

'Εσεῖς ἀλλάξατε τά δολλάριά σας σ'αὐτή τήν Τράπεζα.

Αὐτές ἄρχιζαν δουλειά κάθε πρωΐ στίς ὀκτώ.

"Ερχομαι στήν 'Ελλάδα κάθε χρόνο.   Στίς ἕξι θά ἔρθω στό σπίτι σας.

Δέν ἔρχεσαι κι'ἐσύ μαζί μας;   θά ἔρθης στό 'Υπουργεῖο 'Εξωτερικῶν;

Αὐτός ἔρχεται σπίτι μας ὅλη τήν ὥρα.   Αὐτός δέν θά ἔρθη σήμερα ἐδῶ.

'Εμεῖς ἐρχόμαστε ἐδῶ κάθε μέρα.   'Εμεῖς θά ἔρθουμε στίς δύο σπίτι σας.

Δέν ἔρχεστε κι'ἐσεῖς μαζί μας;   'Εσεῖς θά ἔρθετε μαζί μας;

Αὐτές ἔρχονται ἐδῶ κάθε βράδυ.   Αὐτοί δέν θά ἔρθουν μαζί μας.

'Ηρθα στήν 'Ελλάδα πρίν ἕνα χρόνο.

'Εσύ πότε ἦρθες;

Αὐτός δέν ἦρθε ποτέ στήν 'Ελλάδα.

'Εμεῖς ἤρθαμε σ'αὐτή τήν χώρα πέρυσι.

'Εσεῖς πότε ἤρθατε ἐδῶ;

Αὐτοί ἦρθαν ἐδῶ μόνο μία φορά.

Transformation Correlation Drills

Use the words in parentheses and change the underlined verbs into continuous past.

'Εμεῖς δουλεύουμε στήν τράπεζα.   (πρίν ἕνα χρόνο)

Αὐτός διαβάζει ἑλληνικά.   (πέρυσι)

Αὐτό τό αὐτοκίνητο ἀξίζει πολύ.   (πρίν δύο μῆνες)

'Εσεῖς πίνετε γάλα ὅλη τήν ὥρα.   (χθές)

'Εγώ δίνω κάθε πρωΐ λεφτά στήν γυναί-
κα μου.   (πέρυσι)

Αὐτές ἀγοράζουν κάλτσες ἀπ'αὐτό τό
κατάστημα.   (πρίν ἕνα χρόνο)

Αὐτός πίνει κρασί ὅλη τήν ὥρα.   (χθές)

'Εμεῖς <u>τρῶμε</u> ἀρνάκι μιά φορά τήν   (πέρυσι)
ἐβδομάδα.

Αὐτές <u>μένουν</u> σ'αὐτό τό ξενοδοχεῖο.   (πρίν ἕνα χρόνο)

<u>Βλέπετε</u> τόν ἀδερφό μου ὅλη τήν ὥρα.   (πέρυσι)

'Εμεῖς <u>ἀρχίζουμε</u> δουλειά στίς ὀκτώ.   (πέρυσι)

Response Exercise

Τί ὥρα ἀρχίζετε τήν δουλειά σας;

Πόσες ὧρες δουλεύετε τήν ἡμέρα:

Τί δουλειά κάνετε:

"Εχει ἐνδιαφέρον ἡ δουλειά σας:

"Εχετε Εὐρωπαίους φίλους;

Τί μπορεῖτε ν'ἀγοράσετε μ'ἕνα δολλάριο στήν 'Αμερική;

"Εχετε χρήματα στήν τράπεζα:

Τί κάνετε τά χρήματά σας;

Σᾶς ἀρέσει ἡ θέσι πού ἔχετε καί γιατί:

Κάθε πότε σᾶς πληρώνουν τόν μισθό σας:

Πῶς βρίσκετε τό κλῖμα στήν Γουάσιγκτον:

Σᾶς ἀρέσει νά ταξιδεύετε καί γιατί;

End of Tape 5B

Unit 12

Basic Dialogue

Μαρία

ὁ Γιῶργος	George
Γιῶργο	George (voc)
κυττάζω/κοιτάζω (κυττάξω)	to look, to see
κύτταξε	see! look!

Γιῶργο, κύτταξε ποιός εἶναι στήν   George, see who's at the door.
πόρτα.

ὁ ταχυδρόμος   (the) mailman

τό τηλεγράφημα	(the) telegram
τό γράμμα	(the) letter
συστημένος, -η, -ο	registered

'Εγώ, ὁ ταχυδρόμος. "Εχετε ἕνα   [I am] the mailman Mr. George. You have
τηλεγράφημα κι'ἕνα γράμμα συστημένο,   a telegram and a registered letter.
κύριε Γιῶργο.

Γιῶργος

περιμένω (περιμένω)	to wait
περιμένετε	wait!
τό λεπτό	(the) minute

Περιμένετε ἕνα λεπτό, ἔρχομαι ἀμέσως.   Wait a minute, I'm coming right away.

ὁ ταχυδρόμος

ὁρίστε	here it is!
ἡ 'Αμερική	America
ὑπογράφω (ὑπογράφω)	to sign

'Ορίστε τό γράμμα καί τό τηλεγράφημά   Here is your letter and the telegram. They

σας. Είναι άπ'τήν 'Αμερική. 'Υπογράφ-   are from America. Sign here, please.

τε έδῶ παρακαλῶ.

<u>Γιῶργος</u>

ταχυδρομῶ	to mail
νά ταχυδρομήσης	so that you mail
ρίχνω (ρίξω) [ρίξ'το]	to throw [throw it!]
τό κουτί	(the) box
τό ταχυδρομεῖο	(the) post office, mail
τό γραμματόσημο	(the) stamp

Μοῦ κάνεις μία χάρι; Μπορεῖς νά μοῦ   Do me a favor. Can you mail this letter for

ταχυδρομήσης αὐτό τό γράμμα; Ρίξ'το   me. Put it ('throw it') in the mailbox

στό κουτί τοῦ ταχυδρομείου. "Εχει   at ('of') the post office. It has stamps.

γραμματόσημα.

<u>Μαρία</u>

ἔλα	come!
δυνατά	loudly, strongly
τά νέα	(the) news
γράφω (γράψω)	to write

"Ελα! Διάβασέ τα δυνατά, Γιῶργο. Τί   Come, read them loudly, George, what is the

νέα σοῦ γράφει ὁ ἀδερφός σου;   news ('your brother writes you').

<u>Γιῶργος</u>

ἐλπίζω (ἐλπίσω)	to hope
ἐπισκέπτομαι (ἐπισκεφθῶ)	to visit
νά ἐπισκεφθῆ	that he visit
τό καλοκαίρι	(the) summer

Λέει πώς ἐλπίζει νά μᾶς ἐπισκεφθῆ   He says that he hopes to visit us this

αὐτό τό καλοκαίρι.   summer.

κάτι	something
τό κορίτσι	(the) girl
παντρεύομαι	to be married

νά παντρευτῆ /παντρευθῆ   that he be married

Καί κάτι ἄλλο. Θέλει νά τοῦ βροῦμε   And something else. He wants to get married.

ἕνα κορίτσι, γιά νά παντρευτῆ.   ('he wants us to find him a girl so that

                                  he marries her')

         ὄμορφος, -η, -ο   beautiful, handsome

         δέν τόν νοιάζει   he doesn't care

         ἡ προῖκα   (the) dowry

Νά εἶναι μόνο, λέει, καλό καί ὄμορφο   He says [he wants her] only to be good and

καί δέν τόν νοιάζει γιά προῖκα.   pretty and he doesn't care about the dowry.

Response Drill

A

Ποιός εἶναι στήν πόρτα τοῦ σπιτιοῦ   Ὁ ταχυδρόμος.

τοῦ Γιώργου;

Τί ἔχει ὁ ταχυδρόμος γιά τόν Γιῶργο;   Ἕνα τηλεγράφημα κι'ἕνα γράμμα συστη-

                                      μένο.

Ἀπό ποῦ εἶναι αὐτά;   Ἀπό τήν Ἀμερική.

Τί λέει ὁ Γιῶργος στόν ταχυδρόμο;   Νά τοῦ κάνη μία χάρι, νά τοῦ ταχυδρομήση

                                      ἕνα γράμμα.

Τί λέει ἡ Μαρία στόν Γιῶργο;   Νά τῆς διαβάση δυνατά τό γράμμα καί τό

                                      τηλεγράφημα.

Τί γράφει ὁ ἀδερφός τοῦ Γιώργου;   Πώς ἐλπίζει νά τούς ἐπισκεφθῆ αὐτό

                                      τό καλοκαίρι.

Τί ἄλλο γράφει;   Πώς θέλει νά τοῦ βροῦνε ἕνα καλό καί

                                     ὄμορφο κορίτσι γιά νά παντρευτῆ καί

                                      δέν θέλει προῖκα.

Narrative

Ὁ Νῖκος εἶναι πολύ νόστιμος <u>ἄντρας</u>.

        ὁ ἄντρας   man, husband

Κάθε χρόνο πηγαίνουμε στό <u>ἐξωτερικό</u>.

        τό ἐξωτερικό   abroad

Ὁ καιρός <u>περνάει</u> πολύ γρήγορα.

περνῶ (περάσω)	to pass, spend (time)
Δέν ξέρουμε ὅμως τί δουλειά κάνει.	however
Σήμερα δέν ἔχω οὔτε μία δραχμή.	neither; nor; even
Ὁ καϋμένος ὁ Γιῶργος εἶναι ἄρρωστος.	unfortunate, poor
Κάθεται πάντα κοντά στό παράθυρο.	he sits
Μόλις αὐτός ἔρχεται, ἐγώ φεύγω.	as soon as
Λυπᾶμαι πού δέν σᾶς εἶδα.	to be sorry
Αὐτός ὁ ὑπάλληλος δέν ἀξίζει τίποτα.	nothing
Μοῦ δίνετε, παρακαλῶ, τρία γραμματό-	
σημα ἐσωτερικοῦ:	
τό ἐσωτερικό	interior
Ἔξαφνα ὁ Νῖκος ἔφυγε γιά τήν ᾽Αμε-	suddenly
ρική.	
Ὁ Γιῶργος στέλνει στήν γυναῖκα του	
πολλά χρήματα.	
στέλνω (στείλω)	to send
Σήμερα πήραμε μία ἐπιταγή ἑκατό	money order
δολλαρίων.	
Δέν ἤξεραν τήν διεύθυνσί του.	
ἡ διεύθυνσις	address, direction
Ὁ ἀδερφός σας σᾶς στέλνει πολλά	
δέματα.	
τό δέμα	package
τό τηλεγραφεῖο	telegraph office
ἡ Νέα ᾽Υόρκη	New York

Ἡ γυναῖκα τοῦ Νίκου περιμένει κάθε μέρα γράμμα ἀπό τόν ἄντρα της πού εἶναι στό ἐξωτερικό. Ὁ Νῖκος ἔφυγε πρίν δύο μῆνες γιά τήν ᾽Αμερική. Εἶχε ἕναν ἀδερφό ἐκεῖ καί πῆγε νά δουλέψη μαζί του γιά νά κάνη λεφτά. Πέρασε ὅμως πολύς καιρός καί ἡ γυναῖκα του δέν πῆρε οὔτε ἕνα γράμμα ἀπ᾽αὐτόν. Ἡ καϋμένη δέν ξέρει τί νά κάνη. Ὅλη τήν ἡμέρα κάθεται στό παράθυρο τοῦ σπιτιοῦ της καί περιμένει τόν ταχυδρόμο. Μόλις τόν δῆ τόν ρωτάει ἄν ἔχη γράμμα ἀπ᾽τήν ᾽Αμερική,

ἀλλ'αὐτός τῆς λέει πάντα:' Λυπᾶμαι πολύ κυρία Μαρία ἀλλά δέν ἔχω τίποτα γιά
σένα. "Εχω μόνο μερικά γράμματα ἐσωτερικοῦ'. "Ετσι ὁ καιρός περνάει χωρίς
αὐτή νά ἔχη κανένα γράμμα ἀπ'τόν Νῖκο. "Οταν ἔξαφνα μία μέρα ὁ ταχυδρόμος
τῆς ἔφερε τό γράμμα πού περίμενε τόσον καιρό καί μαζί μ'αὐτό τῆς ἔφερε καί μία
ἐπιταγή 50 δολλαρίων. Στό γράμμα, πού εἶχε τήν διεύθυνσι τοῦ ἀδερφοῦ του,
ὁ ἄντρας της τῆς ἔγραφε πώς τῆς ἔστειλε ἕνα δέμα, πώς ὅλα πᾶνε καλά καί ὅτι
δουλεύει πολύ μέρα καί νύχτα σ'ἕνα τηλεγραφεῖο τῆς Νέας 'Υόρκης, ἀλλά ἔχει
πολλά λεφτά καί γρήγορα θά εἶναι πάλι κοντά της.

Response Drill

B

Τί περιμένει ἡ γυναῖκα τοῦ Νίκου κάθε   Γράμμα ἀπ'τόν ἄντρα της.
μέρα;

Γιατί πῆγε αὐτός στήν 'Αμερική;   Γιά νά δουλέψη μαζί μέ τόν ἀδερφό του
                                            πού ἦταν ἐκεῖ.

Τί κάνει ὅλη τήν ἡμέρα ἡ Μαρία;   Κάθεται στό παράθυρο τοῦ σπιτιοῦ της
                                            καί περιμένει τόν ταχυδρόμο.

Τί τόν ρωτάει μόλις τόν δῆ (τόν ταχυδρό-   "Αν ἔχη κανένα γράμμα.
Τί τῆς λέει ὁ ταχυδρόμος;   μο);

                                            ...'Λυπᾶμαι πολύ ἀλλά δέν ἔχω τίποτα
                                            γιά σᾶς, ἔχω μόνο γράμματα ἐσωτε-
                                            ρικοῦ'.

Τί τῆς ἔφερε αὐτός ἔξαφνα μία μέρα;   Τό γράμμα πού αὐτή περίμενε τόσον και-
                                            ρό καί μία ἐπιταγή 50 δολλαρίων.

Τί τῆς ἔγραφε ὁ ἄντρας της στό γράμμα;   Πώς τῆς ἔστειλε ἕνα δέμα καί πώς δου-
                                            λεύει πολύ, ἀλλά ἔχει πολλά λεφτά
                                            καί γρήγορα θά εἶναι κοντά της.

Grammatical Notes

Note 12.1 Noun: Vocative.

    Γιῶργο, κύτταξε ποιός εἶναι στήν   George, see who's at the door!
    πόρτα;

    "Εχετε ἕνα γράμμα συστημένο, κύ-   Mr. George, you have a registered letter.
    ριε Γιῶργο .

Μαρία, ἔλα γρήγορα.   Maria, come quickly.

These examples illustrate the use of the vocative case in Greek, which is used in
calling or addressing someone. As can be seen from the above examples, nouns in the vocative
case are used without articles.

First declension:
----

a) Masculine nouns in -ης have the vocative like the accusative, e.g. ὁ ναύτης
Vocative : ναύτη.

It should be noted, however, that some nouns in -ης especially those denoting a higher
social or professional position form their vocative in -α   (as in katharevusa) e.g.

ὁ καθηγητής   Vocative : καθηγητά   professor!

b) Masculine nouns in -ας have the vocative always like the accusative, e.g.

ὁ λοχίας   Vocative ; λοχία   sergent!

c) All feminine and neuter nouns of the first declension have the vocative like the
nominative, e.g.

κόρη   daughter!   κυρία   madam!   παιδί   child!

Second declension:

Masculine nouns in -ος   (except proper names) have the vocative in -ε e.g. κύριε
Sir!, πλοίαρχε   Captain!

b) Most proper names in -ος have the vocative like the accusative, e.g. Γιῶργο   George!

Note 12.2. Verb: Class I Verbs: Imperative.

     Κύτταξε.   See!

     Περιμένετε ἕνα λεπτό.   Wait a minute!

     Ρίξε.   Throw!

The above examples illustrate the use of Imperative (Command form).

The Imperative in Greek can be either 'perfective' or 'imperfective'. The 'perfective'
Imperative means simply 'do the action of the verb' while the 'imperfective' Imperative means
'keep doing the action of the verb'. It has two forms: a familiar one (2nd pers. singular)
and a polite or plural one (2nd person plural).

The 'perfective' Imperative will be referred to simply as 'Imperative' and the 'imperfective'
Imperative as 'continuous' Imperative.

Note 12.2.1 Imperative (perfective)

The Imperative is formed in Greek by adding the suffix -ε (familiar form) or -τε (polite or plural form) to the perfective stem of the verb.

Examples:

διάβασε διαβάστε	read!	[διαβάζω	(διαβάσω)	to read.]
ὑπόγραφε ὑπογράφτε	sign!	[ὑπογράφω	(ὑπογράψω)	to sign.]
κύτταξε κυττάξτε	see!	[κυττάζω	(κυττάξω)	to see.]

Some verbs with irregular perfective stem forms (see Note 6.4) have 'irregular' Imperatives:

	Verb		Perf.Stem	Perf. Imperative
1)	λέω	say	λε-	πές πέστε /πῆτε
2)	πίνω	drink	πι-	πιές πιέστε /πιῆτε
3)	βλέπω	see	δ-	δές δέστε/ δῆτε
4)	βρίσκω	find	βρ-	βρές βρέστε/βρῆτε

Note 12.2.2. Continuous Imperative.

The Continuous Imperative ('keep doing so-and-so!') is formed by adding the suffix -ε (familiar form) or -ετε (polite or plural form) to the imperfective stem of the verb.

Examples:

διάβαζε διαβάζετε	keep reading!
ὑπόγραφε ὑπογράφετε	keep looking!
κύτταζε κυττάζετε	etc.

Verbs with vowel stems (see Note 6.3) have the familiar Imperative form in -ε/-γε and the polite form in -τε e.g.

	Verb		Imperfective Stem	Cont. Imperative	
τρώω		eat	τρω-	τρῶε/τρῶγε	τρῶτε
λέω		say	λε-	λέγε	λέτε or
					λέγετε*

Note that the verb πηγαίνω has only one (Continuous) Imperative form:

πήγαινε πηγαίνετε   go!

The Continuous Imperative form of the verb ἀκούω is:

Sg.   ἄκου/ἄκουγε/ἄκουε

Pl.   ἀκοῦτε

---

* The form λέγετε is used on the telephone only as equivalent to the English 'hello!'.

Note 12.3 Verb: Impersonal verb νοιάζει 'to care'.

Δέν τόν νοιάζει γιά προῖκα.   He doesn't care about the dowry.

The verb νοιάζει is used impersonally, i.e. in the 3rd person singular as follows:

Present			Past		
δέν μέ	νοιάζει	'I don't care	δέν μέ	ἔννοιαζε	I didn't care
δέν σέ	νοιάζει	you don't care	δέν σέ	ἔννοιαζε	you didn't care
δέν τόν	νοιάζει	etc.	δέν τόν	ἔννοιαζε	etc.
δέν τήν	νοιάζει		δέν τήν	ἔννοιαζε	
δέν τό	νοιάζει		δέν τό	ἔννοιαζε	
δέν μᾶς	νοιάζει		δέν μᾶς	ἔννοιαζε	
δέν σᾶς	νοιάζει		δέν σᾶς	ἔννοιαζε	
δέν τούς	νοιάζει		δέν τούς	ἔννοιαζε	
δέν τίς	νοιάζει		δέν τίς	ἔννοιαζε	
δέν τά	νοιάζει		δέν τά	ἔννοιαζε	

Grammatical Drills

Sample Drills

G.D.12.1

"Ελα ἐδῶ, παιδί μου.

Κύριε σταθμάρχα, δῶστε μου ἕνα εἰσιτήριο.

Ποῦ εἶσαι, ἀδερφέ μου;

Τί εἴπατε, κύριε;

"Οπως θέλετε, κυρία μου.

Ποιός εἶναι αὐτός ὁ ναός, ὁδηγέ;

'Ελᾶτε μαζί μας, κύριε πλοίαρχε.

Κύριε καθηγητά, δέν ξέρω αὐτό τό μάθημα.

Κύριοι, στίς θέσεις σας.

Γιῶργο, πές μου κάτι.

Κύριε ταχυδρόμε, ἔχω κανένα γράμμα;

G.D.12.2

Μάθετε τό μάθημά σας, παρακαλῶ.   Πιές τόν καφέ σου ἀμέσως.

Δούλεψε, παιδί μου.   'Αρχίστε τήν δουλειά σας.

'Αγοράστε αὐτό τό σπίτι.

Δῶσε μου μία μπίρα.

Κάντε αὐτό πού σᾶς λέω.

Φύγε ἀμέσως ἀπ'ἐδῶ.

Περίμενε ἕνα λεπτό, Μαρία.

Κάνε μου αὐτή τήν χάρι.

Πάρτε αὐτό τό αὐτοκίνητο.

Βρές αὐτόν τόν ὑπάλληλο.

'Υπογράψτε ἐδῶ, παρακαλῶ.

"Ακουσε τί λέει ἡ μητέρα σου.

Φᾶτε τό φαΐ σας, ἀμέσως.

Δοκίμασε αὐτά τά τσιγάρα.

Μεῖνε μέ τόν ἀδερφό σου.

Πές κάτι, Μαρία.

Ρίξε αὐτό τό γράμμα στό κουτί.

Μεταφράστε αὐτό τό μάθημα.

Κύτταξε αὐτό τό πλοῖο.

Πιῆτε πολύ κρασί.

Διάβαζε πιό δυνατά.

Δούλευε πιό πολύ.

Λέγε τί θέλεις;

Δέν τούς νοιάζει πού δέν ἔχουν λεφτά.

Δέν σᾶς νοιάζει καθόλου γιά τόν ἀδερφό σας.

Δέν μέ νοιάζει ἄν δέν τήν δῶ.

Δέν μᾶς νοιάζει καθόλου πού δέν τούς νοιάζει.

Substitution Drill

Substitute the appropriate Imperative forms of the verb for the underlined /prépi/ phrases in the following sentences.

Πρέπει νά πιῆτε τόν καφέ σας.

Πρέπει ν'ἀρχίσης δουλειά σήμερα.

Πρέπει ν'ἀγοράσετε αὐτό τό σπίτι.

Πρέπει νά πάρης αὐτό τό κουστούμι.

Πρέπει νά μάθης αὐτό τό μάθημα.

Πρέπει ν'ἀρχίσετε τήν δουλειά σας.

Πρέπει νά κυττάξης τήν δουλειά σου.

Πρέπει νά δουλεύετε ὅλη τήν ὥρα.

Πρέπει νά τοῦ δώσης δέκα δραχμές.

Πρέπει νά περιμένετε μία ὥρα.

Πρέπει νά φᾶς τό φαΐ σου.

Πρέπει νά δοκιμάσης αὐτό τό κρασί.

Πρέπει νά φύγετε ἀμέσως.

Πρέπει νά κάνετε αὐτό πού σᾶς εἶπα.

Πρέπει νά μείνετε στό σπίτι.

Πρέπει νά λές ὅτι σοῦ λένε.

Πρέπει νά ρίξῃς αὐτό τό γράμμα στό κουτί.

Response Exercise

Στέλνετε τά γράμματά σας συστημένα;

Τί ὥρα σᾶς φέρνει ὁ ταχυδρόμος τά γράμματα;

Γράφετε πολλά γράμματα στούς φίλους σας;

'Εσεῖς ταχυδρομεῖτε τά γράμματα ἤ ἡ γυναίκα σας;

Εἶναι κοντά στό σπίτι σας τό ταχυδρομεῖο;

Ποιά εἶναι ἡ διεύθυνσίς σας;

Τά τηλεγραφεῖα στήν 'Αμερική εἶναι μαζί μέ τά ταχυδρομεῖα;

Τί νομίζετε γιά τήν προῖκα, εἶναι ἕνα καλό πρᾶγμα ἤ ὄχι;

Πόσα λεφτά δίνετε τήν ἑβδομάδα στά παιδιά σας;

Σᾶς ἀρέσει νά πηγαίνετε ταξίδια;

Σέ ποιά χώρα τοῦ κόσμου θέλετε νά πᾶτε καί γιατί;

Σᾶς ἀρέσει νά μαθαίνετε ξένες γλῶσσες καί γιατί;

End of Tape 6A

Tape 6B

Unit 13

Basic Dialogue

ὁ ὑπηρέτης	(the) servant
ἡ ὑπηρέτρια/ὑπηρεσία	(the) maid
'Ο ἄντρας τῆς ὑπηρεσίας μας εἶναι ναύτης.	Our maid's husband is a sailor.
τό ὑπερωκεάνειο	(the)(ocean)liner
παγκόσμιος, -ος, -ο	world (adj.)
ἡ ἐλπίς	(the) hope
Δουλεύει στό ὑπερωκεάνειο ' Παγκόσμιος 'Ελπίς'.	He works on the (ocean) liner 'World Hope'.
σκληρός, -ή, -ό	hard
'Η ζωή του, ὅπως μᾶς λέει, εἶναι πολύ σκληρή.	His life, so she tells us, is very hard.
ξυπνάω/ξυπνῶ (1)	to wake up
νωρίς	early
καθαρίζω (καθαρίσω)	to clean
τό κατάστρωμα	(the) deck
Πρέπει νά ξυπνάη πολύ νωρίς καί νά καθαρίζη τό κατάστρωμα.	He has to wake up very early and clean the deck.
μετά	afterwards, later, beyond
σκουπίζω (σκουπίσω)	to wipe, sweep, brush
ἡ καμπίνα	(the) cabin
στρώνω (στρώσω)	to prepare (the bed),set (table)
τό κρεββάτι	(the) bed
Μετά πρέπει νά σκουπίζη τίς καμπίνες καί νά στρώνη τά κρεββάτια.	Afterwards he has to sweep the cabins and make the beds.

ἀφοῦ (used after verbs only)	after
τελειώνω (τελειώσω)	to finish
ὁ πλοίαρχος	(the) captain
ὁ ἀξιωματικός	(the) officer (uniformed)

'Αφοῦ τελειώσει αὐτή τήν δουλειά πρέ-
πει νά καθαρίση τίς καμπίνες τοῦ
πλοιάρχου καί τῶν ἀξιωματικῶν.

After he finishes this job he has to clean
the captain's cabin and those of the
officers.

πονάω/πονῶ (1)	to feel pain, to hurt
κουρασμένος, -η, -ο	tired
κοιμᾶμαι	to sleep
νά κοιμηθῆ	that he sleeps

Τό βράδυ τό σῶμα του πονάει τόσο πολύ
καί εἶναι τόσο κουρασμένος, πού δέν
μπορεῖ νά κοιμηθῆ.

At night his body hurts him so [much], and
he is so tired that he can't sleep.

φιλοσοφικά	philosophically
αὐτά ἔχει	that is ('these has')

'Αλλά αὐτός φιλοσοφικά λέει: 'Τί νά
κάνουμε; Αὐτά ἔχει ἡ ζωή τοῦ ναύτη'.

But he philosophically says 'what can we do,
that's the life of a sailor'.

σκοπεύω (σκοπεύσω)	to plan, to aim

Σκοπεύει νά δουλέψη δύο χρόνια στήν
θάλασσα.

He plans to work two years on the sea.

οἰκονομῶ	to save
θά οἰκονομήση	he will save
τό μαγαζί	a small store

Καί μέ τά λεφτά πού θά οἰκονομήση,
θ'ἀγοράση ἕνα μαγαζί.

And with the money that he saves he will
buy a small store.

Response Drill

A

Τί δουλειά κάνει ὁ ἄντρας τῆς ὑπηρέ-
τριάς σας;

Εἶναι ναύτης.

Σέ ποιό πλοῖο δουλεύει;

Πῶς εἶναι ἡ ζωή του;

Γιατί εἶναι σκληρή;

Τί ἀκριβῶς πρέπει νά κάνη;

'Αφοῦ τελειώση αὐτές τίς δουλειές
   τί πρέπει νά κάνη μετά;

Μπορεῖ νά κοιμηθῆ καλά τό βράδυ;

Τί νομίζει γι'αὐτή τήν σκληρή ζωή
   του;

Πόσον καιρό σκοπεύει νά δουλέψη στήν
   θάλασσα;

Καί τί θά κάνη μετά;

Στό ὑπερωκεάνειο Παγκόσμιος 'Ελπίς .

Εἶναι πολύ σκληρή.

Διότι πρέπει νά ξυπνάη πολύ νωρίς καί
   νά κάνη πάρα πολλές δουλειές.

Πρέπει νά καθαρίζη τό κατάστρωμα, νά
   σκουπίζη τίς καμπίνες καί νά στρώνη
   τά κρεββάτια.

Πρέπει νά καθαρίση τίς καμπίνες τοῦ
   πλοιάρχου καί τῶν ἀξιωματικῶν.

"Οχι, διότι εἶναι πάρα πολύ κουρασμένος
   καί τό σῶμα του πονάει πάρα πολύ.

Δέν τόν νοιάζει πάρα πολύ. Λέει πάντα:
   'Τί νά κάνουμε, αὐτά ἔχει ἡ ζωή τοῦ
   ναύτη'.

Δύο χρόνια.

Θ'ἀγοράση ἕνα μαγαζί μέ τά λεφτά πού
   θά οἰκονομήση.

<u>Narrative</u>

<u>'Η 'Ελλάς</u> εἶναι μία μικρή χώρα.   Greece

Αὐτό <u>τό λιμάνι</u> εἶναι πολύ μεγάλο.   port, harbor

'Ο ἀδερφός τῆς Μαρίας εἶναι ἕνας πολύ
   καλός <u>μάγειρας</u>.

            ὁ μάγειρας   cook

Τά περισσότερα λεωφορεῖα σ'αὐτή τήν
   χώρα ἔχουν τριάντα δύο θέσεις,
   ἀλλά αὐτό τό <u>τουριστικό</u> ἔχει
   εἴκοσι ὀκτώ.

      τουριστικός, -ή, -ό   tourist (adj.)

Αὐτό τό κατάστημα ἔχει δύο 'Ιταλούς
   ὑπαλλήλους.

δ 'Ιταλός   Italian

ἡ 'Ιταλίδα   ' (f.)

Τά τρένα γιά τήν Πάτρα <u>σταματᾶνε</u>

ἐδῶ κάθε δύο ὥρες.

    σταματῶ (σταματήσω)   to stop

Αὐτά τά μαθήματα <u>διαρκοῦν</u> δέκα μῆνες.

    διαρκῶ (διαρκέσω)   to last

Αὐτό τό παιδί εἶναι <u>γεμάτο χαρά</u>.

    γεμάτος, -η, -ο   full

    ἡ χαρά   joy

    Τό ὑπερωκεάνειο ΕΛΛΑΣ θά ἔρθη αὔριο στό λιμάνι τοῦ Πειραιᾶ. Τό ὑπερω-
κεάνειο αὐτό εἶναι πολύ μεγάλο καί ὡραῖο. "Εχει ἑπτά καταστρώματα καί πολύ
ὡραῖες καμπίνες. Τό ἐστιατόριο τῆς πρώτης θέσεως εἶναι θαυμάσιο. "Εχει μία
πολύ μεγάλη ποικιλία φαγητῶν καί κρασιῶν κι'ἕνας ἀπ'τούς μάγειρές του εἶναι
περίφημος σ'ὅλη τήν Ἑλλάδα. Τό ὑπερωκεάνειο ΕΛΛΑΣ ἔχει τρεῖς θέσεις.
Οἱ περισσότεροι ἐπιβάτες ὅμως προτιμοῦν καμπίνες τουριστικῆς θέσεως. Αὐτό
τό ὑπερωκεάνειο ἔχει καί πολλούς "Ελληνες ναῦτες. Εἴκοσι μόνο ἀπ'αὐτούς
εἶναι 'Ιταλοί. Τό ὑπερωκεάνειο, βλέπετε, σταματάει στήν 'Ιταλία γιά νά πάρη
καί ἀπ'ἐκεῖ ἐπιβάτες. Τό ταξίδι του ἀπό τήν 'Αμερική στήν Ἑλλάδα διαρκεῖ
ἔνδεκα ἡμέρες. "Ενδεκα θαυμάσιες ἡμέρες γεμάτες διασκέδασι καί χαρά.

Response Drill

B

Τί θά ἔρθη αὔριο στό λιμάνι τοῦ Πειραιᾶ;	Τό ὑπερωκεάνειο ΕΛΛΑΣ .
Πῶς εἶναι αὐτό τό ὑπερωκεάνειο;	Πολύ μεγάλο καί ὡραῖο.
Πόσα καταστρώματα ἔχει;	Ἑπτά.
Πῶς εἶναι τό ἐστιατόριο τῆς πρώτης θέσεως.	Εἶναι θαυμάσιο καί ἔχει μία πολύ μεγάλη ποικιλία φαγητῶν καί κρασιῶν.
"Εχει καλούς μάγειρες;	Μάλιστα, πολύ καλούς. "Ενας ἀπ'αὐτούς εἶναι περίφημος σ'ὅλη τήν Ἑλλάδα.
Τί καμπίνες προτιμοῦν οἱ περισσότεροι ἐπιβάτες;	Τουριστικῆς θέσεως.

Γιατί αὐτό τό ὑπερωκεάνειο ἔχει καί   Διότι σταματάει στήν 'Ιταλία γιά νά

'Ιταλούς ναῦτες;   πάρη κι'ἀπό ἐκεῖ ἐπιβάτες.

Πόσες ἡμέρες διαρκεῖ τό ταξίδι ἀπό   Ἕνδεκα. Ἕνδεκα θαυμάσιες καί

τήν 'Αμερική στήν 'Ελλάδα;   γεμάτες διασκέδασι ἡμέρες.

Grammatical Notes

Note 13.1. Verb: Class II Verbs. Present Tense.

Πρέπει νά ξυπνάη πολύ νωρίς.   He has to wake up very early.

Τό βράδυ τό σῶμα του πονάει τόσο   At night his body hurts him so that he

πολύ, πού δέν μπορεῖ νά κοιμηθῆ.   can't sleep.

The above sentences illustrate the use of Class II verbs in present tense (see also Note 5.9.).

The main characteristic of the verbs of this class is that they either end in a stressed $\tilde{ω}$ in their citation form (like μπορῶ 'to be able') or have two alternate forms, one in $\tilde{ω}$ and another in άω (like περνῶ / περνάω, μιλῶ / μιλάω).

Accordingly, the Class II verbs have two sets of personal endings in the Present tense:

	Sing.			Plur.	
1.	-ῶ	or -άω		-οῦμε	or -ᾶμε
2.	-εῖς	or -ᾶς		-εῖτε	or -ᾶτε
3.	-εῖ	or -άει/-ᾶ		-οῦν(ε)	or -ᾶν(ε)

There are three groups of this class of verbs:

Group 1 comprises verbs which have two alternate forms in the first person singular and plural and in the third person plural. The alternate forms are used interchangeably by the native speakers of Greek, e.g.

Verb περνῶ, -άω 'to pass'

	Sing.			Plur.		
	-άω form		-ῶ form	-άω form		-ῶ form
1.	περνάω	or	περνῶ	περνᾶμε	or	περνοῦμε
2.	περνᾶς		-	περνᾶτε		-
3.	περνάει/περνᾶ		-	περνᾶν(ε)	or	περνοῦν(ε)

Group 2 comprises Class II verbs which are used in both alternate forms interchangeably in all persons, e.g.

Verb μιλῶ,-άω (or (ὁ)μιλῶ) 'to speak'

	Sing.				Plur.	
	-άω form		-ῶ form	-άω form		-ῶ form
1.	μιλάω	or	(ὁ)μιλῶ	μιλᾶμε	or	(ὁ)μιλοῦμε
2.	μιλᾶς	or	(ὁ)μιλεῖς	μιλᾶτε	or	(ὁ)μιλεῖτε
3.	μιλάει/μιλᾶ	or	(ὁ)μιλεῖ	μιλᾶν(ε)	or	(ὁ)μιλοῦν/μιλοῦν(ε)

Group 3 comprises Class II verbs which have no alternate forms e.g.

Verb μπορῶ 'to be able'

	Sing.	Plur.
1.	μπορῶ	μποροῦμε
2.	μπορεῖς	μπορεῖτε
3.	μπορεῖ	μποροῦν(ε)

Note 13.2 Class II verbs: Future and Subjunctive Continuous.

The Future Continuous and the Subjunctive Continuous of this class of verbs are formed by means of θά and νά respectively, e.g.

Θά μιλάω κάθε μέρα.   I'll be speaking every day.

Θά σᾶς ρωτάω ὅλη τήν ὥρα.   I'll keep asking you all the time.

Θά σᾶς βλέπω κάθε μέρα.   I'll be seeing you every day.

Note 13.3 Class II verbs. Notation.

Beginning with Unit 14 verbs belonging to the Group 1 will be marked (1) in the build-ups, verbs belonging to the Group 2 will be marked (2) and verbs belonging to the Group 3 will be marked (3), e.g.

ξυπνῶ	(1)	to wake up
εὐχαριστῶ	(2)	to thank
ζῶ	(3)	to live

The Perfective stem forms will be given in parentheses as for the Class I verbs:

e.g.

ξυπνῶ (ξυπνήσω) (1)

μπορῶ (μπορέσω) (3) etc.

Grammatical Drills

Sample Drill

G.D.13.1

Προτιμῶ κρέας μέ πατάτες.

Τί πουλᾶς;

Αὐτός ξυπνάει κάθε μέρα τήν ἴδια ὥρα.

Περνᾶμε ἀπ'τό σπίτι σας κάθε μέρα.

Γιατί σταματᾶτε τ'αὐτοκίνητα;

Αὐτές μιλᾶνε γεμάτες χαρά.

Ξυπνᾶμε κάθε πρωῒ στίς ἕξι.

Οἰκονομᾶτε κι'ἐσεῖς τά λεφτά σας;

Αὐτός ὁ ὑπάλληλος δέν ἐξυπηρετεῖ καλά
    τούς πελάτες.

Γιατί μέ ρωτᾶτε αὐτό, κύριε Γιῶργο;

Αὐτός ὁ ἀξιωματικός συμφωνεῖ μέ μένα.

Σταματᾶτε πάντα τό πλοῖο σ'αὐτό τό
    λιμάνι, κύριε Πλοίαρχε;

῍Οταν εἶμαι κουρασμένος παρακαλῶ τόν
    Γιῶργο νά μέ πάη μέ τ'αὐτοκίνητό του.

Ζῆς πολύ καλά, 'Αλέξανδρε.

Τό ταξίδι διαρκεῖ δύο ὥρες.

Σᾶς ἐξηγοῦμε πάντα τά μαθήματά σας.

Αὐτές μ'εὐχαριστοῦνε ὅλη τήν ὥρα.

Συγχωρεῖτε πάντα τούς φίλους σας;

Τί ἐννοεῖτε, κύριε;

Περνᾶτε ἀπ'τό σπίτι μου στίς ὀκτώ;

Correlation-Transformation

Change the personal endings of the underlined verbs to agree with the pronouns (or nouns) listed in parentheses.

'Εμεῖς προτιμᾶμε γάλα μέ καφέ.	(αὐτός)
Ζῆτε πολύ καλά μ'αὐτά τά λεφτά.	(ἐμεῖς)
Ξυπνάω κάθε μέρα στίς ἕξι.	(αὐτές)
Αὐτοί περνοῦν ἀπ'τό σπίτι μου κάθε μέρα.	(ἐσύ)
Τί ἐννοεῖτε, κύριε;	(αὐτός)
Μποροῦμε νά πίνουμε πολύ κρασί.	(ἐσεῖς)
Τό ταξίδι διαρκεῖ μία ὥρα.	(τά μαθήματα)
Αὐτός σταματάει τ'αὐτοκίνητα.	(ἐγώ)
Οἰκονομᾶμε τά χρήματά μας.	(αὐτοί)
Αὐτός συμφωνεῖ πάντα μέ τόν Γιῶργο.	(ἐσεῖς)
Τί ὥρα ξυπνᾶτε;	(ἐσύ)
Αὐτές μιλᾶνε καλά 'Ελληνικά.	(ἐγώ)
'Η Μαρία παρακαλάει τόν ἀδερφό της νά	

σᾶς δώση λεφτά.   (ἐσεῖς)

Ὁ ὁδηγός σᾶς <u>ἐξηγεῖ</u> πάντα μέ λεπτομέ-   (ἐμεῖς)
ρειες τήν ἀρχιτεκτονικῆ τῶν ναῶν.

Γιατί δέν <u>συγχωρεῖς</u> τήν ἀδερφή της;   (ἐσεῖς)

Σᾶς <u>εὐχαριστῶ</u> πολύ.   (αὐτές)

Αὐτός <u>πουλάει</u> πολύ φτηνές γραβάτες.   (ἐγώ)

Αὐτός ὁ ὑπάλληλος <u>ἐξυπηρετεῖ</u> καλά τούς   (ἐμεῖς)
πελάτες.

Σᾶς <u>ρωτᾶμε</u> πολλές ἐρωτήσεις.   (αὐτός)

Αὐτός ὁ ναύτης <u>πονάει</u> πολύ σ'ὅλο τό
σῶμα του.   (ἐσύ)

Response Exercise

Ξέρετε πόσα ἑλληνικά ὑπερωκεάνεια ἔρχονται ἀπ'τήν Ἑλλάδα στήν Ἀμερική;

Τί νομίζετε γιά τήν δουλειά τῶν ναυτῶν;

Τί ὥρα ξυπνᾶτε τό πρωΐ καί τί ὥρα πηγαίνετε τό βράδυ στό κρεββάτι;

Βοηθᾶτε τήν γυναίκα σας ὅταν αὐτή σκουπίζη τό σπίτι;

Τί κάνετε ὅταν σᾶς πονάει τό σῶμα σας;

Νομίζετε πῶς εἶναι μία καλή ἰδέα νά οἰκονομᾶτε τά χρήματά σας καί γιατί;e

Τί θέσι πηγαίνετε ὅταν ταξιδεύετε μέ ὑπερωκεάνειο;

Ἔχει ἡ ἑλληνική κουζίνα μεγάλη ποικιλία κρασιῶν;

Πήγατε ποτέ στήν Ἰταλία;

Ὅταν πηγαίνετε ταξίδι μέ τί προτιμᾶτε νά ταξιδεύετε;

<u>End of Tape 6B</u>

Tape 7A

Unit 14

Basic Dialogue

κυρία 'Ελένη

ὁ ἀστυφύλακας	(the) policeman
ἡ ὁδός	(the) street
Κύριε ἀστυφύλακα, ποῦ εἶναι, παρακαλῶ, ἡ ὁδός 'Αμερικῆς;	Officer, where is America street, please?

ἀστυφύλακας

τό τετράγωνο	(the) block, square (Geometry)
Δέκα τετράγωνα μακρυά ἀπ'ἐδῶ.	Ten blocks (far) from here.
ὁ στρατώνας	(the) barrack
Εἶναι ἀμέσως μετά τούς στρατῶνες.	It's right beyond the barracks.

κυρία 'Ελένη

ἡλικιωμένος, -η, -ο	old, aged, elderly
Εἶναι πολύ μακρυά γιά μία ἡλικιωμένη γυναίκα, σάν κι ἐμένα.	Oh, it is too far for an old woman like me.

σοφέρ	chauffeur
μήν/μή	don't
ἀνησυχῶ (ἀνησυχήσω) (3)	to worry
ὁ πρεσβευτής	(the) Ambassador
τοῦ πρεσβευτοῦ	of the Ambassador (katharevusa form)
Μήν ἀνησυχῆτε, κυρία μου. Εἶμαι ὁ σοφέρ τοῦ πρεσβευτοῦ. Θά σᾶς πάω ἐγώ μέ τ'αὐτοκίνητό μου.	Don't worry, (my) lady, I'm the chauffeur of the Ambassador. I'll give you a lift ('take you with my car').

κυρία 'Ελένη

τό τμῆμα	(the) section
θεωρῶ (θεωρήσω) (3)	consider,
ἡ βίζα	(the) visa
θεωρῶ (βίζα)	to give a visa

Σᾶς εὐχαριστῶ πολύ. Θέλω νά πάω στό
 'Αμερικανικό Προξενεῖο, στό Τμῆμα
 πού θεωροῦν βίζες.

Thank you very much. I'd like to go to the
 American Consulate, to the Visa Section
 ('to the section that they give visas').

  ὁ γιός

  ἡ πρόσκλησις/πρόσκλησι

  (the) son

  (the) invitation

"Εχω ἔναν γιό στήν 'Αμερική, πού μοῦ
 ἔστειλε μία πρόσκλησι γιά νά πάω
 νά τόν δῶ.

I have a son in America who sent me an
 invitation to go and see him.

  σκέπτομαι

  τό γραφεῖο

  ὁ πρόξενος

  ζητῶ (ζητήσω) (1)

  to think, to have in mind

  (the) office, desk

  (the) consul

  to ask for, look for

"Ετσι σκέπτομαι νά πάω στό γραφεῖο
 τοῦ 'Αμερικανοῦ Προξένου, γιά νά
 τόν δῶ καί νά τοῦ ζητήσω μερικές
 πληροφορίες.

So, I'll go ('I have in mind to go') and
 see the American Consul and get ('ask')
 some information.

σοφέρ

  φαίνομαι

  νά φανῆ

  χρήσιμος, -η, -ο

  βοηθῶ (βοηθήσω) (1)

  to appear

  so that he appear

  useful

  to help

"Εχω ἔναν φίλο ἐκεῖ, πού μπορεῖ νά σᾶς
 φανῆ χρήσιμος καί νά σᾶς βοηθήση.

I have a friend over there who may turn out
 to be useful and helpful to you.

  εὔχομαι

  to wish

Σᾶς εὔχομαι ὅλα νά πᾶνε καλά.

I hope ('wish') everything goes fine [for
 you].

Response Drill

A

Τί ρωτάει ἡ κυρία 'Ελένη τόν ἀστυφύλακα; Νά τῆς πῆ πού εἶναι ἡ ὁδός 'Αμερικῆς.

Τί τῆς λέει αὐτός;

Πῶς εἶναι δέκα τετράγωνα μακρυά, ἀκριβῶς ὕστερα ἀπ'τούς στρατῶνες.

Τί τοῦ λέει τότε αὐτή;

Πῶς εἶναι πολύ μακρυά γιά μιά ἡλικιωμένη γυναίκα, σάν κι αὐτήν.

Τί τῆς πρότεινε τότε ὁ σοφέρ τοῦ πρεσβευτοῦ;

Νά τήν πάη αὐτός μέ τ'αὐτοκίνητό του.

Ποῦ θέλει νά πάη ἡ κυρία Ἑλένη;

Στό Ἀμερικανικό Προξενεῖο, στό Τμῆμα πού δίνουν βίζες.

Γιατί θέλει νά πάη στήν Ἀμερική;

Διότι ἔχει ἐκεῖ ἕναν γιό, πού τῆς ἔστειλε μία πρόσκλησι καί θέλει νά πάη νά τόν δῆ.

Γιατί αὐτή θά πάη στό γραφεῖο τοῦ Ἀμερικανοῦ Προξένου;

Γιά νά τόν δῆ καί νά τοῦ ζητήση μερικές πληροφορίες.

Τί τῆς εἶπε τότε ὁ σοφέρ τοῦ Πρεσβευτοῦ;

Πῶς ἔχει ἕναν φίλο στό Προξενεῖο πού μπορεῖ νά τῆς φανῆ πολύ χρήσιμος καί νά τήν βοηθήση καί τῆς εὔχεται ὅλα νά πάνε καλά.

Narrative

Ὁ Νῖκος εἶναι ὁ_τελευταῖος φοιτητής στήν τάξι του.

the last, recent

Ὁ_πλοῦτος αὐτῆς τῆς χώρας εἶναι πολύ μεγάλος.

wealth

Ὁ Γιῶργος δέν εἶχε τήν_εὐκαιρία νά ἐπισκεφθῆ τήν Ἑλλάδα.

ἡ εὐκαιρία

opportunity

Δέν σᾶς ἀρέσει ὁ_τρόπος αὐτοῦ τοῦ κυρίου;

manner

Αὐτό πού σᾶς εἶπε σᾶς ἔκανε πολύ μεγάλη ἐντύπωσι.

ἡ ἐντύπωσις

impression

Ὁ ἄνθρωπος αὐτός εἶναι τρομερός.

frightful, dreadful, terrible, tremendous

Ὁ κινηματόγραφος ἔχει τρομερή ἐπί-

δρασι στά παιδιά.

ἡ ἐπίδρασις   influence

Τόν περίμενε ἀμέτρητα χρόνια.

ἀμέτρητος, -η, -ο   immeasurable

Ἔχετε τό διαβατήριό σας;

τό διαβατήριο   passport

Τό κατάστημα τοῦ Γιώργου εἶναι σ'ἕνα

πολύ μεγάλο κτίριο.

τό κτίριο/χτίριο   building

Ἡ πρεσβεία βρίσκεται στό κέντρο τῆς   it is located,

πόλεως.   situated

βρίσκομαι   to be found

      Τόν τελευταῖο καιρό πολλοί Ἕλληνες θέλουν ά πᾶνε στήν Ἀμερική. Ὅλα
αὐτά πού ἀκοῦν γιά τόν μεγάλο πλοῦτο αὐτῆς τῆς χώρας, γιά τίς εὐκαιρίες πού
ὑπάρχουν ἐκεῖ, γιά τόν τρόπο ζωῆς κ.τ.λ. τούς κάνουν πολύ μεγάλη ἐντύπωσι καί
ἔχουν μία τρομερή ἐπίδρασι σ'αὐτούς. Τούς κάνουν νά θέλουν νά πᾶνε στήν περί-
φημη αὐτή χώρα. Ἔτσι κάθε μέρα στά ἀμερικανικά προξενεῖα τῶν πόλεων τῆς
Ἀθήνας καί τῆς Θεσσαλονίκης κάποιους μπορεῖ νά δῆ χιλιάδες Ἑλλήνων πού περι-
μένουν ἀμέτρητες ὧρες γιά νά δοῦν τόν Ἀμερικανό πρόξενο καί νά τούς θεωρήση τό
διαβατήριό τους. Τό προξενεῖο τῆς Ἀθήνας εἶναι στό ἴδιο κτίριο πού εἶναι καί
ἡ πρεσβεία. Αὐτό τό κτίριο εἶναι νέο, πολύ μεγάλο κι'ἔχει ὡραία ἀρχιτεκτονική.
Βρίσκεται στό κέντρο τῆς πόλεως, στήν ἴδια ὁδό πού εἶναι καί οἱ περισσότερες
Πρεσβεῖες τῶν ἄλλων χωρῶν.

<u>Response Drill</u>

<u>B</u>

Τί θέλουν πολλοί Ἕλληνες τόν τελευταῖο   θέλουν νά πᾶνε στήν Ἀμερική.

καιρό.

Τί ἀκριβῶς τούς κάνει μεγάλη ἐντύπωσι   Ὁ μεγάλος πλοῦτος της, οἱ εὐκαιρίες

σ'αὐτή τήν χώρα;   πού ὑπάρχουν ἐκεῖ, ὁ τρόπος ζωῆς

                                         της, κ.τ.λ.

Ἔχουν κάποια ἐπίδρασι ὅλα αὐτά σ'αὐτούς; Μάλιστα, ἔχουν τρομερή ἐπίδρασι σ'αὐτούς.

Τί κάνουν γι'αὐτόν τόν λόγο;

Θέλουν νά πᾶνε στήν περίφημη αὐτή χώρα.

Τί μπορεῖ κάποιος νά δῆ στά ἀμερικανικά προξενεῖα τῆς 'Αθήνας καί τῆς Θεσσαλονίκης;

Χιλιάδες 'Ελλήνων πού περιμένουν ἀμέτρητες ὧρες γιά νά δοῦν τόν 'Αμερικανό πρόξενο.

Γιατί θέλουν νά τόν δοῦν;

Γιά νά τούς θεωρήση τό διαβατήριό τους.

Ποῦ εἶναι τό προξενεῖο τῆς 'Αθήνας;

Στό ἴδιο κτίριο πού εἶναι κι'ἡ πρεσβεία.

Πῶς εἶναι τό κτίριο αὐτό;

Εἶναι καινούργιο, μεγάλο καί ἔχει ὡραία ἀρχιτεκτονική.

Ποῦ βρίσκεται αὐτό τό κτίριο;

Στό κέντρο τῆς πόλεως, στήν ἴδια ὁδό πού εἶναι καί οἱ περισσότερες Πρεσβεῖες τῶν ἄλλων χωρῶν.

Grammatical Notes

Note 14.1 Noun: Third Declension.

Feminine nouns in:

1) -η (Third Declension -ις in katharevusa)
2) -ίδα,-άδα (Third Declension -ίς,-άς in katharevusa)
3) -ητα (Third Declension -της in katharevusa)

Note 14.1.1 Third Declension Feminine nouns in (unstressed) -ις.

Δυστυχῶς οἱ γιατροί τοῦ νοσοκομείου τῆς πόλεώς μας, δέν εἶναι καλοί. — Unfortunately the doctors in ('of') our city hospital aren't good.

"Υστερα μᾶς ρωτάει ἐρωτήσεις. — He then asks us questions.

Μοῦ ἔστειλε μία πρόσκλησι. — He sent me an invitation.

Αὐτός μᾶς διαβάζει ἕναν ἀριθμόν προτάσεων. — He reads us a number of sentences...

Τό κέντρο διασκεδάσεως. — Nightclub.

All the underlined nouns in the above sentences belong to what is traditionally called 'Third Declension'.

This particular group of third Declension nouns consists of feminine nouns which end in an unstressed -ις.

All these nouns have an alternative 'dhimotiki' form in $-\eta$ and some nouns of every day usage, such as ἡ ζάχαρη   for example, have one single form in $-\eta$ while the form ἡ ζάχαρις   is used in written katharevusa only.

Both forms have one set of plural endings, but two alternative singular sets.

Examples:

		Sing.				Plur.	
N.	ἡ	θέσις	θέση		οἱ	θέσεις	*
G.	τῆς	θέσεως	θέσης		τῶν	θέσεων	
A.	τήν	θέσιν	θέση		τίς	θέσεις	*

*   It should be noted that the katharevusa forms of feminine articles in the Nom. and Acc. plural are αἱ and τάς respectively. (see later units).

The complete set of case endings of this group of third Declension nouns is:

	Sing.	Plur.
N.	$-ις /-η$	$-εις$
G.	$-εως/-ης$	$-εων$
A.	$-ιν /-η$	$-εις$

Note 14.1.2   Feminine Nouns in $-ίδα$, $-άδα$ / $-ίς$, $-άς$.

Δουλεύει στό ὑπερωκεάνειο Παγκόσμιος   He works on the ocean liner 'World Hope'.
                                    Ἐλπίς .
Δύο ἑβδομάδες περίπου.   Two weeks approximately.

In the first sentence the Greek word for 'hope' us used in its katharevusa form because it is a part of a proper name 'World Hope'.

All feminine nouns in $-ίδα$ and $-άδα$ have their katharevusa counterparts in $-ίς$ and $-άς$ respectively (e.g. ἡ ἐλπίς, ἡ ἑβδομάς, ἡ Ἑλλάς).

These forms, however, have been commonly replaced by the modern Greek $-ίδα$, $-άδα$ forms (e.g. ἡ ἐλπίδα, ἡ ἑβδομάδα).

The $-ίδα$,$-άδα$ nouns are declined like first Declension feminine nouns in $-α$ (such as κυρία   ) with the single exception that the Genitive plural ending of these nouns $-ων$ is unstressed:

	Sing.			Plur.		
N.	ἡ	ἐλπίδα	ἑβδομάδα	οἱ	ἐλπίδες	ἑβδομάδες
G.	τῆς	ἐλπίδας	ἑβδομάδας	τῶν	ἐλπίδων	ἑβδομάδων
A.	τήν	ἐλπίδα	ἑβδομάδα	τίς	ἐλπίδες	ἑβδομάδες

Note 14.1.3 Feminine Nouns in -τητα/της.

'Ο ράφτης θά σᾶς πάρη τά μέτρα καί θά   The tailor will take your measurements and
χρησιμοποιήση ὅλη τήν ἐπιτηδιότητά του   will use all his skill to make your suit
γιά νά σᾶς κάνη τήν φορεσιά σας τέλεια.   perfect.

Feminine nouns in -της are declined like those in -ίδα, -άδα (Note 14.1.2), i.e.

	Sing			Plur.	
N.	ἡ	ἐπιτηδιότητα	οἱ	ἐπιτηδιότητες
G.	τῆς	ἐπιτηδιότητας	τῶν	ἐπιτηδιοτήτων
A.	τήν	ἐπιτηδιότητα	τίς	ἐπιτηδιότητες

The katharevusa counterparts of these nouns end in -της, e.g. ἡ ἐπιτηδιότης
(see later Units).

Note 14.2 Masculine Nouns in -ας derived from the Third Declension katharevusa nouns in
-αξ and -ων.

Κύριε ἀστυφύλακα, ποῦ εἶναι, παρακαλῶ, ἡ   Officer, where is America street, please?
ὁδός 'Αμερικῆς.
Εἶναι ἀμέσως μετά τούς στρατῶνες.   It's right beyond the barracks.

These examples illustrate the use of masculine nouns in -ας derived from the katharevusa
third declension masculine nouns in -αξ and -ων . These nouns are declined like the first
declension nouns in -ας (e.g. ὁ λοχίας   ) except for the genitive plural ending -ων
which is never stressed (compare: τῶν ἀστυφυλάκων 'of the policemen' to τῶν λοχιῶν
'of the sergents').

The nouns ἀστυφύλακας and στρατῶνας are ἀστυφύλαξ and στρατών   in
katharevusa.

The katharevusa forms of these nouns as well as those enumerated in Notes 14.1.1,2 and 3
will be discussed together with other 3rd declension nouns in units dealing with katharevusa
grammatical forms.

Note 14.3 Numerals: Declension of τρεῖς 'three' and τέσσερεις 'four'.

'Εδῶ εἶναι τρεῖς ἄνδρες, τρεῖς γυναῖκες καί τρία παιδιά.

Βλέπω τίς τρεῖς φίλες μου στ'αὐτοκίνητα. τῶν τριῶν φίλων σας.

The above examples show that the numerals τρεῖς and τέσσερεις agree in gender and in case with nouns they modify.

These numerals are declined as follows:

	m.	f.	n.
N.	τρεῖς	τρεῖς	τρία
G.	τριῶν	τριῶν	τριῶν
A.	τρεῖς	τρεῖς	τρία

N.	τέσσερεις/τέσσαρες	τέσσερεις/τέσσαρες	τέσσερα
G.	τεσσάρων	τεσσάρων	τεσσάρων
A.	τέσσερεις/τέσσαρες	τέσσερεις/τέσσαρες	τέσσαρα

Another 'declinable' numeral ἕνας, μία, ἕνα 'one' was discussed in Unit 7.

Examples:

'Η γυναῖκα ἑνός φίλου μου.	The wife of a friend of mine.
Ξέρουμε δεκατρεῖς καλούς γιατρούς.	We know thirteen good doctors.
Τό σπίτι τῶν τριῶν ἀδερφῶν σας.	The house of your three brothers.
Οἱ ἀποσκευές αὐτῶν τῶν τεσσάρων τουριστῶν εἶναι ἐδῶ.	The luggage of those four tourists is here.
Εἴχαμε δεκατεσσάρων ὡρῶν καθυστέρησι.	We had fourteen hour delay.
Εἴκοσι τρεῖς ναῦτες πηγαίνουν στούς στρατῶνες.	Twenty three sailors go to the barracks.

The above examples show that not only the numerals ἕνας 'one', τρεῖς 'three' and τέσσερεις 'four' but also their compounds such as δέκα τέσσερεις 'fourteen', εἴκοσι τρεῖς 'twenty three' etc. agree in gender and in case with nouns they modify.

All other numerals from 1 to 199 are indeclinable; i.e. they have only one form.

The declension of numerals from 200 up will be discussed in later units.

Note 14.4 Noun; First Declension case endings in katharevusa.

Εἶμαι ὁ σοφέρ τοῦ πρεσβευτοῦ.   I'm the Ambassador's chauffeur.

In the footnote to Note 5.7 it was stated that a small number of the first declension masculine nouns in -ης (such for example as φοιτητής, καθηγητής   etc.) are often used in their katharevusa form.

The complete set of case endings of such nouns is as follows:

	Sing.	Plur.
N.	-ής	-αί
G.	-οῦ	-ῶν
A.	-ήν	-άς

Example:

	Sing.		Plur.	
N.	ὁ	φοιτητής	οἱ	φοιτηταί
G.	τοῦ	φοιτητοῦ	τῶν	φοιτητῶν
A.	τόν	φοιτητήν	τούς	φοιτητάς

Grammatical Drills

Sample Drills

G.D.14.1.1-2 and 14.2

Αὐτή ἡ πόλις εἶναι πολύ ὡραία.

Αὐτή ἡ τάξις δέν εἶναι μεγάλη.

Ἡ ἐρώτησίς σας εἶναι πολύ δύσκολη.

Αὐτή ἡ πρόσκλησι εἶναι γιά σήμερα.

Αὐτή ἡ θέσι εἶναι πολύ φτηνή.

Ἡ διασκέδασις εἶναι γι'αὐτούς πού ἔχουν
πολλά λεφτά.

Αὐτή εἶναι ἡ διεύθυνσίς μου.

Τά σπίτια αὐτῆς τῆς πόλεως εἶναι μικρά.

Τό δωμάτιο τῆς ἑλληνικῆς τάξεως εἶναι
μεγάλο.

Οἱ καμπίνες τουριστικῆς θέσεως εἶναι
φτηνές.

Τά κέντρα διασκεδάσεως εἶναι ἐδῶ κοντά.

Αὐτή εἶναι μία πολύ μεγάλη πρότασις.

Ἡ ἐπίδρασις τῆς Ἑλλάδας στίς ἄλλες
χῶρες ἦταν μεγάλη.

Ἡ Ἑλλάδα εἶναι χώρα μικρή.

Ἡ ἐλπίδα φέρνει χαρά.

Αὐτός ὁ στρατώνας εἶναι κοντά στόν
σταθμό.

Ὁ ἀστυφύλακας πηγαίνει στούς στρατῶ-
νες.

Οἱ ἡμέρες αὐτῆς τῆς ἑβδομάδας ἦταν
θαυμάσιες.

Τό κλίμα τῆς Ἑλλάδας εἶναι πολύ καλό

Τά δωμάτια αὐτοῦ τοῦ στρατῶνα εἶναι
μεγάλα.

Τά παιδιά αὐτοῦ τοῦ ἀστυφύλακα εἶναι
πολύ νόστιμα.

Ὁ ἀδερφός μου ἔχει ἕνα ὡραῖο σπίτι
σ'αὐτήν τήν πόλι.

Ἡ σχολή αὐτή ἔχει μία πολύ καλή τάξι.

Αὐτός ὁ κύριος ἔχει μία πολύ μεγάλη
θέσι.

Δέν καταλαβαίνω αὐτήν τήν πρότασι.

Αὐτές δουλεύουν δύο φορές τήν ἐβδομάδα.

Αὐτές οἱ πόλεις εἶναι ὡραῖες.

Αὐτές οἱ τάξεις εἶναι πολύ μεγάλες.

Δέν σᾶς ἀρέσουν οἱ πολλές ἐρωτήσεις.

Οἱ θέσεις αὐτοῦ τοῦ τρένου δέν εἶναι
καλές.

Οἱ διασκεδάσεις εἶναι γιά σᾶς.

Τά σπίτια αὐτῶν τῶν πόλεων εἶναι πολύ
ἄσπρα.

Τά δωμάτια αὐτῶν τῶν τάξεων εἶναι μικρά.

Οἱ ἀριθμοί αὐτῶν τῶν διευθύνσεων εἶναι
πολύ μικροί.

Αὐτός σᾶς κάνει πολλές ἐρωτήσεις.

Ἡ Ἑλλάδα ἔχει μόνο τρεῖς μεγάλες
πόλεις.

Αὐτή ἡ σχολή ἔχει πολλές τάξεις.

Ὁ ἀδερφός μου μοῦ ἔστειλε δύο προ-
σκλήσεις.

Θέλουν ὅλες τίς διευθύνσεις σας.

Σέ δέκα μέρες θά πᾶμε στήν Ἑλλάδα.

Ζωή χωρίς ἐλπίδα δέν ἀξίζει τίποτα.

Ξέρω καλά αὐτόν τόν στρατῶνα.

Βλέπουμε κάθε μέρα αὐτόν τόν ἀστυφύ-
λακα.

Δέν ξέρουμε τήν διεύθυνσί σας.

Οἱ προτάσεις αὐτοῦ τοῦ μαθήματος εἶ-
ναι πολύ μεγάλες.

Δύο ἐβδομάδες εἶναι δεκαπέντε ἡμέρες.

Οἱ στρατῶνες εἶναι δύο χιλιόμετρα
μακρυά ἀπ'ἐδῶ.

Αὐτοί οἱ ἀστυφύλακες εἶναι φίλοι μας.

Οἱ ἡμέρες ὅλων αὐτῶν τῶν ἐβδομάδων
ἦταν καλές.

Τά δωμάτια τῶν στρατώνων εἶναι μικρά.

Τά πουκάμισα αὐτῶν τῶν ἀστυφυλάκων
εἶναι ἄσπρα.

Αὐτό τό λεωφορεῖο ἔχει πολλές θέσεις.

Αὐτό τό μάθημα ἔχει πολλές προτάσεις.

Ὁ ὑπάλληλός σας θά φύγη σέ δύο ἐβδο-
μάδες.

Ὁ γιατρός θά πάη σήμερα στούς στρα-
τῶνες.

Ὁ σταθμάρχης θά μιλήση στούς ἀστυφύ-
λακες.

Τρεῖς ἀστυφύλακες εἶναι στήν πόρτα.

Τρεῖς φίλες μου μένουν στήν ὁδό Ἀμερικῆς.

Τρία λεωφορεῖα εἶναι στόν σταθμό.

Τό γραφεῖο τῶν τριῶν γιατρῶν εἶναι στήν
ὁδόν Ἀμερικῆς.

Τά σπίτια αὐτῶν τῶν τριῶν γυναικῶν

Αὐτό τό νοσοκομεῖο ἔχει τρεῖα γιατρούς.

Αὐτή ἡ περιοχή ἔχει τρεῖς ταβέρνες.

Αὐτό τό δωμάτιο ἔχει τρία παράθυρα.

'Εδῶ εἶναι τέσσερεις σταθμοί.

Αὐτές οἱ τέσσερεις ταβέρνες εἶναι
  πολύ φτηνές.

Αὐτά τά τέσσερα νοσοκομεῖα δέν εἶναι
  καλά.

'Εκεῖνος ὁ κύριος ἔχει τέσσερεις
  ἀδερφούς.

'Η Μαρία ἔχει τέσσερεις κόρες.

εἶναι πολύ μεγάλα.

Τά πλοῖα τῶν τριῶν πλοιάρχων εἶναι
  στό λιμάνι.

Τά σπίτια αὐτῶν τῶν τεσσάρων καθηγητῶν
  εἶναι πολύ μεγάλα.

Τά γραφεῖα αὐτῶν τῶν τεσσάρων γυναικῶν
  εἶναι σ'αὐτήν τήν ὁδό.

'Ο πατέρας αὐτῶν τῶν τεσσάρων παιδιῶν
  εἶναι πολύ ὡραῖος.

'Ο Νῖκος ἔχει τέσσερα παιδιά.

G.D.14.1.1-2 and 14.2   Substitution Drill

Substitute the words in parentheses for the underlined word of each sentence using
plural forms when necessary.

Αὐτή ἡ κυρία εἶναι πολύ ὡραία.   (πόλις)

Τά παράθυρα αὐτῆς τῆς πρεσβείας εἶναι μικρά.   (τάξις)

Αὐτές οἱ γυναῖκες κάνουν πολλές δουλειές.   (ἐρώτησις)

Στέλνουν σ'αὐτόν τόν γιατρό πολλές κυρίες.   (πρόσκλησις)

Αὐτός ἔχει μία καλή γυναῖκα.   (θέσις)

Δέν σᾶς ἀρέσουν οἱ ταβέρνες;   (διασκέδασις)

Εἴμαστε δύο ἡμέρες ἐδῶ.   (ἑβδομάδα)

Αὐτή ἡ ταβέρνα εἶναι πολύ μεγάλη.   (πρότασις)

Αὐτός ὁ σταθμός ἔχει δέκα ὑπαλλήλους.   (ἀστυφύλακας)

Τό κλίμα τῆς 'Αθήνας εἶναι πολύ καλό.   ('Ελλάδα)

Σέ δύο ὧρες θά εἴμαστε σ'αὐτήν τήν πόλι.   (διεύθυνσις)

G.D.14.3

Substitute the numerals in parentheses for the underlined ones using their appropriate forms to agree with the nouns they modify.

Πέντε γιατροί εἶναι στό γραφεῖο σας.   (23)

Τό σπίτι αὐτῶν τῶν δύο γυναικῶν εἶναι πολύ ἀκριβό.   (4)

Στό λιμάνι εἶναι τρία πλοῖα.   (1)

Οἱ ἕξι κόρες σας εἶναι πολύ ὡραῖες.   (4)

Τά αὐτοκίνητα αὐτῶν τῶν ἑπτά φοιτητῶν δέν εἶναι καλά.   (33)

"Εχουμε ὀκτώ παιδιά.   (4)

Αὐτή ἡ πόλις ἔχει δύο ταβέρνες.   (3)

Τό νοσοκομεῖο αὐτῶν τῶν ἐννέα γιατρῶν εἶναι ἐδῶ κοντά.   (3)

Οἱ πέντε τάξεις αὐτῆς τῆς σχολῆς εἶναι πολύ καλές.   (4)

Οἱ δύο σταθμοί τῶν λεωφορείων εἶναι κοντά στό προξενεῖο.   (3)

Ὁ φίλος σας ἔχει πέντε πλοῖα.   (3)

Response Exercise

Πῶς εἶναι οἱ ἀστυφύλακες τῆς 'Αμερικῆς;

Ποῦ θά δουλέψετε,ὅταν πᾶτε στήν 'Ελλάδα, στό προξενεῖο ἤ στήν πρεσβεία;

Νομίζετε πώς τό ἀμερικανικό προξενεῖο τῆς 'Αθήνας ἔχει πολλή δουλειά καί ἄν

    ναί γιατί;

Νομίζετε πώς ὑπάρχουν πολλές εὐκαιρίες στήν 'Αμερική γιά τούς ξένους;

Τί διαβατήριο ἔχετε;

Σᾶς ἀρέσει ἡ ἀρχιτεκτονική τῶν ἀρχαίων ναῶν στήν 'Ελλάδα καί γιατί;

"Εχετε φίλους πού εἶναι διπλωματικοί ὑπάλληλοι διαφόρων ξένων πρεσβειῶν;

Σᾶς ἀρέσει τό κλῖμα αὐτῆς τῆς πόλεως;

Πηγαίνετε στήν δουλειά σας μέ τ'αὐτοκίνητό σας ἤ παίρνετε τό λεωφορεῖο;

Μπορεῖτε νά μοῦ πῆτε πόσον χρονῶν εἶσθε;

Θά θέλατε νά εἴχατε ἕναν σοφέρ;

Σᾶς ἀρέσει νά βοηθᾶτε τούς ἀνθρώπους;

Τί πράγματα ζητᾶτε ἀπ'τήν ζωή;

Ξέρετε τόν "Ελληνα πρεσβευτή ἐδῶ;

End of Tape 7A

Tape 7B

Unit 15

Basic Dialogue

Μαρία

πιστεύω (πιστέψω)	to believe, think
μπαμπᾶ	daddy, papa
ὑποχρεώνω (ὑποχρεώσω)	to oblige
ἀπόψε	tonight

Δέν πιστεύω, μπαμπᾶ, νά μᾶς ὑποχρεώσης   I don't believe, father, you're going to make
νά μείνουμε κι'ἀπόψε στό σπίτι.   us stay home again tonight?

Πατέρας

κάθε ἄλλο	not at all, far from it
σύμφωνα μέ	in accordance
βγαίνω (βγῶ)	to go or come out
ἔξω	outside

"Οχι, κάθε ἄλλο. Σύμφωνα μέ τά σχέ-   No, not at all. The way I see it ('according
διά μου εἶναι καιρός νά βγοῦμε   to my plans') it's time for us to go out.
ἔξω.

ἡ στήλη	(the) column (newspaPer)
ἡ ἐφημερίδα/ἐφημερίς	(the) newspaper
διαφημίζω (διαφημίσω)	to advertise
τό θέαμα	(the) spectacle

Κύτταξε τήν στήλη τῆς ἐφημερίδας, πού   Look up in the amusement column of the
διαφημίζουν τά διάφορα θεάματα.   newspaper ('look at the column of the
                                             newspaper in which they advertise various
                                                             spectacles').

Μαρία

τό 'Εθνικό	National [theatre]
παίζω (παίξω)	to play, perform

φιλάργυρος, -η, -ο	stingy, miser
ὁ, ἡ ἠθοποιός	(the) actor
λαβαίνω (λάβω)	to take, get, receive
τό μέρος pl. τά μέρη	(the) place; toilet
λαβαίνω μέρος	to take part, participate
ὑπέροχος, -η, -ο	excellent

Στό 'Εθνικό παίζουν τόν Φιλάργυρο καί οἱ ἠθοποιοί πού λαβαίνουν μέρος σ' αὐτόν εἶναι ὑπέροχοι.

They're putting on 'The Miser' at the National, and the actors (who participate in it) are excellent.

Πατέρας

ἐν τάξει	O.K.
τηλεφωνῶ (τηλεφωνήσω)(2)	to telephone
τό θέατρο	(the) theatre
κρατῶ (κρατήσω) (1)	to hold, keep, reserve
γίνομαι (γίνω)	to become
τί ἔγινε	what happened
τό τηλέφωνο	(the) telephone

'Εν τάξει. Θά τηλεφωνήσω στό θέατρο νά μᾶς κρατήσουν θέσεις. Τί ἔγινε τό τηλέφωνο;

O.K. I'll call the theatre to reserve seats ('for us'). What's the matter with the telephone?

Μαρία

ξεχνῶ (ξεχάσω) (1)	to forget
χαλῶ (χαλάσω) (1)	to spoil, break down, destroy
φτειάχνω/φιάχνω (φτειάξω/φιάξω)	to fix
ἀκόμα/ἀκόμη	yet, still

Α! Ξέχασα νά σᾶς πῶ........

Oh, I forgot to tell you...

Χάλασε καί δέν τό ἔφιαξαν ἀκόμα.

It's out of order and they haven't fixed it yet.

ἀρμόδιος, -α, -ο	one in charge
τηλεφωνικός, -ή, -ό	telephone (adj.)
ἡ ἐταιρία	(the) company, association
ἡ ἄδεια	(the) permission, leave, lisence, vacation
οἱ διακοπές	(the) vacation
ἡ διακοπή	(the) interruption

'Ο ἁρμόδιος ὑπάλληλος τῆς Τηλεφωνι-
κῆς 'Εταιρίας ἔχει ἄδεια.

The man who does this kind of job ('the
employee in charge') for ('of') the
Telephone Company is on vacation.

Πατέρας

πoῦ ἄλλοῦ

where else

Τότε ποῦ ἄλλοῦ μποροῦμε νά πᾶμε;

Then where else can we go?

Μαρία

ἡ τραγωδία

(the) tragedy

ὁ τουρίστας/περιηγητής

(the) tourist

"Οχι σέ καμμία τραγωδία, γιατί θά
εἶναι γεμάτη τουρίστες.

Not to a [Greek] tragedy because it will be
full of tourists.

Πατέρας

βέβαιος, -α, -ο

certain, sure

τέτοιος, -α, -ο

such, this kind of

ἡ ζέστη

(the) heat

ἡ ψυχή

(the) soul

Νά εἶσαι βεβαία, ὅτι μέ τέτοια ζέστη
δέν θά εἶναι ψυχή ἐκεῖ.

You may be sure that in such hot weather
('heat') there won't be a soul there.

'Αριθμοί	Numbers
χίλια ἕνα	1001
δύο χιλιάδες	2000
τρεῖς χιλιάδες	3000
τέσσερεις χιλιάδες	4000
πέντε χιλιάδες	5000
δέκα χιλιάδες	10000
δέκα χιλιάδες διακόσια πενήντα τρία	10253
εἴκοσι χιλιάδες	20000
ἑκατό χιλιάδες	100000
ἕνα ἑκατομμύριο	1000000
ἕνα δισεκατομμύριο	1 billion
μηδέν	zero

Response Drill

A

Τί λέει ἡ Μαρία στόν πατέρα της;	"Οτι δέν πιστεύει νά τούς ὑποχρεώση νά μείνουν κι'ἀπόψε στό σπίτι.
Τί τῆς λέει αὐτός;	"Οχι, κάθε ἄλλο. Σύμφωνα μέ τά σχέδιά του εἶναι καιρός νά βγοῦν ἔξω.
Τί λέει στήν κόρη του νά κάνη γι' αὐτό τόν λόγο;	Τῆς λέει νά κυττάξη τήν στήλη τῆς ἐφημερίδας πού διαφημίζουν τά διάφορα θεάματα.
Τί παίζουν στό 'Εθνικό θέατρο;	Τόν Φιλάργυρο.
Παίζουν καλοί ἠθοποιοί;	Ναί, οἱ ἠθοποιοί πού λαβαίνουν μέρος σ'αὐτόν εἶναι ὑπέροχοι.
Τί πρέπει νά κάνη ὁ πατέρας τῆς Μαρίας γιά νά πᾶνε ἐκεῖ;	Πρέπει νά τηλεφωνήση ἀμέσως στό θέατρο γιά νά τούς κρατήσουν θέσεις.
Τηλεφώνησε;	"Οχι, γιατί χάλασε τό τηλέφωνο καί δέν τό ἔφτειαξαν ἀκόμα.
Θά περάση πολύς καιρός γιά νά τό φτειάξουν;	"Οχι, δέν πιστεύω. Αὐτό ἔγινε διότι ὁ ἀρμόδιος ὑπάλληλος τῆς Τηλεφωνικῆς 'Εταιρίας ἔχει ἄδεια.
Τότε τί ἄλλο μποροῦν νά κάνουν;	Μποροῦν νά πᾶνε κάπου ἀλλοῦ, ἀλλά ἡ Μαρία δέν θέλει νά πᾶνε σέ καμμία τραγωδία, ἄν καί νομίζη πώς αὐτό θά ἀρέση πολύ στόν πατέρα της, γιατί πιστεύει πώς θά εἶναι γεμάτη τουρίστες.
Τί τῆς εἶπε ὁ πατέρας της γι'αὐτό;	"Οτι μέ τέτοια ζέστη δέν θά εἶναι ψυχή ἐκεῖ.

Narrative

Μ'εὐχαριστοῦσε πάντα.   it pleased me ('used to..)

Τήν περασμένη ἑβδομάδα πήγαμε στήν

  Πάτρα.

        περασμένος, -η, -ο   last, past

        κλασσικός, -ή, -ό   classical

Στό θέατρο παίζουν ἕνα πολύ καλό ἔργο.

        τό ἔργο   play, film, work

Αὐτό τό κλασσικό ἔργο τέχνης ἔχει

  πολύ βάθος.

        τό βάθος   depth

"Ολοι οἱ ἠθοποιοί ἔπαιξαν καλά τόν ρόλο τους.

        ὁ ρόλος   role

Τίποτα δέν μ'ἀρέσει τόσο πολύ ὅσο αὐτό τό βιβλίο.   as ... as

'Η Δραματική Σχολή τῆς 'Αθήνας ἔχει πάρα

  πολύ καλούς καθηγητάς.

        δραματικός, -ή, -ό   dramatic

Αὐτά τά παιδιά εἶναι πολύ φτωχά.

        φτωχός, -ή, -ό   poor

Χθές ὁ Γιῶργος μάζεψε στό σπίτι του ὅλους

  τούς φίλους του.

        μαζεύω (μαζέψω)   to gather, collect, take in

'Ο ἀδερφός σας κατορθώνει πάντα αὐτό πού

  θέλει.

        κατορθώνω (κατορθώσω)   to achieve, succeed

Αὐτός ὁ καλλιτέχνης εἶναι γνωστός σ'ὅλη

  τήν 'Ελλάδα, ἐπειδή εἶναι ἕνας θαυμάσιος ἠθοποιός. because

        γνωστός, -ή, -ό   known

        ὁ γνωστός   acquaintance
        ἄν καί   although, even though

      Οἱ ἠθοποιοί τοῦ 'Εθνικοῦ θεάτρου παίζουν ἀπό τήν περασμένη ἑβδομάδα

'Αντιγόνη. 'Η 'Αντιγόνη εἶναι, ὅπως ξέρετε, μία ἀπό τίς τραγωδίες τοῦ Σοφοκλῆ.

Εἶναι ἕνα κλασσικό ἔργο μέ πολύ μεγάλο βάθος. 'Η ἠθοποιός πού παίζει τόν ρόλο

τῆς 'Αντιγόνης εἶναι περίφημη. Τ'ὄνομά της εἶναι Μαρία Ράπτη. "Οταν ἡ Μαρία
ἦταν δεκαοκτώ χρονῶν ἤθελε νά παίξη στό θέατρο. Κατάλαβε πώς τίποτα στήν
ζωή της δέν εἶχε τόσο ἐνδιαφέρον καί δέν τήν εὐχαριστοῦσε τόσο πολύ ὅσο τό
θέατρο. 'Αλλά οἱ διάφοροι φίλοι της ἠθοποιοί τῆς ἔλεγαν πώς ἔπρεπε νά πάη
στήν Δραματική Σχολή γιά νά πάρη μαθήματα δραματικῆς τέχνης. Τά μαθήματα ὅμως
αὐτά ἦταν πολύ ἀκριβά καί ἡ Μαρία δέν εἶχε χρήματα, ἦταν φτωχή. "Ετσι ἄρχισε
νά δουλεύη καί μέ τά λεφτά πού μάζεψε κατώρθωσε νά σπουδάση τέσσερα χρόνια
στήν Δραματική Σχολή καί σήμερα εἶναι μία μεγάλη ἠθοποιός γνωστή σ'ὅλον τόν
κόσμο.

Response Drill

B

Ποιοί παίζουν 'Αντιγόνη;	Οἱ ἠθοποιοί τοῦ κλασσικοῦ θεάτρου τῆς 'Ελλάδας.
Τί εἶναι ἡ 'Αντιγόνη;	Μία ἀπό τίς τραγωδίες τοῦ Σοφοκλῆ.
Τί ἔργο εἶναι;	Εἶναι ἕνα ἔργο μέ πολύ μεγάλο βάθος.
Εἶναι καλή ἡ ἠθοποιός πού παίζει τόν ρόλο τῆς 'Αντιγόνης;	Μάλιστα, εἶναι περίφημη σ'ὅλον τόν κόσμο.
Πῶς τήν λένε;	Μαρία Ράπτη.
'Από πότε ἤθελε ἡ Μαρία νά παίξη στό θέατρο;	'Από τότε πού ἦταν δεκαοκτώ χρονῶν.
Γιατί;	Διότι τῆς ἄρεσε πάρα πολύ. Κατάλαβε πώς τίποτα δέν τήν εὐχαριστοῦσε τόσο πολύ στήν ζωή της, ὅσο τό θέατρο.
Τί τῆς εἶπαν οἱ διάφοροι φίλοι της ἠθοποιοί;	Πώς ἔπρεπε νά πάη στήν Δραματική Σχολή γιά νά πάρη μάθημα δραματικῆς τέχνης.
Τί ἔκανε τότε αὐτή;	'Επειδή ἦταν φτωχή ἄρχισε νά δουλεύη καί νά μαζεύη λεφτά, γιά νά μπορέση νά σπουδάση.
Πόσα χρόνια σπούδασε στήν Δραματική Σχολή;	Τέσσερα χρόνια.
"Αξιζε ὅτι ἔκανε γιά νά σπουδάση;	Βεβαίως, διότι σήμερα εἶναι μία μεγάλη

ἠθοποιός, γνωστή σ'ὄλον τόν κόσμο.

Grammatical Notes

Note 15.1 Class II Verbs: Perfective stem form.

...καί μέ τά λεφτά πού θά οἰκονομήση   ... and with the money that he saves ('will
 θ'ἀγοράση ἕνα μαγαζί.   save') he'll buy a small store'.

θά τηλεφωνήσω νά μοῦ τά στείλουν.   I'll phone [and ask them] to send them to me.

Perfective stem of Class II verbs is formed by adding one of the formative suffixes
-ῆσ-, -έσ-, -άσ-   or -ῶσ-to the Present stem of the verb, e.g.

Verb		Present Stem	Perfective Stem
μιλ-ῶ	'to speak'	μιλ-	μιλῆσ-
μπορ-ῶ	'to be able'	μπορ-	μπορέσ-
γελ-ῶ	'to laugh'	γελ-	γελάσ-
ἀξι-ῶ	'to consider worthy'	ἀξι-	ἀξιῶσ-

The great majority of Class II verbs form their Perfective Stem forms with the suffix
-ῆσ-; only a very limited number of verbs have the suffix -ῶσ- .

Following is the list of Class II verbs which have already occurred in this Course:

ἀνησυχῶ	(ἀνησυχήσω)	(3)	to worry
βοηθῶ	(βοηθήσω)	(2)	to help
διαρκῶ	(διαρκέσω/διαρκήσω)	(3)	to last
ἐννοῶ	(ἐννοήσω)	(3)	to mean
ἐξηγῶ	(ἐξηγήσω)	(3)	to explain
ἐξυπηρετῶ	(ἐξυπηρετήσω)	(2)	to serve
εὐχαριστῶ	(εὐχαριστήσω)	(2)	to please
ζητῶ	(ζητήσω)	(1)	to ask for
ζῶ	(ζήσω)	(3)	to live
θεωρῶ	(θεωρήσω)	(3)	to consider
κρατῶ	(κρατήσω)	(2)	to hold
μιλῶ	(μιλήσω)	(2)	to speak
μπορῶ	(μπορέσω)	(3)	to be able
ξεχνῶ	(ξεχάσω)	(1)	to forget
ξυπνῶ	(ξυπνήσω)	(1)	to wake up
οἰκονομῶ	(οἰκονομήσω)	(2)	to save (money)

παρακαλῶ	(παρακαλέσω)	(2)	to beg
περνῶ	(περάσω)	(1)	to pass
πεινῶ	(πεινάσω)	(1)	to be hungry
πονῶ	(πονέσω)	(1)	to hurt
προτιμῶ	(προτιμήσω)	(1)	to prefer
πουλῶ	(πουλήσω)	(1)	to sell
ρωτῶ	(ρωτήσω)	(1)	to ask
σταματῶ	(σταματήσω)	(1)	to stop
συγχωρῶ	(συγχωρήσω)	(2)	to excuse
συμφωνῶ	(συμφωνήσω)	(2)	to agree
ταχυδρομῶ	(ταχυδρομήσω)	(2)	to mail
τηλεφωνῶ	(τηλεφωνήσω)	(2)	to telephone
χαλῶ	(χαλάσω)	(1)	to destroy

As can be seen from the above list the verbs   περνῶ   and   ξεχνῶ   have the perfective stem forms   περάσω   and   ξεχάσω   respectively; i.e. both verbs lose their final /n/ of the present stem.

Note 15.1.1. Class II Verbs: Simple Future and Subjunctive.

The Simple Future and the Subjunctive are formed by combining the words θά   and   νά respectively with the perfective stem form of the verb.

The personal endings of Simple Future and Subjunctive are the same as those of the Present tense   of Class I verbs except for the orthography of the second and third person Singular, where instead of -εις   and   -ει   the endings are   -ης and   -η respectively.

Examples:

θά ρωτήσω	I'll ask	θά ρωτήσουμε*
θά ρωτήσης	etc.	θά ρωτήσετε
θά ρωτήση		θά ρωτήσουν(ε)

Note 15.2 Class II Verbs: Simple Past.

Βρήκαμε ἕναν ὁδηγό πού μᾶς ἐξήγησε τήν   We found a guide who explained to us the

ἀρχιτεκτονική τῶν ναῶν.   architecture of the temples.

The underlined verb in the above sentence illustrates the use of the Simple Past of a
----
* The 1st pers.pl. ending -ωμε is sometimes used in kathomilumeni instead of -ουμε.

Class II verb ἐξηγῶ (ἐξηγήσω) 'to explain'.

The Simple Past of the Class II verbs is formed by affixing past tense personal endings to the perfective stem and shifting the stress to the third syllable from the end. If the number of syllables is less than three a stressed augment ἔ-is prefixed to the verb.

Examples:

Class II

Verb:	μιλῶ (2),	μπορῶ (3)	περνῶ (1)	ζῶ (3)
Perf.stem:	μιλήσ-	μπορέσ-	περάσ-	ζήσ-

Simple Past

Sing.

1. (ἐ)μίλησα	(ἐ)μπόρεσα	(ἐ)πέρασα	ἔζησα
2. (ἐ)μίλησες	(ἐ)μπόρεσες	(ἐ)πέρασες	ἔζησες
3. (ἐ)μίλησε	(ἐ)μπόρεσε	(ἐ)πέρασε	ἔζησε

Pl.

1. (ἐ)μιλήσαμε	(ἐ)μπορέσαμε	(ἐ)περάσαμε	(ἐ)ζήσαμε
2. (ἐ)μιλήσατε	(ἐ)μπορέσατε	(ἐ)περάσατε	(ἐ)ζήσατε
3. (ἐ)μίλησαν	(ἐ)μπόρεσαν	(ἐ)πέρασαν	ἔζησαν
μιλήσανε	μπορέσανε	περάσανε	ζήσανε

Note 15.3 Class II Verbs: Continuous Past.

.. δέν τήν εὐχαριστοῦσε τόσο πολύ.   ...it didn't please ('it wasn't pleasing')

                                                  her so much.

The above example shows the use of the Continuous Past of Class II verbs.

The Continuous Past of this Class of verbs is formed by adding the suffix -οῦσ- to the stem of the verb. The personal endings are those which are generally used for the Past tense. The suffix -οῦσ- is always stressed.

Sing.	Plur.
1. (ἐ)μιλοῦσα	(ἐ)μιλούσαμε
2. (ἐ)μιλοῦσες	(ἐ)μιλούσατε
3. (ἐ)μιλοῦσε	(ἐ)μιλοῦσαν(ε)

Note 15.3.1 Continuous Past in -αγα.

..μέ τά λεφτά πού οἰκονόμαγα....   ...with the money I was saving....

This example illustrates the use of another form of Continuous Past which is constructed by means of the unstressed suffix −αγ− and the Past tense personal endings, e.g.

	Sing.	Plur.
1.	(ἐ)μίλαγα	(ἐ)μιλάγαμε
2.	(ἐ)μίλαγες	(ἐ)μιλάγατε
3.	(ἐ)μίλαγε	(ἐ)μίλαγαν(ε)

This form of Continuous Past is sometimes used in lieu of the form in −οῦσ− .

Note 15.4 Verb: Irregular verb βγαίνω (βγῶ).

The verb βγαίνω(βγῶ) forms its Simple Past like the verb βρίσκω (βρῶ) (see Note 10.3) i.e.

	Sing.	Plur.
1.	(ἐ)βγῆκα	(ἐ)βγῆκαμε
2.	(ἐ)βγῆκες	(ἐ)βγῆκατε
3.	(ἐ)βγῆκε	(ἐ)βγῆκαν(ε)

Note 15.5 Third Declension Neuter nouns in −ov.

'Ο ράφτης δείχνει μεγάλο ἐνδιαφέρον   The tailor pays special attention ('shows
στούς πελάτες του.   great interest') to his customers.

Neuter nouns ending in −ov (in kathomilumeni) are declined as follows:

	Sing.		Plur.	
N.	τό	ἐνδιαφέρον	τά	ἐνδιαφέροντα
G.	τοῦ	ἐνδιαφέροντος	τῶν	ἐνδιαφερόντων
A.	τό	ἐνδιαφέρον	τά	ἐνδιαφέροντα

Note 15.6 Adjectives: Shift of stress on proparoxytone feminine adjectives with
        ·stems ending in a vowel.

Νά εἶσαι βεβαία ὅτι μέ τέτοια ζέστη   You may be sure that in such hot weather
δέν θά εἶναι ψυχή ἐκεῖ.   there won't be a soul there.

In the sentence above the feminine adjective βεβαία is stressed on the second syllable from the end, while in the masculine form of the same adjective the stress is on the third syllable from the end: βέβαιος.

The shift of stress to the second syllable from the end in feminine forms of the proparoxytone adjectives with vowel stems is regular in katharevusa. The stem may or may not be shifted in kathomilumeni, e.g. βεβαία or βέβαια; ἁρμοδία or ἁρμόδια.

Note 15.7 Noun: 'Indeclinable' nouns.

A number of nouns borrowed from foreign languages (mostly from French) are 'indeclinable', i.e. not varied by inflectional terminations, thus:

	Sing.		Plur.	
N.	ὁ	σοφέρ	οἱ	σοφέρ
G.	τοῦ	σοφέρ	τῶν	σοφέρ
A.	τό(ν)	σοφέρ	τούς	σοφέρ

Other indeclinable nouns are:

τό ἀσανσέρ	elevator
τό καλοριφέρ	radiator
τό σπόρ	sport
	etc.

Grammatical Drills

Sample Drills

G.D.15.1.1

Αὔριο οἱ ὑπάλληλοι θά ἐξυπηρετήσουν πολύν κόσμο.

Πρέπει νά ξυπνήσουμε στίς ἕξι.

Ἡ Μαρία θά οἰκονομήση πολλά χρήματα μ'αὐτήν τήν δουλειά.

Αὐτές δέν θά μιλήσουν γρήγορα ἑλληνικά.

Δέν πρέπει νά ξεχάσετε τά παιδιά.

Αὐτός θά περάση ἀπ'τό θέατρο τό βράδυ.

Πρέπει νά σᾶς ἐξηγήση ὁ καθηγητής σας αὐτό τό μάθημα.

Τί ὥρα θά ξυπνήσετε;

Θά σᾶς παρακαλέσω νά μήν πῆτε τίποτα στόν Νῖκο.

Πρέπει νά δουλέψετε πάρα πολύ.

Ξέρω πώς αὐτές θά προτιμήσουν τό ἄλλο ὑπερωκεάνειο.

Πρέπει νά ρωτήσετε τήν μητέρα σας γι'αὐτό.

Ξέρω πώς μιά μέρα θά συμφωνήσετε μαζί μου.

Πρέπει νά συγχωρέσης τήν κόρη σου.

Ξέρω πώς θά ζήσετε μιά μέρα στήν Ἑλλάδα.

Δέν καταλαβαίνω τί θά μπορέσης νά κάνης μέ αὐτά τά χρήματα.

Πρέπει νά τηλεφωνήσετε στίς πέντε στήν Μαρία.

Θά ἀνησυχήση πολύ ἡ γυναίκα σας γι'αὐτό τό μεγάλο ταξίδι σας.

"Ηθελε νά τήν κρατήση ἀπ'τό χέρι, ἀλλά αὐτή ἔφυγε.

Αὐτός ὁ ἄνθρωπος θέλει νά χαλάση πάλι αὐτά πού φτιάχνουμε.

"Ηθελα νά σᾶς ζητήσω στό τηλέφωνο, ἀλλά ἦταν ἐκεῖ ὁ πατέρας σας.

Δέν ἤθελαν πολύ νά τούς βοηθήσουν οἱ ἄλλοι.

J.D.15.3

Οἱ ὑπάλληλοι αὐτῆς τῆς Ἑταιρίας ἐξυπηρετοῦσαν πολύ καλά τόν κόσμο.

Πέρυσι ξυπνοῦσα πάντα στίς ὀκτώ.

Αὐτός οἰκονομοῦσε πάντα τά λεφτά του.

Ὁ φίλος σας μιλοῦσε ὅλη τήν ὥρα γιά σᾶς.

Χθές τό βράδυ μέ πονοῦσε πολύ τό σῶμα μου.

Προτιμοῦσαν νά πηγαίνουν σέ ἀκριβές ταβέρνες.

Μᾶς ρωτοῦσαν πάντα τίς ἴδιες ἐρωτήσεις.

Πέρυσι αὐτός ζοῦσε στήν Ἑλλάδα.

Δέν μπορούσαμε νά κάνουμε τίποτα γι'αὐτόν.

Ποῦ ἤσουνα Μαρία; Σοῦ τηλεφωνοῦσα ὅλη τήν ἡμέρα χθές.

Ποιός ξέρει τί ἐννοοῦσε αὐτός μ'αὐτά πού ἔλεγε.

Ποῦ ἤσουνα παιδί μου; Ἀνησυχοῦσα πολύ γιά σένα.

Δέν συμφωνούσαμε καθόλου μ'αὐτόν.

Ἐκεῖνος ὁ ὁδηγός μᾶς ἐξηγοῦσε πάντα θαυμάσια τήν ἀρχιτεκτονική αὐτοῦ τοῦ ναοῦ.

Τόν παρακαλοῦσε πάντα νά τήν πάη στό θέατρο, ἀλλά αὐτός δέν τήν πήγαινε.

Πάντα μιλούσαμε γιά σᾶς, δέν ξεχνούσαμε τήν καλωσύνη σας.

Τήν κρατοῦσε πάντα ἀπ'τό χέρι.

Κάθε βράδυ τά παιδιά σας χαλοῦσαν τόν κόσμο.

"Ολη τήν ὥρα μᾶς ζητοῦσαν τά βιβλία μας.

"Αν καί δέν μποροῦσαν, τούς βοηθοῦσαν.

Transformation-Substitution Drills

G.D.15.1.1

Change the verb forms from Cont. Past to Simple Fut. using the words in parentheses
or substituting them for the underlined words where necessary.

Οἰκονομούσαμε πολλά λεφτά, πρίν ἔξι μῆνες.   (σ'ἕνα μήνα)

Αὐτός ξυπνούσε κάθε πρωΐ στίς ὀκτώ.   (αὔριο)

'Εξυπηρετούσατε πολύ καλά ὅλον αὐτόν τόν κόσμο.   (αὔριο)

Μιλούσαμε ὅλη τήν ὥρα γιά σᾶς.   (τό βράδυ)

Αὐτή περνούσε ἀπ'τό σπίτι μου κάθε μέρα.   (σ'ἕνα μήνα)

Ὅλη τήν ἡμέρα χθές ρωτούσες τόν Γιῶργο τήν ἴδια ἐρώτησι.   (αὔριο)

Χθές μέ πονούσε ὅλο τό σῶμα μου.   (σήμερα τό βράδυ)

Αὐτός δέν συμφωνούσε καθόλου μαζί σας.   (αὔριο)

Πέρυσι ζούσαμε πολύ καλά μέ τόν μισθό σου.   (σέ δύο μῆνες)

Πρίν σοῦ τηλεφωνούσα ἀργά.   (σήμερα τό βράδυ)

Αὐτά τά μαθήματα διαρκοῦσαν δύο ἐβδομάδες.   (αὐτόν τόν μῆνα)

G.D.15.3

Substitute the words in parentheses for the underlined words in the following sentences
and change the verb forms into Continuous past.

Αὔριο θά ξυπνήσω στίς ὀκτώ τό πρωΐ.   (τήν περασμένη ἐβδομάδα)

Θά οἰκονομήσουμε πολλά λεφτά αὐτόν τόν χρόνο.   (πρίν δύο χρόνια)

Αὐτός ὁ ὑπάλληλος θά ἐξυπηρετήση σήμερα πολύν κόσμο.   (πρίν)

Θά μιλήσουμε σ'αὐτούς αὔριο.   (ἑλληνικά)

Θά περάσετε ἀπ'τό σπίτι μου στίς δύο.   (πρίν, κάθε μέρα)

Αὐτές οἱ κυρίες θά σᾶς ἐξηγήσουν τό βράδυ τά μα-   (πάντα)
    θήματά σας.

Τό βράδυ θά τούς παρακαλέσης νά σοῦ δώσουν   (πάντα)
    λεφτά;

Θά ρωτήσετε αὔριο τόν ἀδερφό σας;   (πάντα)

Αὐτές θά συμφωνήσουν τό βράδυ μαζί μας.   (πρίν ἕνα χρόνο)

Θά ζήσετε μιά μέρα πολύ καλά.   (πρίν ἕξι μῆνες)

Αὐτά τά μαθήματα θά διαρκέσουν δέκα μῆνες.   (πολύ)

Transformation Drill

G.D.15.2

Change the underlined verbs into Simple Past:

Σᾶς <u>παρακαλοῦμε</u> πάρα πολύ.

Σ'<u>εὐχαριστεῖ</u> πολύ τό θέατρο.

Μέ <u>συγχωρεῖ</u> γιά ὅτι ἔκανα.

Θά <u>πουλήσουμε</u> τό σπίτι μας.

Τί <u>ἐννοεῖτε</u> μ'αὐτό;

<u>Προτιμᾶτε</u> νά <u>ταξιδεύετε</u> μέ τό τρένο.

<u>Πεινᾶτε</u> πολύ τέτοια ὥρα;

<u>Μπορεῖτε</u> νά μοῦ πῆτε τήν ἀλήθεια;

Δέν <u>συμφωνοῦμε</u> καθόλου μαζί σας.

<u>Μιλᾶτε</u> καλά Ἑλληνικά;

Τόν <u>ρωτᾶτε</u> πολλές ἐρωτήσεις;

Δέν σᾶς <u>βοηθάει</u> καθόλου.

Αὐτός θά <u>ζήση</u> πολλά χρόνια.

Θά σᾶς <u>ἐξυπηρετήση</u> ἀμέσως.

Θά μᾶς <u>ταχυδρομήση</u> αὐτό τό γράμμα.

Θά <u>περάσουμε</u> ἀπ'τό σπίτι σας.

<u>Ξυπνᾶτε</u> πολύ νωρίς.

Σᾶς <u>πονάει</u> τό κεφάλι σας.

Δέν <u>οἰκονομᾶτε</u> τά λεφτά σας.

Αὐτός θά <u>σταματήση</u> τήν δουλειά του.

Τό ταξίδι θά <u>διαρκέση</u> πολύ.

Δέν <u>ἀνησυχεῖτε</u> καθόλου.

Δέν σᾶς <u>θεωρεῖ</u> φίλο του.

Σᾶς <u>ζητᾶνε</u> στό τηλέφωνο.

Θά σοῦ <u>κρατήσουν</u> τόν μισθό σου.

Θά σᾶς <u>χαλάση</u> τό αὐτοκίνητό σας.

Θά σᾶς <u>τηλεφωνήσω</u> τό βράδυ.

Θά τοῦ <u>ἐξηγήση</u> αὐτό πού <u>θέλει</u>.

Θά μᾶς <u>ξεχάσετε</u> γρήγορα.

Response Exercise

Πόσα θέατρα ὑπάρχουν στήν Γουάσιγκτον;

"Εχετε ὄπερα;

Σᾶς ἀρέσει νά πηγαίνετε στό θέατρο;

Τί ἔργα σᾶς ἀρέσουν;

Πόσο κοστίζει ἕνα εἰσιτήριο γιά τό θέατρο;

Σᾶς ἀρέσει ὁ κινηματόγραφος;

Πόσες φορές τόν μῆνα πηγαίνετε στόν κινηματόγραφο;

Ποιοί ἠθοποιοί τοῦ εὐρωπαϊκοῦ κινηματογράφου σᾶς ἀρέσουν;

Εἴδατε πολλά ἰταλικά φίλμ;

Ποιό ἰταλικό φίλμ σᾶς ἄρεσε πιό πολύ;

Σᾶς ἀρέσει ἡ ἀρχαία ἑλληνική τραγωδία;

Ποιά τραγωδία σᾶς ἀρέσει;

R E V I E W

(Units 11-15)

Review Drills

Fill in each blank with the proper form of the word given on the right. If it is a
noun, use the appropriate form of the article.

Nouns

'Ο ἀδερφός μου δουλεύει στήν 'Εθνική _____.   τράπεζα

Περνούσαμε ὅλα _ _____ κοντά στήν θάλασσα.   ἀπόγευμα

'Απόψε θά ἔχετε στό σπίτι σας πολλούς _____.   ξένος

Αὐτός ἔχει πάρα πολλά _____.   λεφτά

Σ'αὐτήν τήν χώρα ἔρχονται πολλοί _____.   Εὐρωπαῖος

Ξέρετε πολλούς _____.   'Αμερικανός

"Εχουν δέκα _____ δραχμές.   χιλιάδα

Αὐτό τό ἔργο τέχνης εἶναι γεμάτο _____.   ὀμορφιά

_ _____ αὐτῶν τῶν χωρῶν εἶναι ὑπέροχα.   κλῖμα

Αὐτοί δείχνουν μεγάλο _____ γιά τήν 'Ελλάδα.   ἐνδιαφέρον

_ _____ σήμερα δέν εἶναι καθόλου καλά.   νέα

"Ολες οἱ ἡμέρες αὐτοῦ _ _____ εἶναι θαυμάσιες.   καλοκαίρι

Δέν πληρώνουν καλά αὐτούς _ _____.   ταχυδρόμος

"Ολη τήν ὥρα μιλοῦσε γιά _ _____ τῆς κόρης του.   προῖκα

Αὐτή ἡ χώρα ἔχει πάρα πολλά _____.   ἀεροπλάνο

Χθές λάβαμε πέντε _____ ἀπό τήν 'Ιταλία.   πακέτο

Αὐτή ἡ κυρία πέρασε πολλές _____ ἀπ'τό γραφεῖο μου.   φορά

Αὐτά τά καφενεῖα εἶναι μόνο γιά _ _____.   ἄντρας

Ξέρω ὅλες _ _____ σας.   ἀδερφή

Τό πλοῖο αὐτῶν _ _____ φεύγει στίς πέντε.   ναύτης

Οἱ καμπίνες αὐτοῦ _ _____ εἶναι πολύ μικρές.   ὑπερωκεάνειο

Κανένας δέν μπορεῖ νά ζήση χωρίς _____.   ἐλπίς

Τό ὑπερωκεάνειο ΕΛΛΑΣ ἔχει πέντε _____.   κατάστρωμα

Τό ἐστιατόριό σας ἔχει δύο πολύ καλούς _____.   μάγειρας

Σέ δύο μῆνες θά πᾶμε σ_ _____ .   'Ελλάς

Αὐτή ἡ γυναίκα ἔχει ἕνα πολύ ὡραῖο _____ .   σῶμα

'Ο πατέρας τοῦ Γιώργου ἔχει δύο _____ .   μαγαζί

Αὐτή ἡ περιοχή εἶναι γεμάτη _____ .   ἀστυφύλακας

'Ο σταθμός εἶναι δύο _____ μακρυά.   τετράγωνο

Αὐτοί _ _____ ἔχουν πολύ μεγάλα δωμάτια.   στρατώνας

Δουλεύουν σ'ἐκεῖνα _ _____ τῆς 'Υπηρεσίας Πληροφοριῶν.   τμῆμα

'Ο ἀδερφός σας ἔχει τρεῖς _____ .   γιός

Πρέπει νά στείλετε _ _____ στούς φίλους σας.   πρόσκλησις

Σ'αὐτά _ _____ θά σᾶς δώσουν τίς πληροφορίες πού θέλετε.   γραφεῖο

Ξέρουμε τρεῖς 'Αμερικανούς _____ .   πρόξενος

Αὐτή ἡ χώρα ἔχει πολύ _____ .   πλοῦτος

Βλέπω πώς δέν σᾶς ἀρέσουν _ _____ αὐτῆς τῆς γυναίκας.   τρόπος

"Ολα αὐτά _ _____ εἶναι καινούργια.   κτίριο

'Η μητέρα σας ἔχει μεγάλη _____ στόν ἀδερφό σας.   ἐπίδρασις

Αὐτή ἡ πόλις ἔχει ἔξι _____ .   θέατρο

Δέν σᾶς ἀρέσει ἡ ζωή _ _____ ;   ἠθοποιός

Δέν θά ξεχάσουμε αὐτά τά ὡραῖα _____ .   μέρος

"Ολα αὐτά τά παιδιά ἔχουν ξένα _____ .   ὄνομα

'Εμεῖς θά πᾶμε γιά _____ στήν 'Ιταλία.   διακοπή

Οἱ περισσότεροι _____ ἔχουν τά χρήματά τους σέ δολλάρια.   τουρίστας

Τοῦ ἀρέσουν πολύ οἱ ἀρχαῖες ἑλληνικές _____ .   τραγωδία

Τό σπίτι σας εἶναι κοντά σέ δύο _____ .   ταχυδρομεῖο

Κάθε μῆνα παίρνουμε τρεῖς _____ .   ἐπιταγή

Δέν ξέρουμε ἄν εἶναι αὐτές _ _____ τους.   διεύθυνσις

Κάθε φορά πού πηγαίνει αὐτός ὁ κύριος στό ταχυδρομεῖο, κρατάει

    δύο _____ .   δέμα

"Ηθελαν πολύ νά πᾶνε νά δοῦν τά τρία καινούργια _____ .   τηλεγραφεῖο

Πήγαμε ἐκεῖ γιά νά δοῦμε _ _____ .   ἀρχαιότητα

Τόν τελευταῖο καιρό δέν πήρατε δύο _____ .   μισθός

"Αν δέν ταξιδέψατε στά 'Ελληνικά_____δέν καταλάβατε τίποτα   νησί

    ἀπ'αὐτόν τόν κόσμο καί τήν ὀμορφιά του.

"Ηθελαν πάρα πολύ νά ἔχουν δύο _____, ἀλλά δέν μποροῦσαν.   ὑπηρέτης

Στήν 'Ελλάδα μπορεῖτε νά βρῆτε μέ λίγα λεφτά πολύ καλές _____.   ὑπηρέτρια

Χθές ἤμαστε στήν ταβέρνα μαζί μέ δύο πολύ νόστιμους 'Αμερικανούς   πλοίαρχος

_____.

Τό πλοῖο ἦταν γεμάτο _____.   ἀξιωματικός

Σέ ὅλα _ _____ κάποια τόν περίμενε.   λιμάνι

'Υπάρχουν πάρα πολλές _____ στόν κόσμο, ἄν ξέρετε   χαρά
νά τίς βρῆτε.

Δέν θά ξεχάσω αὐτόν _ _____.   πρεσβευτής

Κάθε φορά πού πηγαίνουμε ταξίδι ξεχνᾶμε _ _____ μας.   διαβατήριο

Θά βρῆτε πολλές ὡραῖες πόλεις σ_ _____ αὐτῆς τῆς χώρας.   ἐσωτερικό

Κάθε χρόνο ταξιδεύουν σ_ _____.   ἐξωτερικό

_ _____ αὐτῆς τῆς θαλάσσης εἶναι πολύ μεγάλο.   βάθος

"Ολα αὐτά _ _____ εἶναι ἴδια.   ἔργο

Εἶχαν πάρα πολλά χρόνια νά πάρουν _____.   ἄδεια

Σῶμα χωρίς _____ δέν ἀξίζει τίποτα.   ψυχή

Δούλεψαν τρία χρόνια σ'αὐτήν _ _____.   ἑταιρία

Αὐτός θέλει πάντα νά κάνη _____ γιά ὅλον τόν χρόνο.   σχέδιο

Σ'ὅλες _ _____ αὐτῆς τῆς ἐφημερίδας διαφημίζουν τό ἴδιο πρᾶγμα. στήλη

"Ηταν ἕνα θαυμάσιο _____.   θέαμα

Δέν νομίζετε πώς θά ἔχουμε ἀκόμα πολλή _____.   ζέστη

Πηγαίνω ν'ἀκούσω _ _____ του, γι'αὐτό τό ἔργο.   ἐντύπωσις

Adjectives

Χθές ἔστειλα τρία _____ γράμματα.   συστημένος

_ _____ ἡ μητέρα σας δουλεύει πολύ.   καϋμένος

Αὐτοί εἶναι πολύ _____ ἄνθρωποι.   σκληρός

Τά τσιγάρα αὐτά εἶναι _____ τάξεως.   πρῶτος

'Η 'Ελλάδα ἔχει σήμερα πολλά _____ ξενοδοχεῖα.   τουριστικός

Τό ὑπερωκεάνειο Παγκόσμιος 'Ελπίς ἔχει _____ καμπίνες.   ὑπέροχος

Οἱ _____ "Ελληνες ἦταν ἕνας πολύ ἔξυπνος λαός.   ἀρχαῖος

Αὐτό τό ἔργο εἶναι πολύ _____ στήν 'Ελλάδα.   γνωστός

Σᾶς ἀρέσει πολύ _ _____ τέχνη.   κλασσικός

_ _____ καιρό δέν σᾶς βλέπω καθόλου.   τελευταῖος

Νά εἶσθε _____ κυρία, πῶς ἡ κόρη σας θά πάῃ στήν 'Αμερική.   βέβαιος

Τά παιδιά σας ἦταν χθές πολύ _____.   κουρασμένος

Αὐτή ἡ χώρα εἶναι _____ ὀμορφιά.   γεμάτος

Αὐτά τά βιβλία εἶναι πολύ _____.   χρήσιμος

Αὐτός ὁ ἠθοποιός παίζει πάντα πολύ _____ ρόλους.   δραματικός

Αὐτές ἦταν πάρα πολύ _____.   φτωχός

Τούς ἄρεσε νά λένε πῶς ἦταν _____.   ἡλικιωμένος

Δέν σᾶς εἶδα καθόλου _ _____ ἑβδομάδες.   περασμένος

_____ ζωή δέν ἀξίζει τίποτα.   τέτοιος

Κάθε φορά μοῦ ἔλεγαν νά πάω σ_ _____ ὑπάλληλο.   ἁρμόδιος

"Ηθελαν νά δουλέψουν σ_ _____ 'Εταιρία.   τηλεφωνικός

"Αν καί ἔχουν πάρα πολλά λεφτά, εἶναι πολύ _____.   φιλάργυρος

"Ολοι ἤξεραν πῶς αὐτοί ἦταν _____ ἄνθρωποι.   τρομερός

"Αν καί εἶχε _____λεφτά, δέν ἤθελε νά τό λέῃ.   ἀμέτρητος

Verbs

Οἱ ὑπάλληλοί σας _____ χθές πάρα πολύ.   δουλεύω

Σ'αὐτήν τήν τράπεζα _____ πολύ καλά τόν κόσμο.   ἐξυπηρετῶ

Αὐτοί _____ κάθε μῆνα ὑπηρέτρια.   ἀλλάζω

Οἱ φίλοι μου μοῦ εἶπαν πώς στίς ἕξι _ _____ σπίτι μας.   ἔρχομαι

Δέν ἤθελαν νά _____ σ'αὐτήν τήν χώρα.   ἐπιστρέφω

Αὐτή ἡ 'Εταιρία _____ πολύ καλά τούς ὑπαλλήλους της.   πληρώνω

Τό βράδυ στό σπίτι μας _ _____ πολλούς ξένους.   γνωρίζω

Χθές _____ ἀπ'τό γραφεῖο μου πολύς κόσμος.   περνῶ

Αὐτοί σᾶς _____ χθές δύο ὧρες.   περιμένω

Αὐτός ὁ κύριος πρέπει _ _____ ἐδῶ.   ὑπογράφω

Εσεῖς χθές _____ δύο γράμματα.   γράφω

"Ολοι πρέπει _ _____ στήν ζωή.   ἐλπίζω

'Ο Γιῶργος θά _____ τό καλοκαίρι.   παντρεύομαι

Πρίν δύο ἡμέρες _____ στήν γυναῖκα μου 50 δολλάρια.   στέλνω

Οἱ ναῦτες πρέπει _ _____ πολύ νωρίς.   ξυπνῶ

Γιατί δέν _____ καλά τό δωμάτιό μου, Μαρία;   καθαρίζω

Ἡ ὑπηρέτριά σας _____ τό σπίτι δύο φορές τήν ἑβδομάδα.   σκουπίζω

Αὐτή ἡ δουλειά πρέπει _ _____ σήμερα.   τελειώνω

Πρίν φύγουν γιά τήν δουλειά τους, _____ πάντα τά κρεββάτια   στρώνω
τους.

Αὐτές οἱ γυναῖκες _____ νά πᾶνε στήν Ἀμερική.   σκοπεύω

Δέν μπορεῖτε _ _____ πολλά λεφτά.   οἰκονομῶ

Χθές _____ τό αὐτοκίνητό σας.   σταματῶ

Αὐτό τό ταξίδι θά _____ δέκα μέρες.   διαρκῶ

Αὐτός ὁ ἄνθρωπος _____ γιά τό τίποτα.   ἀνησυχῶ

Στήν Ἑλλάδα δέν _____ οἱ εὐκαιρίες πού _____ στήν Ἀμερική.   ὑπάρχω

Χθές τό βράδυ αὐτός ὁ ἠθοποιός δέν _____ καθόλου καλά.   παίζω

Ποιοί ἠθοποιοί θά _____ μέρος σ'αὐτό τό ἔργο;   λαβαίνω

Χθές ἐμεῖς σᾶς _____.   τηλεφωνῶ

Μήν _____ νά πάρετε μαζί σας τά εἰσιτήρια.   ξεχνῶ

Αὐτή ἡ γυναίκα _____ πολλά πράγματα στήν ζωή της.   κατορθώνω

Μποροῦσες νά καταλάβης πώς αὐτοί _____ πάρα πολύ.   πεινῶ

Ἤθελαν νά σᾶς _____ νά πᾶτε στό ἐξωτερικό.   προτείνω

Δέν ἤξερα πώς (ἐσύ) _____ στήν Ἰταλία τόν πατέρα μου.   γνωρίζω

Τούς ἀρέση νά _____ πάντα πρώτη θέσι.   ταξιδεύω

Κάθε φορά πού τούς βλέπαμε μᾶς _____ γλυκά.   φέρνω

Ἐκεῖνοι οἱ ναῦτες _____ ὅλο τό κρασί στό κατάστρωμα.   ρίχνω

Τήν _____ (αὐτός) ὅλη τήν ὥρα στά μάτια.   κυττάζω

Αὐτός ὁ ξένος _____ τόν ἀριθμό σου.   ζητῶ

Ἤθελαν πολύ νά τούς _____.   βοηθῶ

Δέν πιστεύω (ἐσεῖς) νά τούς _____ ξένους.   θεωρῶ

Ἤθελαν νά _____ νωρίς στό σπίτι τους.   φτάνω

Αὐτός πέρυσι _____ ὅλα τά λεφτά του.   μαζεύω

Ὅτι καί νά μοῦ πῆτε δέν θά σᾶς _____.   πιστεύω

Αὐτός τούς _____ νά μιλᾶνε Ἑλληνικά.   ὑποχρεώνω

Κάθε φορά πού _____ ἔξω ἀπ'τό σπίτι, τόν βλέπαμε ἐκεῖ.   βγαίνω

Ξέρουν πῶς νά _____ αὐτά τά ἔργα.   διαφημίζω

Τό ἔργο _____ δύο ὧρες.   κρατῶ

Δέν ἤθελαν νά τούς _____ τήν ὄρεξι καί δέν εἶπαν τίποτα.   χαλῶ

Τούς χαλοῦσαν πάντα ὅτι αὐτοί _____.   φτιάχνω

Τί _____ ὁ Γιῶργος, καιρό ἔχουμε νά τόν δοῦμε.   γίνομαι

Αὐτό τό κτίριο _____ στό κέντρο τῆς πόλεως.   βρίσκομαι

"Ηθελε νά _____ πολύ καλός μαζί σας, ἀλλά δέν τό κατόρθωσε.   φαίνομαι

Narrative

'Η Μαρία δούλευε στήν 'Εθνική Τράπεζα πολλά χρόνια. 'Η δουλειά της τήν
ὑποχρέωνε νά ἐξυπηρετῆ τόν κόσμο πού ἤθελε ν'ἀλλάξη τά χρήματά του. Τό καλο-
καῖρι ὅταν ἡ 'Αθήνα ἦταν γεμάτη ἀπό ξένους τουρίστες, ἡ καϋμένη ἡ Μαρία εἶχε
πολύ δουλειά. Πολλές φορές ἔπρεπε νά δουλεύη καί τά βράδυα. Οἱ περισσότεροι
τουρίστες, βλέπετε, εἶχαν τά χρήματά τους σέ δολλάρια καί,ὅπως ξέρετε, στήν
'Ελλάδα οἱ ἄνθρωποι χρησιμοποιοῦν μόνο δραχμές. "Αν καί ἡ Μαρία πρότεινε
πολλές φορές στόν ἀρμόδιο ὑπάλληλο τῆς Τραπέζης νά τήν βοηθήση, τίποτα δέν
ἔγινε. Οὔτε τήν ἄδειά της δέν μπόρεσε νά πάρη. Γι'αὐτό τόν τελευταῖο καιρό
ἦταν πολύ κουρασμένη. 'Αλλά μία μέρα, πρίν λίγους μῆνες, ἡ ζωή τῆς Μαρίας ἄλ-
λαξε. "Ενας 'Αμερικανός πλοίαρχος πῆγε στήν Τράπεζα γιά ν'ἀλλάξη τά χρήματά
του. Νομίζω πῶς ἡ Μαρία τοῦ ἔκανε μεγάλη ἐντύπωσι, γιατί τήν ρώτησε ἄν ἤθελε
ὕστερα ἀπ'τήν δουλειά της νά πάη μαζί του στό θέατρο. 'Η Μαρία, πού τῆς ἄρεσε
ἐπίσης ὁ 'Αμερικανός πλοίαρχος, εἶπε ναί καί τό βράδυ πῆγαν μαζί στό θέατρο καί
εἶδαν τόν Φιλάργυρο. Τό ἔργο αὐτό ἄρεσε καί στούς δύο πάρα πολύ. "Υστερα ἀπό
τό θέατρο πῆγαν σέ μία λαϊκή ταβέρνα. 'Εκεῖ ἔφαγαν σουβλάκια, ἤπιαν ρετσίνα
καί πέρασαν θαυμάσια. Καί δέν ἔγινε αὐτό μόνο ἐκεῖνο τό βράδυ. Κάθε βράδυ
ὕστερα ἀπό τήν δουλειά της ἡ Μαρία ἦταν μαζί μέ τόν 'Αμερικανό πλοίαρχο. Μαζί
πήγαιναν παντοῦ. Στά ἀρχαῖα ἐρείπια, στά θέατρα, στούς κινηματογράφους καί στά
λαϊκά κέντρα διασκεδάσεως. Κάποια μέρα, μάλιστα, πῆραν ἀπό τό λιμάνι τοῦ Πει-
ραιᾶ τό πλοίο καί πῆγαν ταξίδι στά νησιά. 'Η χαρά τῆς Μαρίας ἦταν πολύ μεγάλη.
Τῆς ἄρεσε πάρα πολύ νά εἶναι κοντά στόν ξένο πλοίαρχο πού ἦταν ἕνας ἄνθρωπος
μέ πολύ βάθος καί μεγάλη ψυχή, γεμάτη καλωσύνη. "Υστερα ἀπό ἕνα μῆνα περίπου
ὁ 'Αμερικανός πλοίαρχος ζήτησε στήν Μαρία νά γίνη γυναῖκα του καί νά ζήσουν

μαζί στήν 'Αμερική. 'Η Μαρία γεμάτη χαρά εἶπε ναί καί ἦταν πολύ εὐτυχισμένη.
'Ο καιρός περνοῦσε, ἡ ἄδεια τοῦ πλοιάρχου κόντευε νά τελειώση καί ἔπρεπε νά
ἐπιστρέψουν στήν 'Αμερική, διότι ὁ πλοίαρχος ἔπρεπε νά δουλέψη γιά λίγον καιρό
στά γραφεῖα τῆς 'Εταιρίας του στήν Νέα 'Υόρκη. Πρίν φύγουν γιά τήν 'Αμερική
ἔπρεπε ἡ Μαρία νά θεωρήση τό διαβατήριό της στό ἀμερικανικό προξενεῖο τῆς 'Α-
θήνας. "Ετσι πῆγαν στό προξενεῖο καί ὕστερα ἀπό μερικές ἐρωτήσεις ὁ ἁρμόδιος
ὑπάλληλος τοῦ Προξενείου τούς ἔδωσε τήν βίζα. Εὐτυχῶς ἐκεῖνες τίς ἡμέρες τό
ὑπερωκεάνειο 'Παγκόσμιος Χαρά' ἔφευγε γιά τήν 'Αμερική καί ὁ πλοίαρχος μαζί μέ
τήν γυναῖκα του ἔφυγαν μ'αὐτό. Πῆραν μία καμπίνα πρώτης θέσεως καί εἶχαν ἕνα
θαυμάσιο ταξίδι. Τίς τελευταῖες, μάλιστα, ἡμέρες τοῦ ταξιδιοῦ τους ὁ ἄντρας
τῆς Μαρίας ἔστειλε ἀπ'τό τηλεγραφεῖο τοῦ ὑπερωκεανείου ἕνα τηλεγράφημα στόν
ἀδερφό του πού τοῦ ἔλεγε πῶς σέ τρεῖς ἡμέρες αὐτός καί ἡ γυναῖκα του θά φτάσουν
στήν 'Αμερική καί θά χαροῦν πάρα πολύ νά τόν δοῦν ἀμέσως.

End of Tape 7B

Tape 8A

Unit 16

Basic Dialogue

Δημήτρης

τροχαῖος, -α, -ο	rolling
ἡ κίνησις/κίνηση	(the) motion, action, movement
ἡ τροχαία κίνηση	(the) traffic
τώρα	now

Πῶς εἶναι ἡ τροχαία κίνησις, 'Αλέ-   Alexander, how's the traffic (now) this
ξανδρε, τώρα τό πρωΐ;   morning.

'Αλέξανδρος

τό παρόν	(the) present
πρός τό παρόν	at present, right now
ἀρκετά	pretty, enough, quite, fairly
κατά	towards, about, against, according to, during, by
τό μεσημέρι	noon time
συνήθως	usually
χάλια	terrible, miserable, awful

Πρός τό παρόν εἶναι ἀρκετά καλή,   It's pretty good right now, but towards noon
ἀλλά κατά τό μεσημέρι συνήθως εἶναι   it usually gets awful.
χάλια.

Δημήτρης

ἡ ἀτυχία	(the) misfortune, bad luck
μισός, -ή, -ό	half (adj.)
ἔνδεκά'μισυ	half past eleven
πρῶτα	first, first of all, previously, to begin with
τό πανεπιστήμιο	(the) university

τό πολυτεχνεῖο	(the) Scool of Technology

Τί ἀτυχία, διότι πρέπει κατά τίς ἔνδε-
κά'μισυ νά πάω πρῶτα στό πανεπιστήμιο
καί μετά τό μεσημέρι στό πολυτεχνεῖο.

What a shame, since (first) I have to go to
the University around II:30, and then be
at the School of Technology at noon.

Ἀλέξανδρος

ἄν ἤμουνα	If I were
θά πήγαινα	I would go

"Αν ἤμουνα στήν θέσι σου θά πήγαινα
μέ τά πόδια.

If I were you ('in your place') I'd walk
('go by foot') [there].

Δημήτρης

θά ἤθελα	I'd like to
περπατῶ (περπατήσω) (2)	to walk, to stroll,
	to take a walk
ἡ βροχή	(the) rain
δυνατός, -ή, -ό	possible, strong
ἀδύνατον	impossible(adv.)

θά ἤθελα πολύ νά περπατήσω, ἀλλά μ'
αὐτήν τήν βροχή εἶναι ἀδύνατον.

I'd like very much to take a walk, but with
this rain it's impossible.

ἐξ ἄλλου	besides, anyway
(ὀ)λίγο	a little
(ὀ)λιγώτερο	at least
τό τέταρτο	(the) quarter

'Εξ ἄλλου θά κάνω τ'ὀλιγώτερο τρία
τέταρτα νά πάω ἐκεῖ.

Besides it will take me at least 45 minutes
to get there.

ἐκτός (ἀπό)	besides, in addition to,
	except, apart from
τόσος, -η, -ο	so much, so many (adj.)
ὁ πεζός	(the) pedestrian
τό πεζοδρόμιο	(the) sidewalk

ὁ σταυρός	(the) cross
ἡ διασταύρωσις	(the) intersection, crossroad
κεντρικός, -ή, -ό	central
ὁ δρόμος	(the) road, street

Διότι ἐκτός ἀπό τά πολλά αὐτοκίνητα εἶναι τόσοι πεζοί στά πεζοδρόμια καί στίς διασταυρώσεις τῶν κεντρικῶν δρόμων.

Because in addition to the heavy traffic ('many cars') there are too many pedestrians on the sidewalks and at the downtown intersections.

Ἀλέξανδρος

σκέπτεσαι	you (fam.) have in mind, you're planning

Τότε λοιπόν τί σκέπτεσαι νά κάνης;

Then what are you going ('planning') to do?

Δημήτρης

ἁπλῶς	simply
ἀναβάλλω (ἀναβάλω)	to postpone
ἀνέβαλα	I postponed
τό ραντεβοῦ	(the) appointment

Ἁπλῶς θά τηλεφωνήσω ν'ἀναβάλω τά ραντεβοῦ μου γιά τό ἀπόγευμα.

I'll simply call and postpone my appointments until this afternoon.

Ἀλέξανδρος

ἡ ἰδέα	(the) idea
ὅπου	anywhere, wherever
ἡ δροσιά	(the) coolness
ὁ ἥλιος	(the) sun

Καλή ἰδέα, διότι ὅπου καί νά πᾶς τό ἀπόγευμα εἶναι πάντα δροσιά στήν Ἀθήνα καί ἐκτός αὐτοῦ πιστεύω πώς σέ λίγο θά βγῆ ὁ ἥλιος.

That's a good idea! Because wherever you go it's always cool in Athens in the afternoon and besides that I believe we'll have some sun ('will come out') in a while.

Useful words

ὁ σκοπός	intention
ἀπαντῶ (ἀπαντήσω) (1)	to answer
ἀποφασίζω (ἀποφασίσω)	to decide
ποτέ	never, ever

Response Drill

A

Πῶς εἶναι τό πρωΐ συνήθως ἡ τροχαία κίνησις στήν 'Αθήνα;

Πῶς εἶναι τό μεσημέρι;

Σέ ποιά μέρη ἔχει σκοπό νά πάη ὁ Δημήτρης;

Τί τοῦ πρότεινε ὁ φίλος του;

Τί τοῦ ἀπάντησε αὐτός;

Πόση ὥρα κάνει κανείς συνήθως νά πάη ἀπ'αὐτό τό μέρος στό πανεπιστήμιο;

Γιατί κάνει τόσο πολύ;

Τί εἶχε σκοπό νά κάνη ὁ Δημήτρης;

Ἦταν αὐτό μία καλή ἰδέα;

Narrative

Δέν ὁδηγεῖτε καθόλου καλά.

ὁδηγῶ (ὁδηγήσω) (2)	to drive, guide

Ἦταν κάποιος τοῦ Διπλωματικοῦ Σώματος.

τό Διπλωματικό Σῶμα	Diplomatic Corps

Ὕστερα πῆγε στήν ἀεροπορία.

ἡ ἀεροπορία	Aviation, Air Force

Πήγαμε στό 'Υπουργεῖον Ναυτικῶν.

τό ναυτικό	Navy

Ἤθελε νά μιλήση στόν στρατό.

ὁ στρατός	Army

Πρέπει νά πληρώσετε πολλούς φόρους.

ὁ φόρος	tax

Ἡ ἀκρίβεια τῆς ζωῆς εἶναι τρομερή.

	expensiveness, accuracy

Κάθε μέρα ἀγοράζει βενζίνη.

ἡ βενζίνη / βενζίνα	gasoline
῞Ηθελε νά τούς <u>βγάλη</u> ὅλους ἔξω.	
βγάζω (βγάλω)	to take out
Μπορούσατε νά δῆτε <u>πέρα</u> μακρυά τήν βροχή.	beyond, over, on the
πέρα	other side
Δέν ξέρω πῶς <u>θά τά βγάλω πέρα</u>.	to make ends meet, manage
῎Εχετε ἕναν πολύ <u>πλούσιο</u> φίλο.	rich
῞Ολοι οἱ <u>ἔμποροι</u> εἶναι ἴδιοι.	
ὁ ἔμπορος	merchant,
Εἶδα χθές τόν φίλο σας τόν <u>ἐφοπλιστή</u>.	
ὁ ἐφοπλιστής	ship owner
<u>Εἴτε</u> σᾶς ἀρέσει αὐτό, <u>εἴτε</u> δέν σᾶς ἀρέσει.	either.....or
Μήν <u>τρέχετε</u> τόσο πολύ.	
τρέχω (τρέξω)	to run
῎Ετρεχαν πάντα μέ μεγάλη <u>ταχύτητα</u>.	
ἡ ταχύτητα/ταχύτης	speed
Αὐτό δέν <u>σημαίνει</u> τίποτα.	
σημαίνει (σημάνη)	to mean
Θά δῆτε παντοῦ πολλούς <u>ἀστυφύλακες τῆς τροχαίας</u>.	traffic police
<u>Προσπαθοῦν</u> νά μιλᾶνε πάντα ἑλληνικά.	
προσπαθῶ (προσπαθήσω) (3)	to try
<u>Βᾶλτε</u> ἐδῶ τό βιβλίο, παρακαλῶ.	
βάζω (βάλω)	to put, place, lay, apply
<u>Ἴσως</u> πᾶμε στό ραντεβοῦ μας.	perhaps, may be
Νομίζω πώς αὐτός ἔχει <u>τά μέσα</u>.	means
Τί <u>σημασία</u> ἔχει ἄν πᾶτε ἤ ἄν δέν πᾶτε.	
ἡ σημασία	meaning, significance, importance
Τόν βλέπετε πάντα <u>μόνο</u> του.	
μόνος, -η, -ο	self, alone, single, the only one
῎Εχετε τρομερή <u>δύναμη</u>.	
ἡ δύναμις/δύναμη	strength, power
῞Ηθελε νά τούς <u>ξεπεράση</u> ὅλους.	

ξεπερνῶ (ξεπεράσω) (1)   to surpass, exceed,
"Ολοι φτάσαμε στόν προορισμό μας.

ὁ προορισμός   destination, predestination

Πέρυσι τά αὐτοκινητιστικά δυστυχήματα σ'αὐτήν τήν
    πόλι ἦταν ἀμέτρητα.

τό αὐτοκινητιστικό δυστύχημα   automobile accident

Θά μείνετε ἐδῶ ἕως ὅτου πᾶτε στήν Ἑλλάδα.   until

Δέν ἦταν κανείς ἐκεῖ.   some one, somebody,

    κανείς, καμμία, κανένα   any one, anybody,

                                                no one, nobody

῎Ηταν ἕνας ἄνθρωπος γεμᾶτος εὐθῦνες.   whoever, whichever

    ἡ εὐθύνη   responsibility

"Ηθελε νά πηγαίνη πάντα πολύ σιγά.   slowly

Τί συμβαίνει;

    συμβαίνει (συμβῆ)   it happens

    συνέβη   it happened

        Τόν τελευταῖο καιρό μπορεῖτε νά δῆτε στούς κεντρικούς δρόμους τῆς Ἀθήνας
πάρα πολλά μικρά αὐτοκίνητα. Τά περισσότερα εἶναι εὐρωπαϊκά. Ὑπάρχουν βέβαια
καί μερικά ἀμερικανικά πού τά ὁδηγοῦν Ἀμερικανοί τοῦ Διπλωματικοῦ Σώματος,
ἤ τῆς Ἀεροπορίας, τοῦ Ναυτικοῦ καί τοῦ Στρατοῦ. ῎Ενας ῞Ελληνας δέν μπορεῖ ν'
ἀγοράση εὔκολα ἕνα ἀμερικανικό αὐτοκίνητο. Μέ τούς φόρους καί τήν τόση ἀκρί--
βεια τῆς βενζίνης εἶναι πολύ δύσκολο νά τά βγάλη πέρα, ἐκτός ἄν εἶναι πλούσιος
ἔμπορος ἤ ἐφοπλιστής. Ἐκεῖνο ὅμως πού θά σᾶς κάνη ἐντύπωσι εἶναι ὅτι ὅλα
τ'αὐτοκίνητα, εἴτε ῞Ελληνες τά ὁδηγοῦν εἴτε ξένοι, τρέχουν μέ πολύ μεγάλη τα-
χήτητα. Αὐτό σημαίνει πῶς οἱ ἀστυφύλακες τῆς τροχαίας, ἄν καί προσπαθοῦν δέν
μποροῦν νά βάλουν κάποια τάξι στήν κίνησι, ἴσως γιατί εἶναι πάρα πολλά τ'αὐτο-
κίνητα καί δέν ἔχουν τά μέσα, ἤ γιατί δέν δίνουν τόσο μεγάλη σημασία στήν μεγάλη
ταχύτητα. Καί εἶναι οἱ μόνοι πού θά μποροῦσαν νά κάνουν κάτι. Οἱ ὁδηγοί στήν
Ἑλλάδα δέν καταλαβαίνουν τήν δύναμι τοῦ αὐτοκινήτου. Τό ἕνα αὐτοκίνητο προσπα-
θεῖ νά ξεπεράση τ'ἄλλο, ὁ ἕνας ὁδηγός θέλει νά ὁδηγήση πιό γρήγορα ἀπ'τόν ἄλλον
καί ὅλοι θέλουν νά πᾶνε γρήγορα στόν προορισμό τους. Γι'αὐτό δυστυχῶς τά αὐ-
τοκινητιστικά δυστυχήματα ἐκεῖ εἶναι πάρα πολλά. Τό αὐτοκίνητο, βλέπετε, στήν

Ἑλλάδα εἶναι κάτι νέο γιά τόν πολύ κόσμο. Καί θά περάσουν πολλά χρόνια ἀκόμα ἕως ὅτου καταλάβουν οἱ Ἕλληνες πώς δέν εἶναι μόνο διασκέδασις νά ὁδηγῇ κανείς, ἀλλά καί μεγάλη εὐθύνη.

Response Drill

B

Τί μπορεῖτε νά δῆτε τόν τελευταῖο καιρό στούς δρόμους τῆς Ἀθήνας;

Εἶναι ἑλληνικά αὐτοκίνητα;

Βλέπετε πολλά ἀμερικανικά αὐτοκίνητα;

Τά ὁδηγοῦν Ἕλληνες;

Γιατί οἱ Ἕλληνες δέν μποροῦν ν'ἀγοράσουν Ἀμερικανικά αὐτοκίνητα;

Πηγαίνουν σιγά ὅλα αὐτά τ'αὐτοκίνητα;

Γιατί; Τί κάνουν οἱ ἀστυφύλακες τῆς τροχαίας;

Καταλαβαίνουν οἱ ὁδηγοί αὐτοί τήν δύναμι τοῦ αὐτοκινήτου;

Ἔχουν πολλά αὐτοκινητιστικά δυστυχήματα στήν Ἑλλάδα;

Νομίζετε πώς θά σταματήση κάποτε αὐτό;

Grammatical Notes

Note 16.1 Adverbs formed from adjectives.

Καλά εὐχαριστῶ κι'ἐσεῖς;	(I'm) well thanks and you?
Κοντά στό παράθυρο.	Near the window.
Βεβαίως or βέβαια	Certainly!
Περιμένετε ἕνα λεπτό, ἔρχομαι ἀμέσως.	Wait a minute, I'll come right away.
Ἀλλά δυστυχῶς δέν μέ πληρώνανε καλά.	But unfortunately they didn't pay me well.

The above examples illustrate the use of adverbs formed from adjectives. These adverbs end either in -α or in -ως.

Many adverbs ending in -α may also have corresponding forms in -ως e.g. βεβαίως / βέβαια.

Some adverbs have only one form, e.g. ὡραῖα.

Note 16.2 Adverbials of time.

τόν τελευταῖο καιρό	lately
ὅλη τήν ὥρα	all the time

τὴν περασμένη ἑβδομάδα last week

αὐτόν τόν μῆνα   this month

Nouns denoting time are used in the accusative case to correspond in meaning to English adverbial phrases 'last week', 'next month', 'at night', etc.

Other examples:

τό καλοκαίρι	in summer
τόν ἄλλο χρόνο	next year
τό βράδυ	at night
τὴν νύχτα	at night

Note 16.3 Adjectives and Adverbs: Comparative.

'Εξ ἄλλου εἶναι τ'ὀλιγώτερο δέκα τετρά-γωνα μακρυά.	Besides it's at least ten blocks away.
Τά περισσότερα εἶναι εὐρωπαϊκά.	Most of them are Europeans.
'Ο Παρθενώνας εἶναι ὁ πιό μεγάλος ναός στήν 'Ακρόπολι.	The Parthenon is the biggest temple in Acropolis.
Θέλει νά ὁδηγήση πιό γρήγορα.	He wants to drive faster.

The above examples illustrate the use of comparative forms of adjectives and adverbs.

The comparative in Greek is formed in two ways:

1) by putting the word πιό before the adjective or adverb, e.g.

πιό μεγάλος	bigger
πιό γρήγορα	faster

2) by affixing the suffix -τερος,-η/α,-ο to the neuter form of the adjective. The ο of the neuter adjectival form is sometimes replaced by the ω e.g.

γρήγορος, -η, -ο	γρηγορώτερος, -η, -ο
μικρός, -ή, -ό	μικρότερος, -η, -ο
νέος, -α, -ο	νεώτερος, -η, -ο
ὡραῖος, -α, -ο	ὡραιότερος, -η, -ο
λίγος, -η, -ο	λιγώτερος, -η, -ο
φανερός, -ή, -ό	φανερώτερος, -η, -ο
σκληρός, -ή, -ό	σκληρότερος, -η, -ο
φτωχός, -ή, -ό	φτωχότερος, -η, -ο

Some adjectives form their comparative irregularly, e.g.

καλός	καλλίτερος, -η/-α, -ο
μεγάλος	μεγαλύτερος, -η/-α, ο
κακός 'bad'	χειρότερος, -η/-α, -ο
πολύς	περισσότερος, -η/-α, -ο
γέρος 'old (man)'	γεροντώτερος, -η, -ο
ἀπλός	ἀπλούστερος, -η/-α, -ο

Greek uses ἀπ' or ἀπό for the English 'than', e.g.

Αὐτός ὁ φοιτητής εἶναι καλλίτερος ἀπ'ἐκεῖνον.

Αὐτό τό ὕφασμα εἶναι χειρότερο ἀπό τ'ἄλλο.

Note 16.4 Superlative

The Superlative in Greek is the comparative preceded by an article, e.g.

Αὐτός εἶναι ὁ ὡραιότερος ἀπ'ὅλους.

Αὐτή εἶναι ἡ καλλίτερη ἀπ'ὅλες.

Αὐτό τό παιδί εἶναι τό χειρότερο ἀπ'ὅλα.

(The katharevusa superlative forms are discussed in later units).

Note 16.5 Verb: Conditional

"Αν ἤμουνα στήν θέσι σου θά πήγαινα μέ If I were you I'd walk there.
τά πόδια.

Θά ἤθελα πολύ νά περπατήσω. I'd like very much to take a walk.

Εἶναι οἱ μόνοι πού θά μποροῦσαν νά κάνουν Those are the only ones who could do
κάτι. something.

 θά combined with the Continuous Past is used to indicate that the action of the verb
is considered as potential or conditional; i.e. where English uses 'would' or would have'.

'If' sentences will be discussed in detail in later units.

Examples:

Θά ἤθελα πολύ νά πήγαινα ἐκεῖ. I would like very much to go there.

Θά ἤθελα πολύ νά τόν δῶ. I would like very much to see him.

"Αν εἶχα λεφτά θά πήγαινα στήν 'Ελλάδα. If I had money I would go to Greece.

Αὐτό θά μοῦ ἄρεσε πάρα πολύ. It would please me very much.

Note 16.6 Adjective: katharevusa neuter form in -ον.

Εἶναι ἀδύνατον νά πάω ἐκεῖ.   It's impossible to go there.

   -ον is the regular ending of neuter adjectives in katharevusa. Some adjectives are
commonly used in this form in spoken Greek.

Response Exercise

Πῶς εἶναι ἡ τροχαία κίνησις σήμερα στήν Γουάσιγκτον;

Πηγαίνετε κάθε μέρα στό 'Υπουργεῖο 'Εξωτερικῶν;

"Αν συμβαίνη αὐτό, γιατί πηγαίνετε ἐκεῖ;

Πόσο μακρυά εἶναι τό 'Υπουργεῖο 'Εξωτερικῶν ἀπ'ἐδῶ;

Πῶς πηγαίνετε συνήθως ἐκεῖ;

Πήγατε ποτέ μέ τά πόδια ἀπ'ἐδῶ ἕως τό 'Υπουργεῖο;

Σᾶς ἀρέσει νά περπατᾶτε;

Τί αὐτοκίνητο ἔχετε;

Εἶναι ἕνα καλό αὐτοκίνητο;

Σᾶς ἀρέσει νά πηγαίνετε ταξίδια μέ τ'αὐτοκίνητό σας;

Σᾶς ἀρέσει ὅταν ὁδηγῆτε νά περνᾶτε τ'ἄλλα αὐτοκίνητα;

Νομίζετε πώς οἱ ἀστυφύλακες τῆς τροχαίας στήν Γουάσιγκτον κάνουν καλή δουλειά;

Εἴχατε ποτέ ἕνα αὐτοκινητιστικό δυστύχημα;

"Αν ναί, πέστε μας πῶς συνέβη αὐτό;

Νομίζετε πώς ἐδῶ στήν 'Αμερική γίνονται   πιό πολλά αὐτοκινητιστικά δυστυχήματα,

   ἀπ'ὅσα γίνονται στήν 'Ελλάδα καί στίς ἄλλες χῶρες τῆς Εὐρώπης;

Ποῦ νομίζετε πώς εἶναι πιό ἐπικίνδυνο νά ὁδηγῆτε στήν Γουάσιγκτον ἤ στήν 'Αθήνα;

Ποιοί εἶναι καλλίτεροι ὁδηγοί κατά τήν γνώμη σας οἱ ἄνδρες ἤ οἱ γυναῖκες;

Ξέρετε ποῦ εἶναι πιό ἀκριβή ἡ βενζίνα ἐδῶ ἤ στήν 'Ελλάδα;

Σᾶς ἀρέσουν τά ἀμερικανικά ἤ τά εὐρωπαϊκά αὐτοκίνητα;

Γιατί ἔχουμε ἐδῶ τόσα πολλά αὐτοκινητιστικά δυστυχήματα;

End of Tape 8A

Tape 8B

Unit 17

Basic Dialogue

Τάκης

σωπαίνω (σωπάσω)	to be quiet, silent
ἡ στιγμή	(the) instant
ἀφήνω (ἀφήσω)	to let alone, leave alone
ἄσε	let! leave me alone! stop it! don't (do that)
ἡ κουβέντα	(the) conversation, talk

Μαρία, σῶπα μιά στιγμή. ῎Ασε τήν κουβέντα ν'ἀκούσωμε τί μᾶς λέει ὁ πατέρας.

Maria, be quiet for a second! Don't talk! Let's hear what father is saying to us?

Μαρία

θυμώνω (θυμώσω)	to be angry, to make someone angry
διακόπτω (διακόψω)	to interrupt

Καλά, μή θυμώνης. Δέν ἤθελα νά τόν διακόψω. Ρώτησέ τον τί θέλει νά μᾶς πῆ.

O.K. don't be angry; I didn't intend to interrupt him. Ask him what [exactly] does he want to tell us.

Τάκης

πρόκειται	it is about, the question is, the point in question is...
ἡ Γαλλία	France

Νομίζω πώς πρόκειται νά σοῦ μιλήση γιά τό ταξίδι σου στήν Γαλλία.

I think he has in mind to talk to you about your trip to France.

Μαρία

ἔχει γοῦστο	what if....
ἐγκρίνω (ἐγκρίνω)	to approve
ἐνέκρινα	I approved
μεταχειρίζομαι	to use, to make use of, to treat
μεταχειρίσθηκα	I used

πείθω (πείσω)   to persuade, to convince

"Έχει γοῦστο νά μήν μοῦ τό ἐγκρίνη   What if he doesn't approve it? (and) I
καί μεταχειρίσθηκα ὅλα τά μέσα γιά   tried everything ('used all the means')
νά τόν πείσω.   to persuade him.

Τάκης

βασανίζω (βασανίσω)   to torture, to tease
λιγάκι   a little
ἡ συγκατάθεσις   (the) approval, consent

Δέν πιστεύω, ἀλλά τόν ξέρεις τόν πα-   I don't think so, but you know
τέρα. Θέλει πάντα νά μᾶς βασανίζη   father, he always wants to tease us a
λιγάκι πρίν δώση τήν συγκατάθεσί του.   little before he gives his approval.

ἀποκτῶ (ἀποκτήσω) (1)   to acquire, get
τό κάθε τι   everything
Νομίζω πώς ἔχει τούς λόγους του πού   I think he has his reasons for doing
τό κάνει αὐτό. Δέν θέλει ν'ἀποκτή-   it...... He doesn't want us to take
σουμε τό κάθε τι εὔκολα.   everything for granted ('that we get
                                         everything easily').

δέχομαι   to receive, accept, admit
δέχεται   he admits, accepts
ἐκτιμῶ (ἐκτιμήσω)   to esteem, to appreciate
ἡ ἀξία   (the) worth, value, cost

Δέν δέχεται ὅ,τι τοῦ ζητήσουμε ἀμέσως,   He doesn't approve ('accept') at once of
διότι θέλει νά μᾶς κάνη νά ἐκτι-   whatever we ask ('tell') him, because he
μήσουμε τήν ἀξία τοῦ κάθε πράγμα-   wants to make us appreciate the value of
τος.   things.

ἡ εὐτυχία   (the) happiness

Καί νά βροῦμε χαρά καί εὐτυχία στό   and to find joy and happiness in everything.
κάθε τι.

Μαρία

παρεξηγῶ (παρεξηγήσω) (3)   to misunderstand

ἐνῶ   while, when, whereas

ἡ πρόθεσις   (the) intention, aim, purpose

Ἀλήθεια; Καί ἐμεῖς τίς περισσότερες φορές τόν παρεξηγοῦμε, ἐνῶ αὐτός ὁ καϋμένος ἔχει τόσο καλή πρόθεσι.   Indeed? And we misunderstand him most of the time, while poor [father] really means so well ('has such a good intention').

Τάκης

τό ἄτομο   (the) individual, person

χρυσός, -ή, -ό   golden

ὑπερβολικός, -ή, -ό   excessive, extreme

ἡ ἀγάπη   (the) love

ἡ κατανόησις   (the) understanding

ἡ οἰκογένεια   (the) family

Εἶναι ἕνα θαυμάσιο ἄτομο μέ μία χρυσή καρδιά, γεμάτη ὑπερβολική ἀγάπη καί κατανόησι γιά τήν οἰκογένειά του.   He's such a wonderful person. He has ('with') a golden heart full of (extreme) love and understanding for his family.

Useful words

Μήν τοῦ λέτε ψέμματα.

     τό ψέμμα   lie

Σᾶς ἀρέσει ἡ κλασσική μουσική;   music

Καπνίζετε; Θέλετε σπίρτα;

     καπνίζω (καπνίσω)   to smoke

     τό σπίρτο   match

Περάστε μέσα.   inside

Καθῆστε. Ὅταν σᾶς θελήσουν θά σᾶς φωνάξουν.   when they want you

     κάθομαι (καθήσω)   to sit down

     φωνάζω (φωνάξω)   to shout, call

Εἶχε πολύ ἄσκημο πρόσωπο αὐτό τό ἀγόρι.

     ἄσκημος, -η, -ο   ugly

     τό ἀγόρι   boy

Ἔχετε πολύ δυνατή φωνή.   voice

Μοιάζει πάρα πολύ στήν ἐξαδέρφη σας.

μοιάζω (μοιάσω)	to resemble
ὁ ἐξάδερφος	cousin
ἡ ἐξαδέρφη	cousin (f.)

Θά δῆτε πολλά ἀγάλματα καί πίνακες στό μουσεῖο.

τό ἄγαλμα	statue
ὁ πίνακας/πίναξ	painting, blackboard
τό μουσεῖο	museum

Αὐτός ὁ ἄνθρωπος φοβᾶται πολύ.

φοβᾶμαι	to be afraid

Response Drill

A

Τί λέει ὁ Τάκης στήν ἀδερφή του;

Τί τοῦ ἀπαντᾶ αὐτή;

Γιά ποιό πρᾶγμα νομίζει ὁ Τάκης πώς πρόκειται νά τῆς μιλήση ὁ πατέρας τους;

Τί ἀκριβῶς φοβᾶται πώς μπορεῖ νά συμβῆ ἡ Μαρία;

Γιατί νομίζει ὁ Τάκης δέν δίνει ἀμέσως σ'αὐτήν τήν συγκατάθεσί του ὁ πατέρας

    τους;

Τό καταλαβαίνει αὐτή αὐτό;

Τί ἄνθρωπος εἶναι κατά τήν γνώμη τῶν παιδιῶν του ὁ πατέρας τους;

Narrative

Αὐτό εἶναι τ'αὐτοκίνητο τοῦ Κου Ὑπουργοῦ.

Κος, Κα	Mr. Mrs. (pronounced
ὁ ὑπουργός	/kírios, kiría/)
	Minister

Τήν ἀγαποῦσε ὑπερβολικά.

ἀγαπῶ (ἀγαπήσω)	to love
ὑπερβολικά	extremely

Δέν σᾶς ἀρέσει ἡ ζωή τῶν μεγαλοπόλεων;

ἡ μεγαλόπολις	large city

Αὐτός εἶναι σάν κι'ἐσᾶς.

	like

Αὐτός ὁ φοιτητής κάνει πολύ φασαρία.

ἡ φασαρία	noise, trouble, fuss

Τά χρώματα αὐτά εἶναι πολύ <u>ἔντονα</u>.

    ἔντονος, -η, -ο   **intense, intensive**

Εἶσθε γεμᾶτος <u>ὑπερβολές</u>.

    ἡ ὑπερβολή   **exaggeration**

'Εκεῖ εἶναι δύο <u>νυκτερινά</u> κέντρα.

    νυκτερινός, -ή, -ό/νυχτερινός,-ή,-ό   **nocturnal**

<u>Ἐξαρτᾶται</u> ἀπό σᾶς.   **it depends**

    ἐξαρτῶμαι   **to depend**

Δέν τόν <u>ἐνδιαφέρει</u> τίποτα.

    ἐνδιαφέρω (ἐνδιαφέρω)   **to interest, concern**

Αὐτή ἡ πόλις εἶναι γεμᾶτη <u>ἀξιοθέατα</u>.

    ἀξιοθέατος, -η, -ο   **worth seeing**

    τά ἀξιοθέατα   **sights**

    τό Παρίσι   **Paris**

    ἡ πανσιόν   **boarding-house**

Στό θέατρο ἦταν <u>ἀρκετός</u> κόσμος.

    ἀρκετός, -ή, -ό   **sufficient, several**

Στό <u>τέλος</u> ἔγινε αὐτό πού θέλατε.

    τό τέλος   **end**

<u>Μέ τά πολλά</u> τόν ἐπείσατε τόν ἀδερφό σας.   **after many efforts**

Σ'αὐτό τό νησί ἦταν τόση <u>ἡσυχία</u>.

    ἡ ἡσυχία   **peace, quietness**

'Η κόρη τοῦ 'Υπουργοῦ 'Εξωτερικῶν θέλει νά πάη ταξίδι στήν Γαλλία. Θέλει νά μείνη τρία χρόνια στό Παρίσι γιά νά σπουδάση στό ἐκεῖ πανεπιστήμιο. 'Αλλά ὁ Κος 'Υπουργός πού ἀγαπᾶ ὑπερβολικά τήν κόρη του δέν ἐγκρίνει αὐτό τό ταξίδι της. Νομίζει ὅτι δέν εἶναι μία καλή ἰδέα γιά ἕνα νέο κορίτσι νά πάη νά μείνη μόνο του σέ μία τέτοια μεγαλόπολι σάν τό Παρίσι. Καί γι'αὐτόν τόν λόγο ἔχουν κάθε μέρα φασαρίες στό σπίτι τους. 'Ο Κος 'Υπουργός τῆς μιλάει πάντα γιά τήν ἔντονη ζωή τοῦ Παρισιοῦ καί γιά τά γεμᾶτα ὑπερβολή νυκτερινά κέντρα του. Ξέρει βεβαίως, πῶς αὐτή πηγαίνει μέ καλή πρόθεσι, ἀλλά αὐτός νομίζει πῶς ὅλα αὐτά δέν πρόκειται νά τήν ἀφίσουν νά σπουδάση. 'Η 'Ελένη θυμώνει καί τοῦ λέει ὅτι εἶναι ὑπερβολικός. 'Εξαρτᾶται ἀπό τό ἄτομο καί σ'αὐτήν δέν ἀρέσει καθόλου ἡ νυκτερινή ζωή. 'Εκεῖνο πού θέλει εἶναι νά σπουδάση καί δέν τήν ἐνδιαφέρει τίποτ'ἄλλο. Θά πάη, βεβαίως, μιά φορά νά δῆ τ'ἀξιοθέατα τοῦ Παρισιοῦ, ἀλλά σκέπτεται νά μείνη σέ μία μικρή πανσιόν ἔξω ἀπ'τό Παρίσι καί δέν θά βγῆ ποτέ τά βράδυα ἀπ'τό σπίτι της. "Ετσι πέρασε ἀρκετός καιρός μέ πολλές φασαρίες, ἕως ὅτου ἡ 'Ελένη πείση τόν πατέρα της. 'Αλλά στό τέλος μέ τά πολλά τόν ἔκανε καί τῆς ἔδωσε τήν συγκατάθεσί του κι'ἔτσι ὅλη ἡ οἰκογένεια βρῆκε γιά μία ἀκόμα φορά τήν χαρά καί τήν ἡσυχία της.

Response Drill

B

Ποῦ θέλει νά πάη ἡ κόρη τοῦ 'Υπουργοῦ 'Εξωτερικῶν;

Γιατί θέλει νά πάη ἐκεῖ;

'Εγκρίνει αὐτό τό ταξίδι ὁ πατέρας της;

Γιατί ὄχι;

Λέει στήν κόρη του τήν γνώμη του γι'αὐτό ἤ δέν μιλάει;

Τί ἀκριβῶς τῆς λέει;

Τί τοῦ ἀπαντᾶ αὐτή;

Κράτησαν πολύν καιρό αὐτές οἱ φασαρίες;

Τί ἔγινε στό τέλος;

Grammatical Notes

Note 17.1 Class II verbs: Imperative.

Ρώτησέ τον τί θέλει νά μᾶς πῆ.   Ask him what [exactly] does he want to

                                          tell us.

The above example illustrates the Imperative form of the Class II verbs.

Like Class I verbs the Class II verbs have two Imperative forms: perfective and imperfective. The imperfective Imperative is based on the present stem of the verb; the perfective Imperative on its perfective stem. The second person singular and plural endings are -α and -ατε for the imperfective and -ε and -τε for the perfective Imperative, e.g.

				Imperative
Verb:	μιλῶ			
Present Stem:	μιλ-	Sg.		μίλα
		Pl.		μιλᾶτε
Perfect. Stem:	μιλῆσ-	Sg.		μίλησε
		Pl.		μιλῆστε

Verb:	ἐξυπηρετῶ	'to serve'	ἐξυπηρέτα
Present Stem:	ἐξυπηρετ-		ἐξυπηρετᾶτε
			ἐξυπηρέτησε
Perfect. Stem:	ἐξυπηρετῆσ-		ἐξυπηρετῆστε

As seen from the above examples the stress is on the penultimate (next to last syllable)
except for the singular form of the perfective Imperative where it is on the antepenultimate
(third from the end) syllable of the verb.

There is usually no difference in meaning between the perfective and imperfective
Imperative of the verbs of this class. With the majority of verbs both forms may be used
interchangeably. Some verbs, however, have only one Imperative form, which may be either
perfective or imperfective.

Note 17.2 Numerals: Declinable Cardinal Numerals from 200 up.

In Note 14.3 the declension of τρεῖς and τέσσερεις and their compounds was
discussed.

Following examples illustrate the declension of cardinal numerals from 200 up. Numerals
from 1 to 199 (except for ἕνας, τρεῖς, τέσσερεις and their compounds) are indeclinable.
Examples:

'Εκεῖ εἶναι διακόσιοι σαράντα τρεῖς ἄνδρες, διακόσιες σαράντα τρεῖς γυναῖκες καί διακόσια σαράντα τρία παιδιά.	There are 243 men, 243 women and 243 children there.
Βλέπουμε χίλιους ἄνδρες, χίλιες γυναῖκες καί χίλια παιδιά.	We see 1000 men, 1000 women and 1000 children.
Βλέπουμε δύο χιλιάδες ἄνδρες, δύο χιλιάδες γυναῖκες καί δύο χιλιάδες παιδιά.	We see 2000 men, 2000 women and 2000 children.
Εἶναι τά σπίτια ἑνός ἑκατομμυρίου ἀνδρῶν, ἑνός ἑκατομμυρίου γυναικῶν καί ἑνός ἑκατομμυρίου παιδιῶν.	Those are the houses of 1 million men, 1 million women and 1 million children.

These examples show that the Cardinal Numerals 200 through 1999 agree with the nouns they modify like regular adjectives (plural form).

The plural form of 1000 (οἱ χιλιάδες)   is always feminine and million or millions (τό ἑκατομμύριο, τά ἑκατομμύρια) is always neuter. The rest of the numeral agrees with the noun it modifies, e.g.

Ἕνα ἑκατομμύριο ἐννιακόσιες πενήντα τρεῖς χιλιάδες ἄνδρες, γυναῖκες καί
    παιδιά.

Δύο ἑκατομμύρια ἐννιακόσιες πενήντα τρεῖς χιλιάδες ἑξακόσιες εἴκοσι τρεῖς
    γυναῖκες but   δύο ἑκατομμύρια ἐννιακόσιες πενήντα τρεῖς χιλιάδες ἑξακόσια
    εἴκοσι τρία παιδιά.

Note 17.3 Verb: Alternative perfective stem form of the verb θέλω.

Ὅταν σᾶς θελήσουν θά σᾶς φωνάξουν.   When they want you they will call you.

    Θελήσω   is another perfective stem form of the verb θέλω   which is used
interchangeably with the form   θέλω.

Response Exercise

Σέ ποιά πόλι τῆς ʽΕλλάδος θά πᾶτε καί γιατί;

Σᾶς ἀρέσει πού τό ʽΥπουργεῖο ʽΕξωτερικῶν.(ἤ ἡ ʽΥπηρεσία Πληροφοριῶν) σᾶς
    στέλνει στήν ʽΕλλάδα καί γιατί;

Νομίζετε πῶς οἱ συμφοιτητές σας εἶναι ἄνθρωποι μέ κατανόησι;

Πιστεύετε πῶς ὁ καθηγητής σας σᾶς βασανίζει;

ʺΑν ἔχετε κόρη θά σᾶς ἄρεσε νά πάῃ νά σπουδάσῃ καί νά μείνῃ μόνη σέ μία
    μεγαλόπολι;

Σᾶς ἀρέσει ἡ νυχτερινή ζωή;

Νομίζετε πῶς εἶναι εὔκολο γιά κάποιον νά μπορέσῃ νά μαζέψῃ λεφτά σήμερα;

Ξέρετε ποιά εἶναι τ'ἀξιοθέατα τῆς ʽΑθήνας;

Τί σπίτι ἔχετε σκοπό ν'ἀγοράσετε ὅταν θά φτάσετε στήν ʽΕλλάδα;

ʺΗσαστε ποτέ φοιτητής σ'ἕνα Εὐρωπαϊκό πανεπιστήμιο;

ʺΑν ναί μπορεῖτε νά μᾶς πῆτε γιά τήν ζωή σας ἐκεῖ;

End of Tape 8B

Tape 9A

Unit 18

Basic Dialogue

A

μεθαύριο	day after tomorrow
ὁ γαμπρός	(the) brother-in-law
ναυτικός, -ή, -ό	naval, maritime
ὁ ἀκόλουθος	attaché
ἀναχωρῶ (ἀναχωρήσω) (3)	to depart, to leave

Μεθαύριο τό ἀπόγευμα, ὁ γαμπρός μου,
ἐγώ καί ὁ φίλος του ὁ Ναυτικός 'Ακό-
λουθος θ'ἀναχωρήσουμε γιά τούς Δελ-
φούς. "Εχεις πάει ποτέ στούς Δελ-
φούς;

My brother-in-law, his friend the Naval
Attaché and myself are going to Delphi the
day after tomorrow. Have you ever been
there ('to Delphi')?

B

προχθές	day before yesterday
ξαναπηγαίνω (ξαναπάω)	to go again
τό θαῦμα	(the) wonder, miracle;
	wonderful (used adverbially)

Ναί, ἔχω πάει ἀρκετές φορές. Προχθές,
μάλιστα, ἥμουνα ἔτοιμος νά ξαναπάω.
Εἶναι θαῦμα, ἀλλά δέν μπορεῖτε νά
πᾶτε ἐκεῖ μέ τό τρένο.

Yes, I've been there several times. As a
matter of fact I was about to ('ready to')
go there again the day before yesterday.
It's a wonderful place, but you can't get
there by train.

A

πειράζω (πειράξω)	to tease, annoy, offend
δέν πειράζει	never mind

Δέν πειράζει. Δέν ἔχουμε ἀποφασίσει
ἀκόμα, ἀλλά πιστεύω ὅτι θά πᾶμε
μᾶλλον μέ τό λεωφορεῖο.

Never mind. We haven't decided yet but I
think we'd rather go there by bus

_B_

παθαίνω (πάθω)	to suffer, undergo, sustain
ἡ κούρσα	(the) car
σκέπτεσαι	you think
ξοδεύω (ξοδέψω)	to spend

Γιατί τί ἔπαθε ἡ κούρσα σου; Μή μοῦ
πῆς πῶς σκέπτεσαι τά λεφτά πού θά
ξοδέψης γιά τήν βενζίνα;

Why? What happened to your car ('your car
underwent')? Don't tell me you're
worrying ('thinking') about the money you
would spend on gasoline.

_A_

τί μέ πέρασες	who do you think I am?
βαριέμαι	to be bored
τό λάστιχο	(the) tire
παληός, -ά, -ό	old (things only)

"Οχι καΰμένε, τί μέ πέρασες; Βαριέμαι
νά όδηγήσω καί ἐξ ἄλλου τά λάστιχα
τοῦ αὐτοκινήτου μου εἶναι λίγο παληά.

No, old pal. Who do you think I am? I hate
('I'm bored') driving and besides the
tires of my car are a little old.

_B_

κάτω	down
πάνω κάτω	more or less

Πόσες ὦρες διαρκεῖ τό ταξίδι μέ τό
λεωφορεῖο πάνω-κάτω;

About how long does it take to go there by
bus ('how many hours does the trip last
by bus approximately')?

_A_

ἡ στάση/στάσις	(the) stop
χρειάζομαι	to need
χρειάζεται	it is necessary
ἀπολαμβάνω (ἀπολαύσω)	to enjoy, to profit
τό φεγγάρι	(the) moon

Μέ τίς στάσεις πέντε. "Οσο χρειάζε-

Five hours including the stops. Just enough

ται γιά ν'άπολαύσουμε τό καινούργιο
φεγγάρι.

('as necessary') for us to enjoy the new
moon.

B

ἀπογοητεύω (ἀπογοητεύσω)   to disappoint
ζεστός, -ή, -ό   hot, warm
ἡ ὑγρασία   (the) humidity

Δέν θέλω νά σ'ἀπογοητεύσω, μά δέν νο-
μίζεις πώς εἶναι πολλές μέ τέτοιο
ζεστό καιρό καί μ'αύτήν τήν ὑγρασία;

I don't want to disappoint you, but I think
('don't you think') this is too long ('too
many [hours]') in such hot and humid
weather ('such humidity')?

A

πάντως   anyway, anyhow
ὁπωσδήποτε   by all means, in any case
κουράζομαι   to be/get tired
ἄν κουρασθοῦμε/κουραστοῦμε   if we get tired
γυρίζω (γυρίσω)   to turn around, return, come back
πίσω   behind, back
ἡ Παρασκευή   Friday

Θά δοῦμε. Πάντως θά πᾶμε ὁπωσδήποτε καί
ἄν κουραστοῦμε θά γυρίσουμε πίσω τήν
Παρασκευή.

We'll see. Anyhow we'll go there in any case,
and if we get tired we'll come back on
Friday.

B

"Ισως ἀλλάξει ὁ καιρός. Καλή διασκέ-
δασι, λοιπόν, καί μή ξεχάσης νά πᾶς
στό μουσεῖο.

The weather might change. Well then, have
a good time and don't forget to see the
museum.

The Days of the Week

ἡ Δευτέρα   Monday
ἡ Τρίτη   Tuesday
ἡ Τετάρτη   Wednesday
ἡ Πέμπτη   Thursday

ἡ Παρασκευή	Friday
τό Σαββατο-Κύριακο	week end
τό Σάββατο	Saturday
ἡ Κυριακή	Sunday

Response Drill

A

Ποῦ θά πᾶνε αὐτοί μεθαύριο τό ἀπόγευμα;

Ποιοί εἶναι αὐτοί;

"Εχει πάει ὁ ἄλλος κύριος ποτέ στούς Δελφούς;

Πηγαίνει τρένο στούς Δελφούς;

Πῶς θά πᾶνε αὐτοί ἐκεῖ;

Γιατί, δέν ἔχει κανένας τους αὐτοκίνητο;

Πόσες ὧρες διαρκεῖ τό ταξίδι στούς Δελφούς μέ τό λεωφορεῖο;

Τί θά κάνουν τόσες ὧρες μέσα στό λεωφορεῖο μ'αὐτήν τήν ζέστη καί ὑγρασία;

Θά πᾶνε ὁπωσδήποτε στούς Δελφούς;

Νομίζετε πώς θά πᾶνε καί θά γυρίσουν πίσω τήν ἴδια μέρα;

Νομίζετε πώς ὁ καιρός θά εἶναι ὁ ἴδιος ὅλη αὐτήν τήν ἑβδομάδα;

Τί δέν πρέπει νά ξεχάσουν νά κάνουν ὅταν πᾶνε στούς Δελφούς;

Narrative

Αὐτός ὁ ὑπάλληλος <u>ἐργάζεται</u> πάρα πολύ.	he works
ἐργάζομαι	to work
Τό μόνο πρᾶγμα πού τόν ἐνδιαφέρει εἶναι τό <u>ἐμπόριο.</u>	commerce, trade, business
Δέν νομίζω πώς εἶναι <u>ἀπαραίτητο</u> νά τούς τό πῆτε.	
ἀπαραίτητος, -η, -ο	indispensable
Αὐτό τό αὐτοκίνητο εἶναι πολύ <u>οἰκονομικό.</u>	
οἰκονομικός, -ή, -ό	economical, economic
Μπορῶ νά σᾶς <u>προσφέρω</u> κάτι;	
προσφέρω (προσφέρω)	to offer
Τό σπίτι σας ἔχει ὅλες <u>τίς ἀνέσεις.</u>	
ἡ ἄνεσις/ἄνεση	ease, relaxation, comfort

'Απεφάσισε νά πάη μόνος του έκεῖ.   he decided

Αὐτός ὁ ὑποπρόξενος μιλάει καλά ἑλληνικά.   vice consul

Δέν μ'ἀρέσει καθόλου αὐτή ἡ κατάστασις.   situation, condition

Αὐτοί οἱ δύο εῖναι πάντοτε μαζί.

      πάντοτε   always

'Η τιμή αὐτή εῖναι ἀρκετά προσιτή.

      προσιτός, -ή, -ό   accessible, within reach

Τήν ἐρχομένη ἑβδομάδα θά πάω στήν 'Ελλάδα.

      ἐρχόμενος, -η, -ο   next, coming

Εῖναι περιττό νά τούς τό πῆτε.

      περιττός, -ή, -ό   useless, unnecessary,
                                          superfluous

'Ο φίλος σας θέλει νά σᾶς συμβουλεύεται γιά κάθε τι.

      συμβουλεύομαι   to consult, to be advised

Εῖναι ἕνας ἄνθρωπος γεμᾶτος πεῖρα ἀπ'τήν ζωή.

      ἡ πεῖρα   experience, practice

Δέν ἤθελαν νά τόν κάνουν ν'ἀπογοητευθῆ.

      ἀπογοητεύομαι (ἀπογοητευθῶ)   to be disappointed

'Η δουλειά ἑνός φίλου μου πού ἐργάζεται στό 'Υπουργεῖο 'Εμπορίου εῖναι τέτοια πού πρέπει νά ταξιδεύη σ'ὅλη τήν 'Ελλάδα. Γι'αὐτόν τόν λόγο εῖναι ἀπαραίτητο νά ἔχη πάντοτε ἕνα καλό αὐτοκίνητο. ῎Εχει,βεβαίως, ἕνα μικρό εὐρωπαϊκό πού εῖναι πολύ οἰκονομικό, ἀλλά δυστυχῶς δέν προσφέρει τίς ἀνέσεις τῶν ἀμερικανικῶν αὐτοκινήτων. ῎Ετσι ὁ φίλος μου ἀπεφάσισε ν'ἀγοράση ἕνα ἀμερικανικό ἀπό ἕναν 'Αμερικανό ὑποπρόξενο πού δουλεύει στήν Πρεσβεία καί θά ἐπιστρέψη σέ λίγο στήν 'Αμερική. 'Η κατάστασις τοῦ αὐτοκινήτου αὐτοῦ εῖναι πολύ καλή καί ἡ τιμή του ἀρκετά προσιτή. Τό μόνο πού χρειάζεται εῖναι καινούργια λάστιχα. Γι'αὐτόν τόν λόγο δώσαμε ραντεβοῦ τήν ἐρχομένη Πέμπτη τό ἀπόγευμα νά πᾶμε νά τό δοῦμε μαζί καί ν'ἀποφασίσουμε. Εῖναι περιττό νά σᾶς πῶ ὅτι ὁ φίλος μου, ὅπως κι ἐσεῖς, θέλει πάντα νά μέ συμβουλεύεται γιά κάθε καινούργιο αὐτοκίνητό του, γιατί πιστεύει ὅτι ἔχω ἀρκετή πεῖρα μ'αὐτά. 'Ελπίζω νά μήν ἀπογοητευθῆ.

Response Drill

B

Ποῦ ἐργάζεται ὁ φίλος σας;

Μένει γιά τήν δουλειά του πάντα στήν 'Αθήνα;

Πρέπει νά ἔχη αὐτοκίνητο γι'αὐτήν τήν δουλειά πού κάνει;

Τί αὐτοκίνητο ἔχει;

Εἶναι αὐτό ἕνα καλό αὐτοκίνητο;

Τί αὐτοκίνητο ἀπεφάσισε ν'ἀγοράση;

'Από ποιόν θά τό ἀγοράση;

Εἶναι σέ καλή κατάστασι αὐτό τό αὐτοκίνητο;

Τί πρόκειται νά κάνετε τήν ἐρχομένη Πέμπτη τό ἀπόγευμα;

Γιατί θά πᾶτε μαζί;

Νομίζετε πῶς ἔχει δίκηο νά τό πιστεύη αὐτό;

Grammatical Notes

Note 18.1 Verb: Class I and Class II Verbs: Present Perfect.

"Εχεις πάει ποτέ στούς Δελφούς;	Have you ever been ('gone') in Delphi.
"Εχω πάει ἀρκετές φορές.	I have gone several times.
Δέν ἔχουμε ἀποφασίσει ἀκόμα.	We haven't decided yet.

These are examples of Present Perfect tense in Greek.

The Present Perfect ('I have done so-and-so') is expressed in Greek, as in English, by the Present tense of the verb ἔχω 'have' followed by the verbal form which is roughly equivalent to English 'Past Participle' forms in -n (gone, given, thrown), -t (bought, caught, sent) and -d (sold, held, had). This verbal form is the perfective stem plus -ει ending (like 3rd person singular of the perfective stem form).

Examples:

Verb	Perfective Stem	Present Perfect
ἀρχίζω	ἀρχίσ-	ἔχω ἀρχίσει
πηγαίνω/πάω	πά-	ἔχω πάει
ξυπνῶ(1)	ξυπνήσ-	ἔχω ξυπνήσει
εὐχαριστῶ (2)	εὐχαριστήσ-	ἔχω εὐχαριστήσει

Verb	Perfective Stem	Present Perfect
ζῶ (3)	ζήσ-	ἔχω ζήσει

Following is the complete paradigm of the verb ἀρχίζω   in Present Perfect:

ἔχω ἀρχίσει	ἔχουμε ἀρχίσει
ἔχεις ἀρχίσει	ἔχετε ἀρχίσει
ἔχει ἀρχίσει	ἔχουν ἀρχίσει

Note 18.2 Verb: Verbs with prefixes

A number of Greek verbs occur in combination with prefixes which undergo certain changes when the verb is used in the Past tense (both Simple and Continuous). As the majority of these verbs are restricted to purely katharevusa contexts, they will be discussed in detail in later units.

The verbs with prefixes that have already occured in our units are:

Present		Past tenses	
		Simple	Continuous
συμβαίνει	it happens	συνέβη	συνέβαινε
ἀποφασίζω	to decide	ἀπεφάσισα*	ἀπεφάσιζα
ἀναβάλλω	to postpone	ἀνέβαλα	ἀνέβαλλα
ἐγκρίνω	to approve	ἐνέκρινα	ἐνέκρινα
διακόπτω	to interrupt	διέκοψα	διέκοπτα
ὑποχρεώνω	to oblige	ὑπεχρέωσα*	ὑπεχρέωνα
ἐνδιαφέρω	to interest	ἐνδιέφερα	ἐνδιέφερα

Class II verbs, however, have the prefixes changed in the Simple Past only. The change in the Continuous Past occurs in katharevusa contexts only, e.g.

Present		Past tenses	
		Simple	Continuous
ἀποκτῶ	to obtain	ἀπέκτησα	ἀποκτοῦσα
ἀπαντῶ	to answer	ἀπήντησα*	ἀπαντοῦσα

---

* Forms ἀποφάσισα, ὑποχρέωσα and ἀπάντησα are also used.

Note 18.3 Past Tense Augment ἐ-

An unstressed past tense augment ἐ- (for the stressed augment ἔ- see Note 10.3) may be prefixed to any Class I or II past tense verbal form beginning with a consonant, that is to say such forms as ἐδιάβασα, ἐβοηθοῦσα,   etc. may occur parallel to διάβασα, βοηθοῦσα   etc.

Transformation Drill

Change the underlined verbs into the Present Perfect.

Δέν σᾶς ἀπήντησε ὁ Γιῶργος;

Δέν ἀποφασίζει γιά τό ταξίδι του.

Αὐτόν τόν χρόνο ἔβγαλες πολλά λεφτά.

Τό παιδί σας ἔτρεξε πολύ.

Προσπάθησα πολλές φορές νά σέ δῶ, ἀλλά δέν μπόρεσα.

῎Εβαλες τό βιβλίο στήν θέσι του;

Τόν ξεπεράσαμε τόν Γιῶργο.

Δέν σώπασαν καθόλου.

Δέν μ'ἀφίνετε καθόλου μόνο μου.

Γιατί θύμωσες;

Τόν διέκοψε πολλές φορές.

῾Η τράπεζα δέν τοῦ ἐνέκρινε αὐτά τά λεφτά.

Δέν μέ ἔπεισε μ'αὐτά πού εἶπε.

Τόν ἐβασάνισε πολύ.

᾿Απέκτησες αὐτό πού ἤθελες.

Δέν τούς ἐκτιμοῦν καθόλου αὐτούς τούς ἀνθρώπους.

Νομίζαμε ὅτι τήν παρεξηγήσατε.

Δέν καπνίσατε ἐκεῖνα τά τσιγάρα;

Δέν ἤξερε πῶς τόν ἐφωνάξατε.

Σᾶς μοιάζει πολύ.

Τήν ἀγαποῦσε ὑπερβολικά.

Περπάτησαν πολλές ὧρες.

Δέν ἀνησυχῆτε καθόλου.

Σᾶς θεωροῦμε φίλους μας.

Τήν ἐζήτησαν πολλές φορές στό τηλέφωνο.

Τό ἤξερα ὅτι δέν τήν πιστέψατε.

᾿Ωδηγήσατε ποτέ τό αὐτοκίνητο τοῦ φίλου σας;

Δέν τήν ἐβοήθησες καθόλου.

Σᾶς ὑπεχρέωσαν νά τούς δῆτε.

Δέν βγήκατε ἔξω σήμερα;

Τό διαφημίζουν πάρα πολύ αὐτό τό ἔργο.

Αὐτός ὁ ἠθοποιός ἔπαιξε πολύ καλά.

Πόσα δέματα ἔλαβες αὐτόν τόν μῆνα;

Σᾶς τηλεφωνήσαμε πολλές φορές.

Αὐτήν τήν φορά τοῦ ἐκράτησαν πιό πολλά λεφτά.

Τό ἐχάλασαν ἐκεῖνο τό παληό τό κτίριο.

Δέν ἐφιάξατε τ'αὐτοκίνητό σας;

Μαζέψατε πολλά λεφτά;

Δέν κατωρθώσατε τίποτα.

Response Exercise

Τί ἡμέρα εἶναι σήμερα;

Τί ἦταν προχθές;

Μπορεῖτε νά μοῦ πῆτε ὅλες τίς ἡμέρες τῆς ἑβδομάδος;

Ποῦ πηγαίνετε συνήθως τά Σαββατο-Κύριακα;

Τί θά κάνετε αὐτό τό Σαββατο-Κύριακο;

Νομίζετε πώς ἡ δουλειά σας θά σᾶς ὑποχρεώση νά ταξιδεύετε πολύ σ'ὅλη τήν
   Ἑλλάδα;

"Αν ναί, σκέπτεστε νά πηγαίνετε μέ τό λεωφορεῖο ἤ μέ τό αὐτοκίνητό σας;

Νομίζετε πώς εἶναι ἀλήθεια ὅτι τά εὐρωπαϊκά αὐτοκίνητα εἶναι πιό οἰκονομικά
   ἀπό τ' ἀμερικανικά;

Ξέρετε γιατί πολλοί προτιμοῦν τ' ἀμερικανικά αὐτοκίνητα;

Μήπως ξέρετε πώς εἶναι ἡ κατάστασις τῶν δρόμων καί τῆς τροχαίας στήν Ἑλλάδα;

Νομίζετε πώς τ'αὐτοκίνητό σας εἶναι ὅτι πρέπει γιά τούς δρόμους τῆς Ἑλλάδας;

Ξέρετε πόσο κάνει ἡ βενζίνα στήν Ἑλλάδα;

Νομίζετε πώς οἱ Ἕλληνες μποροῦν νά ἔχουν ἀμερικανικά αὐτοκίνητα, μιά πού ἡ
   βενζίνα εἶναι τόσο ἀκριβή ἐκεῖ;

Ποιοί εἶναι οἱ καλλίτεροι ὁδηγοί κατά τήν γνώμη σας, οἱ γυναῖκες ἤ οἱ ἄντρες;

Σᾶς ἀρέσει νά ἔχη τό σπίτι σας ὅλες τίς ἀνέσεις καί γιατί;

Μπορεῖτε νά μοῦ πῆτε ποιά ἀκριβῶς εἶναι ἡ δουλειά ἑνός ὑποπροξένου;

Νομίζετε πώς ἡ δουλειά του ἔχει ἀρκετή εὐθύνη;

Σᾶς ἀρέσει νά πηγαίνετε στά μουσεῖα;

Τί σᾶς ἀρέσουν περισσότερο ἐκεῖ τ'ἀγάλματα ἤ οἱ πίνακες;

Σᾶς ἀρέσουν οἱ πίνακες μέ τήν μοντέρνα τέχνη ἤ τήν κλασσική;

Σᾶς ἀρέσει ἡ μουσική;

Ποιά μουσική σᾶς ἀρέσει;

"Εχετε μεγάλη οἰκογένεια;

Σέ ποιόν μοιάζετε, στόν πατέρα σας ἤ τήν μητέρα σας;

"Εχετε ἐξαδέρφους ἤ ἐξαδέρφες;

Νομίζετε πώς τά παιδιά μπορεῖ νά χαλάσουν ἄν ὁ πατέρας ἤ ἡ μητέρα τους τούς

   δείχνουν ὑπερβολική ἀγάπη;

                                                      End of Tape 9A

Tape 9B

<u>Unit 19</u>

<u>Basic Dialogue</u>

<u>Γιάννης</u>

χάνω (χάσω) — to miss, to lose

Καλημέρα Κώστα. Ποῦ ἤσουνα; Σέ χάσαμε. — Good morning Kostas, where have you been? We missed you.

<u>Κώστας</u>

λείπω (λείψω) — to be absent
εἶχα πάει — I had gone

῎Ελειπα. Εἶχα πάει στήν Κρήτη γιά δέκα πέντε ἡμέρες. — I wasn't here ('was absent'). I was away in ('had gone to') Crete for 15 days.

<u>Γιάννης</u>

κατάλληλος, -η, -ο — suitable, proper, fit
κτίζω (κτίσω) — to build

Σοῦ ἄρεσε αὐτό τό νησί; Νομίζεις ὅτι εἶναι κατάλληλο γιά νά κτίσης τό καινούργιο σπίτι σου; — Did you like the island? Do you think it's a suitable place for you to build your new house?

<u>Κώστας</u>

ἀφάνταστα — unbelievably enormously

ἡ φύσις/φύση — (the) nature
τό βουνό — (the) mountain
ἡ πεδιάδα/πεδιάς — (the) plain
ἡ παραλία — (the) sea-shore

'Αφάνταστα. Νομίζω πώς εἶναι ἀρκετά κατάλληλο. ῎Εχει θαυμάσια φύσι, βουνά, πεδιάδες καί παραλίες. — Enormously! I believe it's most ('quite') suitable. It has natural beauty ('wonderful nature'), mountains, plains and shores.

<u>Γιάννης</u>

εἶχες ἐπισκεφθῆ	you (fam.) had visited
τό παρελθόν	(the) past

Εἶχες ἐπισκεφθῆ αὐτό τό νησί στό
παρελθόν ἤ αὐτή ἦταν ἡ πρώτη
φορά;

Have you ('had you') ever visited this island
before ('in the past') or was this the
the first time?

<u>Κώστας</u>

εἶχα περάσει	I had passed
ὁ χειμῶνας	(the) winter
τό βαπόρι	(the) ship, steamer
ἐπισκέφθηκα	I visited
προηγουμένως	previously, before

Εἶχα περάσει τό χειμῶνα μέ τό βαπόρι,
ἀλλά δέν τό ἐπισκέφθηκα ποτέ προη-
γουμένως.

I passed by there on a ship in winter, but
I've never visited there before.

<u>Γιάννης</u>

ὁ κάτοικος	(the) inhabitant
ὑπερήφανος, -η, -ο	proud
φιλόξενος, -η, -ο	hospitable
ἀσχολοῦμαι	to get busy, to be occupied
ἀσχολοῦνται	they are busy

"Εχω ἀκούσει πώς οἱ κάτοικοί του εἶναι
πολύ ὑπερήφανοι καί φιλόξενοι. Μέ
τί ἀσχολοῦνται;

I've heard that its inhabitants are very
proud and hospitable [people]. What's
their main occupation ('with what are
they occupied')?

<u>Κώστας</u>

τό χωριό	(the) village
ὁ ψαρᾶς	(the) fisherman
οἱ ψαράδες	pl.

ὁ γεωργός	(the) farmer
μορφωμένος, -η, -ο	educated

Οἱ περισσότεροι στά χωριά εἶναι ψαράδες ἥ γεωργοί. Στίς πόλεις ὑπάρχουν πολλοί μορφωμένοι ἄνθρωποι.

In the villages most of the people are either fishermen or farmers; in the towns there are many professional ('educated') people.

ὁ δικηγόρος	(the) lawyer
ὁ μηχανικός	(the) engineer
ὁ συγγραφέας/συγγραφεύς	(the) writer

Δικηγόροι, γιατροί, μηχανικοί καί περίφημοι συγγραφεῖς.

[such as] lawyers, doctors, engineers and famous writers.

φημίζομαι	to be famous, to be known
φημίζονται	they are famous, well known
ἡ παλληκαριά	(the) bravery, valor, courage,
ὁ στρατιώτης	(the) soldier
ὁ πόλεμος	(the) war

Γιά ἕνα πρᾶγμα ὅμως φημίζονται ὅλοι τους, γιά τήν παλληκαριά τους. Γίνονται περίφημοι στρατιῶτες στόν πόλεμο.

They are all, however, [particularly] well known for one thing - their gallantry. They become famous soldiers in war time.

Response Drill

A

Ποῦ ἦταν ὁ Κώστας;

Τοῦ ἄρεσε αὐτό τό νησί;

Τί τοῦ ἄρεσε ἰδιαίτερα;

Πῆγε ἐκεῖ κάποια ἄλλη φορά;

Τί ἄνθρωποι εἶναι οἱ κάτοικοί του;

Μέ τί ἀσχολοῦνται;

Μπορεῖτε νά μοῦ πῆτε τ'ὄνομα ἑνός φημισμένου συγγραφέα ἀπό τήν Κρήτη;

Εἶναι καλοί στρατιῶτες οἱ Κρητικοί;

<u>Narrative</u>

τό 'Ηράκλειο	Iraklion (cities of
τό Ρέθυμνο	Rethimnon Crete)
τά Χανιά	Khania

Τό δωμάτιο αὐτό εἶναι πολύ <u>ὑγιεινό</u>.

ὑγιεινός, -ή, -ό	healthful

Τό <u>ἔδαφος</u> αὐτῆς τῆς χώρας εἶναι πολύ <u>εὔφορο</u>.

τό ἔδαφος	soil, earth, ground
εὔφορος,-η, -ο	fertile

<u>Ἡ πρωτεύουσα</u> τῆς 'Ελλάδος εἶναι ἡ 'Αθήνα.   capital city

<u>Ἡ</u> σημερινή <u>οἰκονομία</u> τῆς 'Ελλάδος εἶναι πολύ καλή.   economy

Μερικά νησιά τῆς 'Ελλάδος <u>παράγουν</u> πολύ καλό <u>λάδι</u>.

παράγω	to produce
τό λάδι	olive oil; oil

Ἡ Πάτρα παράγει πολλά <u>φροῦτα</u>.

τό φροῦτο	fruit

Θά ἔχω πολλούς <u>Κρητικούς</u> στό σπίτι μου ἀπόψε.

ὁ Κρητικός	the Cretan
ἡ Κρητικιά	f.

Αὐτό τό κτίριο εἶναι <u>διαφορετικό</u> ἀπό τό ἄλλο.

διαφορετικός, -ή, -ό	different

Μένουν κοντά στά <u>ἀνάκτορα</u>.

τό ἀνάκτορο	palace
ἡ Κνωσός	Cnosus
ἡ Φαιστός	Festos

Τήν <u>ἄνοιξι</u> θά πᾶμε στήν 'Ελλάδα.

ἡ ἄνοιξις	spring

Τό καλοκαίρι ἤ <u>τό φθινόπωρο</u> θά γυρίσουμε πίσω.   autumn

οἱ Μίνωες	Minoans

Ἡ Κρήτη εἶναι τό πιό μεγάλο νησί τῆς 'Ελλάδος. "Εχει ὑγιεινό κλίμα καί πολύ εὔφορο ἔδαφος. Πρωτεύουσά της εἶναι τά Χανιά. "Αλλες μεγάλες πόλεις

εἶναι τό 'Ηράκλειο καί τό Ρέθυμνο. 'Η Κρήτη παίζει ἕνα μεγάλο ρόλο στήν ἐθνική
οἰκονομία τῆς 'Ελλάδος, διότι παράγει λάδι καί πολλά φροῦτα. Οἱ κάτοικοί της
οἱ Κρητικοί εἶναι περίφημοι γιά τήν παλληκαριά τους. Στό νησί αὐτό ὑπάρχουν
πολλά ἀρχαῖα ἐρείπια καί ναοί, πού βρίσκονται σέ πολύ καλή κατάστασι. 'Η ἀρχι-
τεκτονική αὐτῶν τῶν ναῶν εἶναι διαφορετική ἀπό τήν ἀρχιτεκτονική τῆς 'Ακροπό-
λεως. Δύο ἀπό τά περιφημότερα ἐρείπια της εἶναι τά ἀνάκτορα τῆς Κνωσσοῦ καί
Φαιστοῦ. Κάθε ἄνοιξι, καλοκαίρι καί φθινόπωρο ἔρχονται χιλιάδες τουρίστες
στό ὡραῖο αὐτό νησί, γιά νά δοῦν τήν ὡραία φύσι του καί τά περίφημα ἐρείπιά
του, πού δείχνουν στόν κόσμο πόσο μεγάλος ἦταν ὁ πολιτισμός τῶν Μινώων.

Response Drill

B

Τί νησί εἶναι ἡ Κρήτη;

Πῶς εἶναι τό κλῖμα καί τό ἔδαφός της;

Ποιά εἶναι ἡ πρωτεύουσά της;

Μπορεῖτε νά μοῦ πῆτε μερικές ἄλλες μεγάλες πόλεις της;

Τί ρόλο παίζει ἡ Κρήτη στήν οἰκονομία τῆς 'Ελλάδος;

Γιά ποιό πρᾶγμα εἶναι περίφημοι οἱ κάτοικοί της;

'Υπάρχουν ἀρχαῖα ἐρείπια στήν Κρήτη;

Πῶς εἶναι ἡ ἀρχιτεκτονική τῶν ἀρχαίων ναῶν της;

Μπορεῖτε νά μοῦ πῆτε μερικά περίφημα ἐρείπιά της;

Τό ἐπισκέπτονται τουρίστες αὐτό τό νησί;

Γιατί πηγαίνουν ἐκεῖ;

Grammatical Notes

Note 19.1. Verb: Class I and II Verbs: Past Perfect.

Εἶχα πάει στήν Κρήτη γιά δεκαπέντε   I was away in ('had gone to') Crete for 15
   ἡμέρες.   days.

Εἶχες ἐπισκεφθῆ αὐτό τό νησί στό παρελθόν; Had you visited that island in the past?

    The underlined verbal forms are 'Past Perfective'.

    The Past Perfective is formed like the Present Perfective except that the perfective
form in -ει/η is preceded by the Past tense of the verb ἔχω , e.g. εἶχα διαβάσει.

The Past Perfective is used to describe an action which (1) occurred in the distant past (very often with 'before', 'ever before', 'never before', 'in the past', etc.) or (2) which implies the occurrence of some other subsequent actions.

Note 19.2 Verb: Class III (Middle/Passive) verbs.

Δέν δέχεται	He doesn't approve.
Σκέπτεσαι	You (fam.) think.
Λυπᾶμαι	I'm sorry.
Φημίζονται	They are famous.

The above examples illustrate the use of Class III Verbs. The great majority of these verbs have either a Passive meaning (i.e. represent the subject as the receiver of the action, e.g. 'to be loved', 'to be killed', 'to be written' etc.), or a Middle (or Reflexive) meaning (i.e. denote an action that is directed back upon the subject, e.g. 'to wash oneself', 'to blame oneself' etc.). Some of the verbs of this Class, however, are simply intransitive verbs (e.g. ἔρχομαι 'to come', ἐργάζομαι 'to work') or sometimes even transitive ones; that is to say verbs that can have a direct object, e.g. παντρεύομαι τήν Μαρία. I'm marrying Mary.

All Class III verbs end in -μαι in the first person singular Present (citation form).

Note 19.2.1 Class III Verbs - Stem Formative Suffixes.

There are three subclasses of the Class III Verbs in kathomilumeni according to the three different Stem Formative Suffixes:

	Stem Formative Suffix
1) Verbs in -ομαι	-ο-
2) Verbs in -ιέμαι (-ῶμαι in katharevusa)	-ιέ-
3) Verbs in -οῦμαι or -ᾶμαι	-οῦ- or -ᾶ-

Class III Verbs in -ομαι are formed like the Passive voice of the majority of Class I Verbs; the suffix -ομαι is added to the Imperfective stem of the verb, e.g.

Class I Verb (Active)		Imperf.Stem	Stem formative suffix	Class III verb (Passive)	
διαβάζω	'to read'	διαβάζ-	-ο-	διαβάζ-ο-μαι	'to be read'
γράφω	'to write'	γράφ-	-ο-	γράφ-ο-μαι	'to be written'
ἀγοράζω	'to buy'	ἀγοράζ-	-ο-	ἀγοράζ-ο-μαι	'to be bought'
λέ(γ)ω	'to say'	λέγ-	-ο-	λέγ-ο-μαι	'to be said'

Class II verbs usually form their Passive Voice (Class III verbs) as follows:

Verbs belonging to <u>Group 1</u>   -ιέμαι

Those of the <u>Group 2</u>   -ιέμαι/οῦμαι (sometimes   -ᾶμαι like θυμᾶμαι; λυπᾶμαι,

Those of the <u>Group 3</u>   -οῦμαι   κοιμᾶμαι)

<u>Examples:</u>

ἀγαπῶ	(1)	ἀγαπιέμαι	'to be loved'
εὐχαριστῶ	(2)	εὐχαριστιέμαι <u>or</u> εὐχαριστοῦμαι	'to be thanked'
θεωρῶ	(3)	θεωροῦμαι	'to be considered'

<u>Note 19.2.2</u> Class III Verbs - Present tense.

    The present tense personal endings of Class III verbs are as follows:

	<u>Sg.</u>	<u>Pl.</u>
1.	-μαι	-μαστε
2.	-σαι	-στε/σθε
3.	-ται	-νται

Examples:

1) Verb in -ομαι

	<u>Sg.</u>	<u>Pl.</u>
1.	ἔρχ-ομαι	ἐρχ-όμαστε
2.	ἔρχ-εσαι	ἔρχ-εστε/ἔρχ-εσθε
3.	ἔρχ-εται	ἔρχ-ονται

2) Verb in -ιέμαι

	<u>Sg.</u>	<u>Pl.</u>
1.	ἀγαπ-ιέμαι	ἀγαπ-ιώμαστε
2.	ἀγαπ-ιέσαι	ἀγαπ-ιέστε
3.	ἀγαπ-ιέται	ἀγαπ-ιοῦνται/ἀγαπ-ιῶνται

3) Verb in -ᾶμαι/-οῦμαι and -οῦμαι

	<u>Sg.</u>		<u>Pl.</u>	
1.	κοιμ-ᾶμαι/κοιμ-οῦμαι	θεωρ-οῦμαι	κοιμ-ώμαστε	θεωρ-οῦμαστε*
2.	κοιμ-ᾶσαι	θεωρ-εῖσαι	κοιμ-ᾶστε	θεωρ-εῖστε
3.	κοιμ-ᾶται	θεωρ-εῖται	κοιμ-ῶνται/κοιμοῦνται	θεωρ-οῦνται/-ῶνται

* The katharevusa form   θεωρούμεθα   is sometimes used.

Verb in -ῶμαι   (Καθαρεύουσα form)

	Sg.	Pl.	
1.	ἀπατ–ῶμαι 'to be mistaken'	ἀπατ–ώμεθα	(Καθομιλ. ἀπατ–ώμαστε)
2.	ἀπατ–ᾶσαι	ἀπατ–ᾶσθε	(" ἀπατ–ᾶστε)
3.	ἀπατ–ᾶται	ἀπατ–ῶνται	

The preposition used with the passive forms, corresponding in meaning to English 'by', is ἀπό or ἀπ'.

Note 19.2.3 Continuous Future and Subjunctive.

The Continuous Future and Continuous Subjunctive of the Class III verbs are formed by means of the particles θά and νά respectively put before the present tense forms of the verb, e.g.

Θά ἐρχώμαστε στίς ὀκτώ κάθε   We'll be coming at eight every week.
    ἐβδομάδα.

Πρέπει νά ἔρχωμαι κάθε μέρα.   I must come every day.

Note 19.3 Class III Verbs – Perfective Stem Form.

The Perfective Stem forms of the Class III verbs are formed by means of the suffix -θ– (or -τ-) affixed to the perfective stem of the verb and the following personal endings, e.g.

1.	-ῶ	-οῦμε	ἀγαπηθ–ῶ	ἀγαπηθ–οῦμε
2.	-ῆς	-ῆτε	ἀγαπηθ–ῆς	ἀγαπηθ–ῆτε
3.	-ῆ	-οῦν(ε)	ἀγαπηθ–ῆ	ἀγαπηθ–οῦν(ε)

The formation of the perfective stems of all three classes of verbs is discussed in Note 20.1.

Note 19.3.1 Class III Verbs – Simple Future and Subjunctive.

'Ελπίζω νά μήν ἀπογοητευθῆ.   I hope he won't be disappointed.

The above sentence illustrates the use of Subjunctive of the Class III verbs.

The Simple Future and Subjunctive are formed by means of θά and νά put before the perfective stem forms of the verb.

Note 19.3.2 Class III verbs. Notation.

Beginning with Unit 20 the perfective stem forms of the Class III verbs will be given in the build-ups in parentheses.

Following is the list of Class III verbs which have already occurred in Units 1 through 19:

Verb	Perf.Stem form
ἔρχομαι	ἔρθω
ἐπισκέπτομαι	ἐπισκεφθῶ
παντρεύομαι	παντρευθῶ
κάθομαι	καθήσω
λυπᾶμαι	λυπηθῶ
κοιμᾶμαι	κοιμηθῶ
σκέπτομαι	σκεφθῶ
φαίνομαι	φανῶ
εὔχομαι	εὐχηθῶ
βρίσκομαι	βρεθῶ
γίνομαι	γίνω
μεταχειρίζομαι	μεταχειρισθῶ
δέχομαι	δεχθῶ
φοβᾶμαι	φοβηθῶ
ἐξαρτῶμαι	ἐξαρτηθῶ
βαριέμαι	βαρεθῶ
χρειάζομαι	χρειασθῶ
κουράζομαι	κουρασθῶ
ἐργάζομαι	ἐργασθῶ
συμβουλεύομαι	συμβουλευθῶ
ἀπογοητεύομαι	ἀπογοητευθῶ
ἐπισκέπτομαι	ἐπισκεφθῶ
ἀσχολοῦμαι	ἀσχοληθῶ
φημίζομαι	φημισθῶ

Transformation Drill

Change the underlined verbs in the following sentences from Active to Passive and change the direct object of the sentense into the subject of the new sentence.

Ἡ γυναίκα σας σᾶς βασανίζει πολύ.

Ὁ συγγραφέας γράφει αὐτό τό βιβλίο.

Οἱ ἐφημερίδες διαφημίζουν τά θέατρα.

Ἐκτιμοῦμε πολύ τούς φίλους σας.

Ὁ ὑποπρόξενος θεωρεῖ τό διαβατήριό σας.

Ἡ ὑπηρέτρια καθαρίζει τό δωμάτιό σας.

Μαθαίνω εὔκολα Ἑλληνικά.

Δέν μιλᾶν ἐδῶ αὐτή τή γλῶσσα.

Δέν σᾶς ξεχνᾶμε ποτέ.

Δέν οἰκονομᾶτε εὔκολα τά λεφτά σας.

Στό Ἐθνικό παίζουν αὐτό τό ἔργο.

Ἐδῶ πουλᾶνε ἀκριβά τά σταφύλια.

Ἡ ὑπηρέτρια σκουπίζει τό σπίτι σας.

Ὁ ὑπηρέτης στρώνει τό κρεββάτι σας.

Οἱ φίλοι σας ταχυδρομοῦν τά γράμματά σας.

Ἐσεῖς τρῶτε πολύ γρήγορα αὐτό τό φαΐ.

Ὁ συγγραφέας ὑπογράφει τό βιβλίο του.

Ὁ μηχανικός φτειάχνει τ'αὐτοκίνητό σας.

Χρησιμοποιοῦν πολλά ξερά ξύλα στό σπίτι σας.

Response Exercise

Πότε ἤσασταν γιά τελευταία φορά στό ἐξωτερικό;

Σέ ποιά χώρα τοῦ ἐξωτερικοῦ ἤσασταν;

Σᾶς ἄρεσε αὐτή ἡ χώρα καί γιατί;

Ὅταν πᾶτε στήν Ἑλλάδα ἔχετε σκοπό νά πᾶτε στήν Κρήτη;

Διαβάσατε ποτέ κανένα βιβλίο γιά τήν Κρήτη;

Γιατί νομίζετε πώς οἱ κάτοικοι τῆς Κρήτης γίνονται καλοί στρατιῶτες;

Ποιά φροῦτα σᾶς ἀρέσουν;

Σᾶς ἀρέσει τό λάδι στήν σαλάτα σας;

Νομίζετε ὅτι εἶναι ὑγιεινό τό κλῖμα τῶν νησιῶν τῆς Ἑλλάδος;

Θά σᾶς ἄρεσε νά εἴχατε ἕνα σπίτι σέ μία ἀπό τίς παραλίες τῆς Κρήτης;

Σᾶς ἀρέσει ἡ ζωή τῆς πόλεως ἤ τοῦ χωριοῦ;

Νομίζετε ὅτι ἔχει ἐνδιαφέρον ἡ ζωή ἑνός ψαρᾶ ἤ ἑνός γεωργοῦ;

"Αν ναί, ποιάν προτιμᾶτε;

Ξέρετε τί παράγει ἡ Ἑλλάδα;

"Εχετε στήν οἰκογένειά σας ἕναν γιατρό ἤ δικηγόρο ἤ μηχανικό ἤ συγγραφέα;

Νομίζετε πώς εἶναι ἀπαραίτητο σέ μία χώρα νά ἔχη μορφωμένους ἀνθρώπους καί
   γιατί;

Μπορεῖτε νά μᾶς πῆτε μερικά πράγματα γιά τόν πολιτισμό τῶν Αἰγαίων.

End of Tape 9B

Tape 10A

Unit 20

Basic Dialogue

<u>Παῦλος</u>

τό κτῆμα/χτῆμα	(the) property, farm
τό χωράφι	(the) field

Μήπως ξέρεις, Γιάννη, σέ ποιόν πού-
λη300σε ὁ Γιῶργος τό κτῆμα καί τό
χωράφι του;

John, do you know by any chance who George
sold his property and field to?

<u>Γιάννης</u>

τό λάθος	(the) mistake

"Αν δέν κάνω λάθος τό κτῆμα του τό
πούλησε σέ μία 'Εταιρία φρούτων.
Γιά τό χωράφι του δέν ξέρω.

If I am not mistaken, he sold the farm to
a fruit company, [but] I don't know
about the field.

<u>Παῦλος</u>

τό εἶδος	(the) kind
τί εἴδους	of what kind

Τί εἴδους φροῦτα εἶχε αὐτό τό
κτῆμα;

What kind of fruit did this farm have?

<u>Γιάννης</u>

τό μῆλο	(the) apple
τό πορτοκάλλι	(the) orange
τό ἀχλάδι	(the) pear
τό σῦκο	(the) fig
τό κεράσι	(the) cherry
τό ροδάκινο	(the) peach
τό βερύκοκκο	(the) apricot

Εἶχε ὅλων τῶν εἰδῶν τά φροῦτα. Μῆλα, πορτοκάλλια, ἀχλάδια, σῦκα, κεράσια, ροδάκινα καί βερύκοκκα.

It had all sorts of fruit, such as apples, oranges, pears, figs, cherries, peaches and apricots.

Παῦλος

ἡ βλακεία

(the) stupidity, silly thing

Εἶναι κρῖμα πού πούλησε ἕνα τέτοιο κτῆμα. "Εκανε μία μεγάλη βλακεία.

It's a pity that he sold such a farm. It was a silly thing to do ('he made a big stupidity').

Γιάννης

φοβήθηκε	he got scared
τότε πού	at the time that
διπλανός, -ή, -ό	next door (adj.), adjacent
τό ἀγρόκτημα	(the) farm
ἡ πέτρα	(the) stone, rock
ξερός, -ή, -ό	dry
τό ξύλο	(the) piece of wood
πιάνω (πιάσω)	to catch, grab, seize
ἡ φωτιά	(the) fire

Τό ξέρω, ἀλλά φοβήθηκε τότε πού τό διπλανό του ἀγρόκτημα πού ἦταν γεμάτο πέτρες καί ξερά ξύλα ἔπιασε φωτιά.

I know that, but he got scared when the neighboring farm which was rocky and full of dry wood caught fire.

ἡ δικαιολογία	(the) excuse, justification, pretext
ἄλλο	any more
ἡ ἐξοχή	(the) countryside

'Αλλ'ἀπ'ὅτι ἄκουσα, αὐτό εἶναι μία δικαιολογία. 'Ο Γιῶργος δέν θέλει νά μείνη ἄλλο στήν ἐξοχή.

But from what I've heard this is only an excuse. George doesn't want to stay in the country any more.

δικός ... -ή .. -ό ..	one's own
δίπλα	side by side, close, beside

θέλει νά πάη νά κτίση ἕνα δικό του σπί-   He wants to go and build his own house next
τι δίπλα στοῦ ἀδερφοῦ του στήν πόλι.   to his brother's in the city.

                τεμπέλης, -α, -ικο   lazy
                ὁμολογῶ (ὁμολογήσω) (3)   to admit

Τοῦ ἀρέσει ἡ ζωή τῆς πόλεως, γιατί   He likes city life, because he's a little
εἶναι λίγο τεμπέλης. Τ'ὠμολόγησε   lazy. He has admitted it [himself] to
αὐτό σέ ,πολλούς.   many [people].

                        Παῦλος

        πιθανόν   probably
        ὁ πεθερός   (the) father-in-law
        ἡ πεθερά   (the) mother-in-law

Τότε πιθανόν νά πᾶνε κι'ὁ πεθερός   Then his in-laws will probably move in
κι'ἡ πεθερά του μαζί.   with him.

                    Response Drill

                        A

Σέ ποιόν πούλησε ὁ Γιῶργος τό κτῆμα καί τό χωράφι του;
Τί εἴδους φροῦτα εἶχε τό κτῆμα του;
"Εκανε καλά πού τό πούλησε;
Γιατί τό πούλησε;
Εἶναι ἀλήθεια αὐτό;
Ποῦ θέλει ·ά πάη νά κτίση ἕνα σπίτι;
Γιατί θέλει νά πάη νά μείνη ἐκεῖ;
Θά πάη μόνος του νά μείνη στήν πόλι;

                    Narrative

Τά 'Αμερικανικά τσιγάρα εἶναι πολύ γευστικά.
        γευστικός, -ή, -ό   tasty, savorous
Αὐτές οἱ γυναῖκες φημίζονταν γιά τήν ὀμορφιά τους.   were/have been famous
Τό μέγεθος αὐτοῦ τοῦ ἀρχαίου ναοῦ ἦταν τρομερό.   size, enormity
Αὐτό τό γλυκό εἶναι γεμάτο νοστιμάδα.

ἡ νοστιμάδα	taste, flavor, prettiness
Ὁ ὑπάλληλός σας εἶναι <u>ἐξαιρετικός</u> ἄνθρωπος.	
ἐξαιρετικός, -ή, -ό	excellent
Ἡ Ἰταλία παράγει κρασιά σέ μεγάλες <u>ποσότητες</u>.	
ἡ ποσότητα/ποσότης	quantity, amount
Σᾶς ἀρέσουν πολύ τά σταφύλια;	
τό σταφύλι	grape
Σ'αὐτό τό νησί <u>ἰδιαίτερα</u> θά βρῆτε πολλά ἐρείπια.	especially
<u>Ἡ διάρκεια</u> αὐτοῦ τοῦ ταξιδιοῦ εἶναι πολύ μεγάλη.	duration
<u>Κατά τήν διάρκεια</u> τοῦ ταξιδιοῦ μου θά μάθω λίγα Ἑλληνικά.	during
<u>Τίς ἑορτές</u> θά πᾶμε στήν Ἀθήνα.	
ἡ ἑορτή	holiday
Αὐτό εἶναι ἕνα παληό <u>ἔθιμο</u>.	
τό ἔθιμο	custom
Οἱ Ἕλληνες <u>ἑορτάζουν</u> πολύ τά Χριστούγεννα.	
ἑορτάζω (ἑορτάσω)	to celebrate
Καθήσαμε ὅλοι <u>στό τραπέζι</u>.	
τό τραπέζι	table
<u>Ὁ παππούς</u> σας εἶναι ὁ γιατρός τῆς πόλεώς μας.	grandfather
ἡ γιαγιά	grandmother
ὁ θεῖος	uncle
ἡ θεία	aunt
οἱ γονεῖς	parents
Δέν ξέραμε ὅτι ὁ φίλος σας εἶναι <u>παντρεμένος</u>.	
παντρεμένος, -η, -ο	married
Θά μείνουμε ἐκεῖ <u>μέχρι</u> τίς ὀκτώ.	until, up to
τά ἀνήψια	nephews and nieces
ὁ ἀνηψιός/ἀνεφιός	nephew
ἡ ἀνηψιά /ἀνεφιά	niece
τά ἐγγόνια	grandchildren
ὁ ἐγγονός	grandson

ἡ ἐγγονή   granddaughter

'Η 'Ελλάδα παράγει μία πολύ μεγάλη ποικιλία φρούτων, πού εἶναι πάρα
πολύ γευστικά. Τά πορτοκάλλια τῆς Κρήτης, παραδείγματος χάριν,φημίζονταν
πάντα καί φημίζονται ἀκόμα καί τώρα γιά τό μέγεθος καί τήν νοστιμάδα τους.
'Επίσης τά μῆλα, τ'ἀχλάδια, τά σύκα καί τά ροδάκινά της εἶναι ἐξαιρετικά.
῝Ενα ἄλλο φροῦτο πού παράγει σέ μεγάλες ποσότητες εἶναι τά σταφύλια. Σταφύλια
ὅλων τῶν εἰδῶν. 'Απ'τά σταφύλια αὐτά γίνεται τό περίφημο ἑλληνικό κρασί πού
εἶναι γνωστό καί σέ πολλά ἄλλα μέρη τοῦ κόσμου. Τό κρασί αὐτό, πού τό λένε
ρετσίνα, εἶναι τό ποτό τοῦ ῝Ελληνα. 'Υπάρχει παντοῦ, στίς ταβέρνες, στά ἑστια-
τόρια καί σ'ὅλα τά ἑλληνικά σπίτια. 'Ιδιαίτερα κατά τήν διάρκεια τῶν ἑορτῶν,
ὅταν κατά τό ἔθιμο ὅλη ἡ οἰκογένεια μαζεύεται σ'ἕνα σπίτι, γιά νά ἑορτάσουν
ὅλοι μαζί,θά βρῆτε πάντα στό τραπέζι τους τήν ρετσίνα. Καί εἶναι, πράγματι,
τό κρασί πού προτιμάει ὁ καθένας τους, ἀπό τόν παπποῦ καί τήν γιαγιά, τόν θεῖο
καί τήν θεία, τούς γονεῖς καί τά παντρεμένα παιδιά μέχρι τά μεγάλα ἀνήψια καί
ἐγγόνια.

Response Drill

B

Τί παράγει ἡ 'Ελλάδα;

Εἶναι καλά τά φροῦτα της;

Γιά ποιό πρᾶγμα φημίζονται τά πορτοκάλλια τῆς Κρήτης;

Τί ἄλλα φροῦτα παράγει ἡ 'Ελλάδα;

Τί εἴδους σταφύλια παράγει;

Τί κάνουν.ἀπ'αὐτά τά σταφύλια;

Ποῦ μπορεῖτε νά βρῆτε τήν ρετσίνα;

Πίνουν οἱ ῝Ελληνες ρετσίνα κατά τήν διάρκεια τῶν ἑορτῶν;

Ποιοί ἀπό μία οἰκογένεια πίνουν ρετσίνα;

Τούς ἀρέσει αὐτό τό κρασί;

Grammatical Notes

Note 20.1 Verb: Formation of Perfective Stems.

Note 20.1.1. Class I Verbs.

In Note 6.2 it was stated that the most predictable Class I verbs (as far as the formation of their Perfective stem is concerned) are those whose imperfective stem ends in ζ:

Here are some other categories of more or less 'predictable' perfective stems of this class of verbs:

1) Imperfective stems in -β-, -φ-, -ευ-, -αυ- and -π- change their final consonant (or vowel consonant clusters) to ψ , e.g.

Verb		Perf.Stem
κόβω	'to cut'	κόψ-
γράφω	'to write'	γράψ-
ξοδεύω	'to spend'	ξοδέψ-
παύω	'to dismiss'	πάψ-
ἐγκαταλείπω	'to abandon'	ἐγκαταλείψ-

2) Imperfective stems ending in -κ-, -γ-, -χ-,-χν- and some in -ζ- change their final consonant (or consonant cluster -χν) to ξ, e.g.

διδάσκω	'to teach'	διδάξ-
ἀνοίγω	'to open'	ἀνοίξ-
προσέχω	'to watch'	προσέξ-
δείχνω	'to show'	δείξ-
παίζω	'to play'	παίξ-

3) Imperfective stems ending in ν- are less predictable; some of them change the ν- to -σ; some retain the ν- , and some others lose it completely, e.g.

χάνω	'to lose'	χάσ-
στέλνω	'to send'	στείλ-
φέρνω	'to bring'	φέρ-

Note 20.1.2 Class II Verbs

The formation of the Perfective stems in Class II verbs was discussed in Note 15.1. These stems are: -ήσ-, -άσ- or -έσ-.

Note 20.1.3 Class III Verbs.

Following are the most predictable root consonant changes which take place in the formation of the perfective stems of this class of verbs before the suffix -ϑ-/-τ- (Note 19.3)

1. Class III Verbs derived from Class I Verbs:

		Verb	Examples:	Perf.Stem Form
-ζ-	changes to -σ-	διαβάζομαι	'to be read'	διαβασϑῶ/διαβαστῶ
-ζ-	-χ-	παίζομαι	'to be played'	παιχϑῶ
-β-	-φ-	κρύβομαι	'to be hidden'	κρυφϑῶ
-υ-/ν̇/	-φ-	ξοδεύομαι	'to be spent'	ξοδευϑῶ
-π-	-φ-	ἐγκαταλείπομαι	'to be left'	ἐγκαταληφϑῶ
-σκ-	-χ-	διδάσκομαι	'to be taught'	διδαχϑῶ
-γ-	-χ-	ἀνοίγομαι	'to be opened'	ἀνοιχϑῶ
-ν-	zero	δείχνομαι	'to be shown'	δειχϑῶ

2. Class III Verbs derived from Class II Verbs.

The -σ- of the perfective (Active) stems in -ῆσ- and -έσ- is lost before the suffix -ϑ- but is retained in the stems in -ασ-, e.g.

			Perf.Stem Form
ἀγαπῶ(ἀγαπήσω)	ἀγαπιέμαι	'to be loved'	ἀγαπηϑῶ
συγχωρῶ(συγχωρέσω/-ῆσω)	συγχωροῦμαι	'to be forgiven'	συγχωρεϑῶ/συγχωρηϑῶ
γελῶ(γελάσω)	γελιέμαι	'to be laughed at'	γελασϑῶ/γελαστῶ

Note 20.2 Verb: Class III Verbs - Simple Past.

Φοβήϑηκε τότε πού τό διπλανό του   He got scared when the neighboring farm
   ἀγρόκτημα ἔπιασε φωτιά.   caught fire...

The Simple Past of the Class III Verbs is formed by affixing the unstressed suffix -ηκ- and the Past tense personal endings to the Perfective stem forms of the verb, e.g.

Sing.	Pl.
παντρεύϑηκα	παντρευϑήκαμε
παντρεύϑηκες	παντρευϑήκατε
παντρεύϑηκε	παντρεύϑηκαν(ε)

Note 20.3.2 Verb: Class III Verbs - Continuous Past.

Τά πορτοκάλλια τῆς Κρήτης φημίζονταν   The oranges of Crete have been always

πάντα....   famous.

The Continuous Past personal endings of Class III verbs are as follows:

Verbs in ‒ομαι, -οῦμαι and -ᾶμαι/οῦμαι;	Verbs in -ιέμαι:
1. -όμουν(α) -όμαστε/-όμασταν/-όμεθα	-ιώμουν(α) -ιώμαστε/-ιώμασταν
2. -όσουν(α) -όσαστε/-όσασταν/‒εσθε	-ιώσουν(α) -ιώσαστε/-ιώσασταν
3. -όταν(ε) ‒ονταν(ε)/‒οντο	-ιώταν/ε) -ιῶνταν(ε)

These endings are affixed to the Imperfective stem of the verb.

Correlation-Substitution

Drill

Use the words in parentheses and change the tense of the underlined verbs accordingly.

Οἱ φίλοι σας ἔρχονται πάντα γιά νά κάνουν Χριστούγεννα μαζί σας. (πρῶτα)

Θά ἐργασθῆτε στήν ἴδια τράπεζα πού ἐργάζεται κι'ὁ ἀδερφός μου (πρίν τρία χρόνια).

Νομίζετε πώς δέν θά πεισθῆ; (χθές)

Ξέρω ὅτι δέν θά παρεξηγηθοῦν. (χθές)

Κάθονται πάντα κοντά στό παράθυρο.(πρῶτα)

Φοβήθηκαν πολύ μόλις φύγατε. (αὔριο)

Αὐτοί οἱ δύο ἀγαπιῶνται πάρα πολύ. (πρίν λίγα χρόνια)

Βλέπουμε ὅτι δέν ἐξαρτᾶσθε ἀπ'αὐτόν. (πρῶτα)

'Εφέτος θά προτιμηθοῦν αὐτά τ'αὐτοκίνητα. (πέρυσι)

"Οπως κάθε χρόνο ἔτσι κι'ἐφέτος θά δοθῆ στούς ὑπαλλήλους κι'ἕνας ἄλλος μισθός

   γιά τίς ἑορτές τῶν Χριστουγέννων.(πέρυσι)

Τά νέα ἀκούστηκαν ἀπ'αὐτόν. (σέ πολύ λίγο καιρό)

'Επαναλαμβάνεται πολλές φορές ἡ ἴδια φράσις. (αὔριο)

Τά νέα μαθεύτηκαν σέ μισή ὥρα. (αὔριο)

Αὐτό τό σχέδιο δέν συνειθίζεται ἄλλο. (τοῦ χρόνου)

'Ο γιός σας πληρώθηκε τήν 1η τοῦ μηνός. (πάντα)

Γνωρίζεσθε μέ τήν ἀδερφή μου; (αὔριο)

Αὐτό τό βιβλίο γράφτηκε καί ὑπογράφτηκε πέρυσι. (τοῦ χρόνου)

"Αν δέν κάνω λάθος, παντρεύτηκαν πέρυσι στήν 'Ιταλία. (τοῦ χρόνου)

Τό σπίτι αὐτό σκουπίζεται μία φορά τήν ἑβδομάδα. (πρῶτα)

Οἰκονομήθηκες καλά (you made out well), Γιῶργο, μέ τά λεφτά πού πῆρες. (σ'ἕνα μῆμα).

Τά ἔργα αὐτά παίχθηκαν πέρυσι τόν χειμῶνα. (ἐφέτος τό καλοκαίρι)

Χθές φερθήκατε (you behaved)   πολύ καλά. (πάντα)

Κυττάχθηκαν μέσα στά μάτια μ'ἀγάπη.   (πρῶτα)

Αὐτό δέν θεωρεῖται καθόλου καλό.   (σέ λίγο καιρό)

Χάθηκαν σ'αὐτόν τόν μεγάλο δρόμο. (αὔριο)

Response Exercise

"Εχετε ζήσει ποτέ σέ κτῆμα;

Σέ ποιό μέρος ἦταν αὐτό τό κτῆμα;

Τί εἴδους φροῦτα εἶχε αὐτό τό κτῆμα;

Ποῦ σᾶς ἀρέσει νά ζῆτε στήν πόλι ἤ στήν ἐξοχή καί γιατί;

Τί σᾶς ἀρέσει περισσότερο στήν ζωή τῆς πόλεως;

Τί σᾶς ἀρέσει περισσότερο στήν ἐξοχή;

"Αν μένετε στήν ἐξοχή, τί προτιμᾶτε τό βουνό ἤ τήν θάλασσα καί γιατί;

Πότε σᾶς ἀρέσει περισσότερο ἡ ἐξοχή τόν χειμῶνα ἤ τό καλοκαῖρι;

Περάσατε ποτέ τά Χριστούγεννα στήν ἐξοχή;

Εἴσθε παντρεμένος;

"Εχετε μεγάλη οἰκογένεια;

'Ο παππούς σας καί ἡ γιαγιά σας ζοῦν ἀκόμα;

"Εχετε θείους καί θεῖες;

'Εορτάζετε τά Χριστούγεννα μαζί μέ τήν οἰκογένειά σας ἤ μέ τήν οἰκογένεια τῆς
    γυναίκας σας;

Τί ποτά πίνετε καί τί τρῶτε συνήθως κατά τήν διάρκεια τῶν ἑορτῶν;

Ποιά κρασιά προτιμᾶτε;

Σᾶς ἀρέσει τό ἑλληνικό κρασί;

"Ηπιατε ποτέ οὖζο;

Εἴναι ἀκριβό ποτό τό οὖζο;

R E V I E W

(Units 16-20)

Review Drills

Fill in each blank with the proper form of the word given on the right. If it is a noun, use the appropriate form of the article.

Nouns

Δέν ἤξερα ὅτι ὁ καθηγητής _ _____ εἶναι ἀδερφός σας.　　　　　　πολυτεχνεῖο

'Ακούγαμε μ'εὐχαρίστησι _ _____.　　　　　　　　　　　　　　　　βροχή

Οἱ ἠθοποιοί αὐτοῦ _ _____ εἶναι πολύ καλοί.　　　　　　　　　　θέατρο

_ _____ τῆς 'Αθήνας εἶναι πάντα γεμάτα κόσμο.　　　　　　　　πεζοδρόμιο

Κάθε φορά πού ἔφευγε γιά ταξίδι ἔκανε _ _____ του.　　　　　σταυρός

Τό σπίτι τοῦ φίλου σας εἶναι ἀκριβῶς σ_ _____ τῶν δύο　　　διασταύρωσις

_____.　　　　　　　　　　　　　　　　　　　　　　　　　　　δρόμος

Πρέπει νά δώσουμε _____ γιά τήν Πέμπτη.　　　　　　　　　　ραντεβοῦ

'Εδῶ ἔχει ἀρκετή _____ ἀκόμα καί τό καλοκαίρι.　　　　　　δροσιά

Σέ λίγο θά βγῆ _ _____.　　　　　　　　　　　　　　　　　　ἥλιος

Αὐτό εἶναι ἕνα ἀπ'τ'αὐτοκίνητα _ Διπλωματικοῦ _____.　　　σῶμα

Νομίζω ὅτι αὐτός εἶναι ἀξιωματικός _ _____.　　　　　　　ἀεροπορία

'Ο φίλος σας ἦταν κάποτε ἀξιωματικός _ _____.　　　　　　ναυτικό

'Ο ὑπουργός θά μιλήση σήμερα σ_ _____.　　　　　　　　　　στρατός

Δέν πίστευα ὅτι θά πληρώνατε τόσο _____.　　　　　　　　　φόρος

'Η φίλη σας εἶναι γνωστή γιά _ _____ της.　　　　　　　　ἀκρίβεια

Μόνο αὐτοί _ πλούσιοι _____ θά πληρώσουν αὐτούς τούς　　ἔμπορος

φόρους.

"Αν ἐξαρτῶταν ἀπό μένα θά ἤμουνα τώρα ἕνας ἀπ'_ πιό μεγάλους　ἐφοπλιστής

_____.

Γιά νά ἐργασθῆς ἐκεῖ πρέπει νά ἔχης _ _____.　　　　　　μέσο(ν)

Τί _____ ἔχει ἄν πᾶς καί ἄν δέν πᾶς...　　　　　　　　　σημασία

'Η φράσις πού τοῦ ἄρεσε ἦταν πάντα ' τόν ἔκανα _ _____ μου '.　προορισμός

Δέν νομίζω ὅτι τοῦ ἀρέσουν _ πολλές _____.   εὐθύνη

'Εκεῖνες _ _____ νόμιζε ὅτι δέν ζοῦσε.   στιγμή

Εἶχαν πάντα καιρό γιά _____.   κουβέντα

"Αλλος τήν βρίσκει στήν ἀγάπη, κι'ἄλλος τήν βρίσκει στό κρασί   εὐτυχία
_ _____ τήν χρυσή....

Δέν πιστεύαμε ὅτι ὁ φίλος σας εἶχε κακές _____.   πρόθεσις

Πολλές φορές προτιμοῦσε _ _____ ἀπ'τήν ἀλήθεια.   ψέμμα

Κάθονται κι'ἀκοῦνε ἀπ'τό πρωΐ ἕως τό βράδυ κλασσική _____.   μουσική

'Ελπίζω ὅτι αὐτή τήν φορά ἔχετε μαζί σας _____.   σπίρτα

Εἶναι τόσο ὄμορφα _____.   ἀγόρι

Εἶχαν τόσο δυνατές _____ πού ὅταν μιλοῦσαν δέν μποροῦσες   φωνή
ν'ἀκούσης τίποτ'ἄλλο.

Βλέπω ὅτι εἶσθε πολύ ὑπερήφανη γιά _ ὡραῖο _____ σας.   ἐξάδερφος

_ καλλίτερα _____ μας βρίσκονται σ'αὐτό τό μουσεῖο.   ἄγαλμα

Οἱ τιμές αὐτῶν _ _____ εἶναι πολύ ἀκριβές.   πίνακας

Κάθε Κυριακή πηγαίνουμε σ_ _____.   μουσεῖο

Ξέρουμε ἀρκετά καλά _ Κύριο _____.   ὑπουργός

"Ολοι ἔλεγαν ὅτι αὐτή ἦταν ἕνα πολύ ὄμορφο _____.   κορίτσι

Τοῦ ἀρέσει καί ἡ ἐξοχή, ἀλλά προτιμάει τήν ζωή _ _____.   μεγαλόπολις

Γιά τό τίποτα ἔκανε πάντα μεγάλη _____.   φασαρία

Πιστέψτε με δέν εἶναι ψέμματα. Σέ κανένα ἐδῶ δέν ἀρέσουν _   ὑπερβολή
_____.

"Ηθελε μέ κάθε τρόπο νά ἔχη _ _____ του.   ἡσυχία

Νομίζαμε ὅτι _ _____ σας εἶναι ἀξιωματικοί τοῦ Ναυτικοῦ.   γαμπρός

Τότε ἦταν πού γνωρίσαμε _ ἀεροπορικό _____.   ἀκόλουθος

Πίστευαν ὅτι ἐκεῖ ἔγιναν μερικά _____.   θαῦμα

Δέν ζητάνε ἄλλα πράγματα. Εἶναι ἀρκετό ὅτι ἔχετε αὐτή _   κούρσα
ὡραία _____.

Σ_ ἄλλες δύο _____ μπορεῖτε ν'ἀγοράσετε ὅτι θέλετε.   στάσις

"Ολα ἦταν θαυμάσια τότε πού βγῆκε _ _____.   φεγγάρι

Πρέπει νά πάρετε κάτι μαζί σας. "Εχει πάντα _____ τά βράδυα.   ὑγρασία

Κάθε _____ πήγαιναν στό ἐστιατόριο γιά νά φᾶνε ψάρια.   Παρασκευή

Δέν ξέρουμε ἀκόμα πότε θά φύγουμε, _ _____ ἤ _ _____. Δευτέρα

Τρίτη

Τά δύο περασμένα _____ δέν πήγαμε πουθενά. Σαββατο-Κύριακο

Τό μόνο πρᾶγμα πού ἤξερε ἦταν _ _____. ἐμπόριο

Τό πρῶτο πρᾶγμα πού σοῦ ἔλεγαν μόλις σοῦ τούς σύσταιναν

    ἦταν ὅτι καί οἱ δύο τους ἦταν _____. ὑποπρόξενος

Ὅλες _ _____ δέν εἶναι οἱ ἴδιες τόν τελευταῖο καιρό. τιμή

Ὅλοι τό ἤξεραν ὅτι αὐτός εἶχε ἀρκετή _____. πεῖρα

Ἐκεῖνο πού τούς ἄρεσε ὑπερβολικά ἦταν _ _____. φύσις

Νομίζω ὅτι αὐτή ἡ περιοχή εἶναι γεμάτη _____. βουνό

Καί ἀφοῦ περπατήσαμε ὧρες πάνω στά βουνά, εἴδαμε ἀπό μακρυά πεδιάδα

    _ _____.

Ἐδῶ δέν κάνει πολύ κρύο _ _____. χειμῶνας

Δέν ξέρουν ἀκόμα ἄν θά πᾶνε μ'αὐτό _ _____. βαπόρι

Σ'αὐτά _ _____ ὁ καθένας ἔχει τό δικό του χωράφι. χωριό

Τήν νύχτα ἔβλεπες _ _____ νά γυρίζουν στό μικρό λιμάνι. ψαρᾶς

Ἄν καί ἦταν ἕνας φτωχός _____, ἤθελε νά στείλη τόν γιό του γεωργός

    νά ζήση στήν πόλι.

Σ'αὐτό τό κτίριο θά βρῆτε πολλούς _____. δικηγόρος

Ἦταν τόσο ὑπερήφανος γιά τήν κόρη του πού σπούδασε _____. μηχανικός

Αὐτοί οἱ δύο _____ μοιάζουν πολύ. συγγραφέας/-εύς

Κάθε φορά μᾶς μιλοῦσε γιά _ _____. πόλεμος

Τοῦ ἀρέσει πολύ νά μιλάη γιά _ _____. οἰκονομία

Δέν ἤθελαν _____. Ἕνα μικρό σπίτι ἦταν ἀρκετό γι'αὐτούς. ἀνάκτορο

Κάθε _____ πηγαίνουν στήν Ἑλλάδα. ἄνοιξις

_ _____ γυρίζουν πάντα πίσω στήν Ἀμερική. φθινόπωρο

Ὅλα _ _____ τους ἦταν κοντά στήν θάλασσα. κτῆμα

Αὐτά _ _____ εἶναι πολύ εὔφορα. χωράφι

Ἐκεῖ ἔχουν ὅλων τῶν εἰδῶν τά φροῦτα, _____, _____, μῆλο

    _____, _____, _____,καί _____. κεράσι

πορτοκάλλι

ἀχλάδι

	βερύκοκκο
	ροδάκινο
"Ηθελαν πάντα νά περνᾶν τά Χριστούγεννα στό σπίτι _ _____ τους.	γονεῖς
Κατά _ _____ τῶν ἑορτῶν θά πᾶμε στήν 'Ιταλία.	διάρκεια
Θά ἔρθουν _ _____ ἐδῶ.	μεσημέρι
Αὐτός ὁ ἄνθρωπος εἶχε πολλές _____ στήν ζωή του.	ἀτυχία
Οἱ κεντρικοί δρόμοι τῆς πόλεώς μας ἔχουν πάντα μεγάλη _____.	κίνησις
Δέν θά δῆτε πολλούς _____ σ'αὐτόν τόν δρόμο.	πεζός
Σ'αὐτήν τήν διασταύρωσι γίνονται πολλά αὐτοκινητιστικά _____.	δυστύχημα
"Εχουμε νά κάνουμε πολλές _____ σήμερα τό βράδυ.	ἐπίσκεψις
Τό βιβλίο αὐτό ἔχει πολύ καλές _____.	ἰδέα
Τό αὐτοκίνητο τοῦ Γιάννη ἔχει τέσσερεις _____.	ταχύτητα
Αὐτός ὁ ἄνθρωπος ἔχει πολλή _____.	δύναμις
Δέν τοῦ ἔδωσε _ _____ του.	συγκατάθεσις
Αὐτός εἶναι ἄνθρωπος μέ _____.	ἀξία
Λυπᾶμαι πολύ, ἀλλά νομίζω ὅτι ἡ μητέρα σας δέν ἔχει καθόλου	κατανόησις
_____.	
Αὐτό τό λεωφορεῖο παίρνει μόνο 35 _____.	ἄτομο
"Ολοι ἤξεραν _ _____ αὐτοῦ τοῦ ἀνθρώπου γιά τά λεφτά.	ἀγάπη
Οἱ φοιτηταί _ _____ θά πᾶνε ταξίδι στήν 'Ιταλία.	πανεπιστήμιο
Σ_ _____ ἔμειναν μόνο οἱ δυό τους.	τέλος
Νομίζω ὅτι αὐτός ὁ ἄνθρωπος δέν ἔχει _____ νά δουλέψη ποτέ	σκοπός
του.	
_ _____τοῦ αὐτοκινήτου σας δέν εἶναι πολύ καλά.	λάστιχο
Αὐτά τά ξενοδοχεῖα ἔχουν ὅλες _ _____.	ἄνεσις
Σήμερα ἡ τιμή _ _____ εἶναι πολύ ἀκριβή.	βενζίνα
_ οἰκονομική _____ αὐτῆς τῆς χώρας δέν εἶναι καθόλου	κατάστασις
καλή.	
Αὐτό τό νησί ἔχει θαυμάσιες _____.	παραλία
'Ο πατέρας σας ζῆ σ_ _____.	παρελθόν
_ _____αὐτοῦ τοῦ νησιοῦ εἶναι πολύ φιλόξενοι.	κάτοικος
Δέν εἶναι πολλοί _____ σήμερα στούς στρατῶνες.	στρατιώτης
'Εδῶ _ _____ εἶναι πολύ εὔφορο.	ἔδαφος

"Ολοι θέλουν νά πᾶνε νά μείνουν σ_ _____.   πρωτεύουσα

Αὐτό τό μαγαζί πουλάει πολλῶν εἰδῶν _____.   λάδι

'Η ποικιλία _ _____ αὐτοῦ τοῦ κτήματος εἶναι πολύ μεγάλη.   φροῦτο

_ _____ εἶναι γιά τούς ἀνθρώπους.   λάθος

Τί _____ φροῦτα ἔχετε;   εἶδος

Σ'αὐτό τό σπίτι μένουν τρεῖς _____.   οἰκογένεια

_ _____ τοῦ Γιάννη μένουν στήν 'Αμερική.   κόρη

_ _____ αὐτῶν τῶν κτιρίων εἶναι ἀκριβῶς ἴδια.   μέγεθος

'Αγοράζουν τά φροῦτα σέ μεγάλες _____.   ποσότης

Adjectives

Σέ_____ ὥρα θά φύγη τό τρένο.   μισός

Αὐτοί οἱ δύο ἦταν _ πιό _____ ἀπ'ὅλους.   δυνατός

Νομίζω ὅτι αὐτά τά παιδιά εἶναι πολύ _____.   ἀδύνατος

Ἦταν _____ κόσμος ἐκεῖ πού δέν μποροῦσες νά περάσης.   τόσος

Νόμιζε κανείς ὅτι ὅλοι σ'αὐτήν τήν πόλι ἦταν _____.   πλούσιος

Αὐτοί οἱ δύο ἦταν πάντα _____ τους.   μόνος

Δέν ξέρω _____ ἀπ'τίς φίλες σας.   κανείς

"Ολοι ἤξεραν ὅτι αὐτά πού ἔλεγε ἦταν _____.   ὑπερβολικός

"Αν τούς κυττάξετε καλλίτερα θά δῆτε ὅτι δέν εἶναι καί τόσο   ἄσκημος

_____.

Τούς ἄρεσε πολύ ἡ _____ ζωή.   ἔντονος

'Εκείνη τήν ἡμέρα γνωρίσαμε τόν φίλο σας, τόν _____   ναυτικός

ἀκόλουθο.

"Ολα τά σπίτια αὐτῆς τῆς περιοχῆς εἶναι _____.   παληός

Τό βράδυ βγήκαμε ἔξω, ἄν καί ὁ καιρός ἦταν πολύ _____.   ζεστός

Δέν νόμιζαν ὅτι αὐτό ἦταν _____.   ἀπαραίτητος

Οἱ τιμές ἐδῶ εἶναι ἀρκετά _____.   προσιτός

Τοῦ ἄρεσε πολύ νά ἀγοράζη ὅλα ἐκεῖνα τά _____ πράγματα.   περιττός

Δέν πίστευε κανείς ὅτι αὐτός ὁ ὑπάλληλος ἦταν _____ γι'   κατάλληλος

αὐτήν τήν δουλειά.

Μποροῦσες πολύ εὔκολα νά καταλάβης πόσο _____ ἦταν αὐτοί οἱ   μορφωμένος

ἄνθρωποι.

'Ο καθένας τους εἶχε καί μία _____ γνώμη.   διαφορετικός

Πήγαινε πάντα τό πρωΐ γιά ἕναν καφέ στό σπίτι τῆς _____ της.   διπλανός

Κάποτε δέν ὑπῆρχαν ἐδῶ ὅλα αὐτά τά _____ ξύλα.   ξερός

Μπορούσες πολύ εὔκολα νά καταλάβης πόσο _____ ἦταν αὐτός.   τεμπέλης

Δέν ἔλεγαν ποτέ ὅτι ἦταν _____.   παντρεμένος

_ _____ μῆνα θά πᾶνε στό ἐξωτερικό.   ἐρχόμενος

Οἱ _____ δρόμοι τῶν 'Αθηνῶν εἶναι πολύ ὡραῖοι.   κεντρικός

Στήν πόλι αὐτή γίνονται πολλά _____ δυστυχήματα.   αὐτοκινητιστικός

'Η κόρη σας εἶναι ἕνα _____ κορίτσι.   χρυσός

Τοῦ Νίκου δέν τοῦ ἀρέσει ἡ _____ ζωή.   νυχτερινός

'Η Κρήτη ἔχει _____ ἀρχαίους ναούς.   ἀρκετός

Δέν πιστεύω νά ταξιδέψουμε μέ _____ καιρό.   τέτοιος

Αὐτό τό ξενοδοχεῖο εἶναι πολύ _____.   οἰκονομικός

'Εδῶ οἱ κάτοικοι εἶναι πολύ _____.   φιλόξενος

Καί οἱ δυό τους εἶναι ἀρκετά _____.   ὑπερήφανος

'Η 'Ελλάδα ἔχει ἕνα πολύ _____ κλίμα.   ὑγιεινός

῞Ολα τά κτήματα αὐτῆς τῆς περιοχῆς εἶναι _____.   εὔφορος

Τό φαγητό αὐτοῦ τοῦ ἐστιατορίου εἶναι _____.   ἐξαιρετικός

Αὐτό τό κρασί εἶναι τό _____ ἀπ'ὅλα.   γευστικός

Verbs

Τοῦ ἄρεσε νά _____ δύο τσιγάρα μετά τό φαγητό.   καπνίζω

Πρῶτα δέν _____ ποτέ τά βράδυα στό σπίτι του.   κάθομαι

Αὐτοί οἱ δύο δέν μιλοῦσαν, _____.   φωνάζω

Αὐτός σᾶς _____ πάρα πολύ.   μοιάζω

Πρῶτα τά παιδιά σας _____ νά βγοῦν ἔξω μόνα τους.   φοβᾶμαι

Αὐτό θά _____ ἀπό πολλά πράγματα.   ἐξαρτῶμαι

Τότε δέν τούς _____ πολύ αὐτό τό σπίτι.   ἐνδιαφέρω

Δέν ἤθελαν νά _____ πολύ τό ταξίδι τους.   σκέπτομαι

Ξέρατε ὅτι δέν μπορούσαμε νά σᾶς _____.   παρεξηγῶ

Οἱ φίλοι μας _____ χθές τήν νύχτα γιά τό ἐξωτερικό.   ἀναχωρῶ

Δέν θέλαμε νά _____ στό ξενοδοχεῖο τῆς παραλίας.   ξαναπηγαίνω

Τοῦ ἄρεσε νά μᾶς _____ ὅλους μας πάντα στό τραπέζι.   πειράζω

Πρῶτα αὐτοί _____ ὅλα τά λεφτά τους στά καινούργια αὐτοκίνητα. ξοδεύω

Τόν εἶδαν πού τόν _____ ὁ ἀστυφύλακας.   πιάνω

Πρίν ἕνα μῆνα αὐτός _____ καί νά μιλήσῃ.   βαρυέμαι

Θά τούς _____ πολλά λεφτά γιά τό ταξίδι τους.   χρειάζομαι

"Ηθελε μέ κάθε τρόπο ν'_____ τήν ζωή του.   ἀπολαμβάνω

Δέν εἴχαμε σκοπό νά σᾶς _____.   ἀπογοητεύω

Βλέπω πῶς ἐσεῖς _____ πολύ εὔκολα.   κουράζομαι

Πιστεύαμε ὅτι αὐτοί δέν θά _____ ποτέ πίσω.   γυρίζω

"Εμαθα ὅτι κάποτε (ἐσύ) _____ σ'αὐτήν τήν τράπεζα.   ἐργάζομαι

"Ηθελε ὅλοι νά τόν _____ γιά τό κάθε τι.   συμβουλεύομαι

"Ηξεραν καλά ὅτι δέν θά _____.   ἀπογοητεύομαι

"Ελεγε πάντα ὅτι _____ ὅ,τι εἶχε καί δέν εἶχε.   χάνω

Ποτέ δέν ἔμεναν σπίτι τους τίς Κυριακές. _____ πάντα.   λείπω

Σκεφθήκατε ποτέ νά _____ ἕνα σπίτι στήν ἐξοχή;   κτίζω

Δέν ξέρουμε μέ τί (αὐτός) ἀκριβῶς _____.   ἀσχολοῦμαι

Αὐτό τό κτῆμα _____ πολλά πορτοκάλλια.   παράγω

Δέν ξέρετε ποῦ θά _____ τά Χριστούγεννα;   ἑορτάζω

Κάθε φορά πού αὐτός _____ λόγο, ὅλοι ἔφευγαν.   βγάζω*

"Ολοι ξέραμε ὅτι αὐτά τά φροῦτα _____ γιά τήν νοστιμάδα τους. φημίζομαι

Ὁ γαμπρός μου μᾶς τηλεφώνησε ὅτι θά _____ τό ραντεβοῦ του. ἀναβάλλω

Ὁ Γιάννης _____ χθές στήν τράπεζα 100 δολλάρια.   βάζω

Τά παιδιά _____ ὅλο τό ἀπόγευμα χθές.   τρέχω

Ἡ γυναῖκα μου δέν ξέρει νά _____ αὐτοκίνητο.   ὁδηγῶ

Δέν πιστεύω νά σᾶς _____ οἱ γονεῖς σας τό ταξίδι σας στήν   ἐγκρίνω
   Ἀμερική.

Ἀφοῦ τόν _____ ἀρκετή ὥρα, τοῦ ἔδωσε τά λεφτά πού ἤθελε. βασανίζω

Δέν ξέρεις νά _____ τά χρήματα.   ἐκτιμῶ

Κανένας δέν μπορεῖ νά τόν _____.   πείθω

Λοιπόν, πές μας τί _____;   ἀποφασίζω

Νομίζω ὅτι κάτι _____ τό αὐτοκίνητό σου.   παθαίνω

Μποροῦμε νά σᾶς _____ ἕναν καφέ.   προσφέρω

---

* βγάζω λόγο   to make a speech

Narrative

ἡ ἱστορία	story, history
τό κάστρο	fortress
ὅποιος, -α, -ο	who, whoever, whichever
σημαντικός, -ή, -ό / σπουδαῖος, -α, -ο	significant, important
τό κομμάτι	piece
κερδίζω (κερδίσω)	to gain, earn, win, profit
ἡ πεῖνα	hunger
ἡ δίψα	thirst
παραδίνω (παραδώσω)	to deliver, to surrender
ἡ κατάπληξις	astonishment, amazement
ἡ κολῶνα	column, pillar
ὁ ἀρχηγός	leader, commander
ἡ ἀρχή	beginning, origin, principle
ὁ σκλάβος	slave
τό μάρμαρο	marble
ὁ ἐχθρός	enemy
τό μολύβι	lead
ἡ σφαῖρα	bullet
σκοτώνω (σκοτώσω)	to kill
θυμίζω (θυμίσω)	to remind
ἡ γενναιοδωρία	generosity

Σήμερα θά σᾶς πῶ μία ἱστορία πού ἔγινε τό 1821, τότε πού οἱ Ἕλληνες ἦταν σέ πόλεμο μέ τούς Τούρκους.

Ἐκεῖνον τόν καιρό ἡ Ἀκρόπολις χρησίμευε σάν κάστρο στούς Τούρκους. Ἦταν στό κέντρο τῆς πόλεως καί ὅποιος τό εἶχε στά χέρια του ἦταν ὄχι μόνο κύριος τῆς Ἀθήνας, ἀλλά καί τοῦ Πειραιᾶ. Οἱ Ἕλληνες ἤξεραν πολύ καλά πόσο σημαντική ἦταν ἡ θέσις αὐτοῦ τοῦ κάστρου. Ἤξεραν ἐπίσης ὅτι ἄν ἤθελαν νά κερδίσουν τόν πόλεμο ἔπρεπε νά τό πάρουν ἀμέσως ἀπ'τούς Τούρκους. Ἀλλά δέν ἦταν τόσο εὔκολο πρᾶγμα νά πάρη κανείς τήν Ἀκρόπολι. Ἔτσι ὁ καιρός περνοῦσε καί ἡ Ἀκρόπολις ἔμενε   στά χέρια τῶν Τούρκων. Οἱ Ἕλληνες ὅμως πίστευαν ὅτι πολύ γρήγορα

ἡ πεῖνα καί ἡ δίψα θά ὑποχρέωναν τούς Τούρκους νά τήν παραδώσουν σ'αὐτούς.
Καί ἔμεναν μέ τήν ἰδέα αὐτή, ὅταν μιά μέρα εἶδαν μέ κατάπληξι τούς Τούρκους
νά χαλοῦν τίς κολῶνες τῶν ἀρχαίων ναῶν τῆς 'Ακροπόλεως. "Ετρεξαν ἀμέσως στόν
ἀρχηγό τους τόν Καραϊσκάκη καί τοῦ εἶπαν τί γίνεται πάνω στό κάστρο. Στήν ἀρχή
ὁ Καραϊσκάκης δέν μποροῦσε νά ἐξηγήση γιατί οἱ Τοῦρκοι τό ἔκαναν αὐτό. "Εως
τώρα ἔπαιρναν γυναῖκες καί παιδιά γιά σκλάβους τους, ἀλλά ποτέ δέν τούς ἐνδιέ-
φεραν τά ἀρχαῖα ἐρείπια καί οἱ ἀρχαῖοι ναοί. "Ηξερε καλά ὅτι οἱ Τοῦρκοι
στρατιῶτες δέν μποροῦσαν νά καταλάβουν τήν ἀξία τοῦ Παρθενῶνα. Γι'αὐτούς ὁ
Παρθενῶνας ἦταν μόνο ἕνα κομμάτι μάρμαρο...

Πολύ γρήγορα ὅμως ὁ Καραϊσκάκης καί οἱ ἄλλοι "Ελληνες κατάλαβαν γιατί οἱ ἐχθροί
τό ἔκαναν αὐτό. Οἱ 'Αρχαῖοι "Ελληνες εἶχαν βάλει μέσα στίς κολῶνες μολύβι καί
οἱ Τοῦρκοι χρειάζονταν τό μολύβι αὐτό γιά νά τό κάνουν σφαῖρες καί νά σκοτώσουν
τούς "Ελληνες. 'Ο Καραϊσκάκης δέν ἔχασε καθόλου καιρό. Πῆρε μαζί του τρεῖς
ἀξιωματικούς καί πῆγε κάτω ἀπ'τήν 'Ακρόπολι. 'Εκεῖ ζήτησε νά δῆ τόν ἀρχηγό
τῶν Τούρκων τόν περίφημο Κιουταχῆ Πασᾶ καί μόλις τόν εἶδε τοῦ εἶπε: "Πασᾶ μου,
γιατί χαλᾶτε τούς ἀρχαίους αὐτούς ναούς;" "Διότι, Καραϊσκάκη μου,-τοῦ ἀπάντησε
ἐκεῖνος,-χρειαζόμαστε μολύβι γιά νά σᾶς σκοτώσουμε, καί οἱ κολῶνες εἶναι γεμᾶ-
τες ἀπό μολύβι". Τότε ὁ Καραϊσκάκης τόν ρώτησε: "Πόσο μολύβι χρειάζεστε;"
"2000 κιλά," εἶπε ὁ Κιουταχῆς. "Πολύ καλά, αὔριο τό πρωΐ θά τό ἔχης"-τοῦ εἶπε
ὁ Καραϊσκάκης. "Σταμάτησε ὅμως νά χαλᾶς τούς ὡραίους αὐτούς ναούς."

Τήν ἄλλη ἡμέρα οἱ "Ελληνες ἔδωσαν στούς Τούρκους τό μολύβι πού ἤθελαν
αὐτοί γιά σφαῖρες καί ἔτσι οἱ ναοί ἔμειναν ἐκεῖ πάνω γιά νά θυμίζουν στόν
κόσμο τόν μεγάλο πολιτισμό τῶν 'Αρχαίων 'Ελλήνων καί τήν μεγάλη καρδιά καί
γενναιοδωρία τῶν σημερινῶν.

End of Tape 10A

Tape 10B

Unit 21

Basic Dialogue

Πραξιτέλης

τό κουρεῖο	(the) barber shop
κουρεύομαι (κουρευτῶ)	to have a haircut
ὁ παπᾶς (pl. οἱ παπᾶδες)	(the) priest

Νομίζω, Γιῶργο, ὅτι πρέπει νά βροῦμε
ἕνα κουρεῖο γιά νά πᾶμε νά κουρευ-
τοῦμε. Εἴμαστε κι'οἱ δυό σάν πα-
πᾶδες.

I believe, George, we'd better find a
barbershop and go get a haircut. We both
look ('are') like priests.

γελῶ (γελάσω) (1)	to laugh
φυσικός, -ή, -ό	natural
ἐφ'ὅσον	since, for, because, as long as
σχεδόν	almost, about

Μή γελᾶς. Αὐτό εἶναι φυσικό, ἐφ'ὅσον
εἴμασταν σχεδόν ἕνα μῆνα σ'ἐκεῖνο τό
νησί.

Don't laugh. It's not surprising, since we've
been in this island for almost a month.

ἡ γειτονιά	(the) neighborhood
τό ἐργοστάσιο	(the) factory

Τί θά ἔλεγες, ἄν σοῦ πρότεινα νά πᾶμε
στό κουρεῖο αὐτῆς τῆς γειτονιᾶς,
πού εἶναι δίπλα στό ἐργοστάσιο;

What would you say if I suggested we go to
the barber shop in this neighborhood, the
one next to the factory?

ὁ ἐργάτης	(the) worker

Τό μόνο πρᾶγμα εἶναι ὅτι πρέπει νά
περιμένουμε λιγάκι, διότι εἶναι
πάντα ἀρκετοί ἐργάτες ἐκεῖ.

The only thing is we'll have to wait a little,
because there are always some workers there.

τό πλεονέκτημα	(the) advantage
τό μειονέκτημα	(the) disadvantage

'Αλλά ὑπάρχουν καί μερικά πλεονεκτή-   But there are some advantages too.
ματα.

ὁ κουρέας   (the) barber

ἐπί πλέον   besides, in addition to

κόβω (κόφω)   to cut

ξυρίζω (ξυρίσω)   to shave

'Ο κουρέας εἶναι ἀρκετά καλός καί   The barber is pretty good and besides while
ἐπί πλέον τήν ὥρα πού σοῦ κόβει   he's cutting your hair and shaving you,
τά μαλλιά καί σέ ξυρίζει,

ὅσον ἀφορᾶ   regarding, concerning, about

οἱ ἐκλογές   elections

πολιτικός, -ή, -ό   political

τό κόμμα   party, faction

μπορεῖς ν'ἀκούσῃς τήν γνώμη αὐτῶν   you'll be able to hear the opinions of
τῶν ἀπλῶν ἀνθρώπων, ὅσον ἀφορᾶ τίς   those ordinary people about the elections
ἐκλογές καί τά διάφορα πολιτικά   and various political parties.
κόμματα.

Γιῶργος

προκαλῶ (προκαλέσω) (3)   to provoke, to challenge, rouse

ἐν τοιαύτῃ περιπτώσει   in any case, anyway

Μοῦ προκαλεῖς τό ἐνδιαφέρον μέ τά   You're rousing my curiosity (with your words).
λόγια σου. 'Εν τοιαύτῃ περιπτώσει   Anyway, we've got to go to that barber shop
πρέπει νά πᾶμε ὁπωσδήποτε σ'αὐτό   by all means.
τό κουρεῖο.

Πραξιτέλους

προσέχω (προσέξω)   to be careful, to watch out,
    to pay attention

τελείως   completely

ἀπαθής, -ής, -ές   indifferent

ξεφεύγω (ξεφύγω)   to escape, to slip

ἡ λέξις   (the) word

Πρόσεχε ὅμως νά εἶσαι τελείως ἀπαθής,   Be careful, however, not to get excited
  γιατί ἄν σοῦ ξεφύγη καμμία λέξι,   ('to be indifferent') because if you let
                                          something slip ('some word slips out of you').
    ὁ βουλευτής   (the) member of Parliament

μπορεῖ νά καταλάβουν ὅτι εἶσαι ἀδερφός   they may find out ('understand') that you're
τοῦ βουλευτῆ.   the brother of a member of Parliament.

Response Drill

A

Τί πρότεινε ὁ Πραξιτέλης στόν φίλο του;

Γιατί νόμιζε ὅτι ἔπρεπε νά πᾶνε ἐκεῖ;

Πῶς ἔγινε αὐτό;

Σέ ποιό ἀκριβῶς κουρεῖο τοῦ ἐπρότεινε νά πᾶνε;

"Αν ἀπεφάσιζαν νά πᾶνε ἐκεῖ, ποιό ἦταν, κατά τήν γνώμη τοῦ Πραξιτέλη, τό
  μόνο μειονέκτημα;

Ποιά ἦταν τά πλεονεκτήματα;

Τί ἔκανε ὁ Γιῶργος, μόλις ἄκουσε αὐτά πού τοῦ εἶπε ὁ Πραξιτέλης;

Τί τοῦ πρότεινε ὁ ἄλλος;

Narrative

    τό Στάδιον   Stadium
Μένουμε κοντά στό καινούργιο κομμωτήριο.
    τό κομμωτήριο   beauty salon
'Εκεῖ πηγαίνει ὅλη ἡ ἀφρόκρεμα τῆς 'Αθήνας.   high society
'Ο φίλος σας μένει στό πρῶτο πάτωμα τῆς πολυκατοικίας.
    τό πάτωμα   floor, storey
    ἡ πολυκατοικία   apartment house
    τό ἀσανσέρ   elevator
"Εμπαινε γιά ἕνα λεφτό στό σπίτι του κι'ἔβγαινε
  ἀμέσως.
    μπαίνω (μπῶ)   to enter
Μᾶς ἀρέσει πολύ τό διαμέρισμά σας.
    μοντέρνος, -α -ο   modern

Οἱ αἴθουσες τοῦ μουσείου τῶν Δελφῶν εἶναι ἀρκετά
μεγάλες.

ἡ αἴθουσα	hall, salon, parlor

Ἡ αἴθουσα ἀναμονῆς αὐτοῦ τοῦ ξενοδοχείου εἶναι θαυμάσια
ἐπιπλωμένη.

ἡ ἀναμονή	waiting
ἐπιπλωμένος, -η, -ο	furnished

Ὅλα τά ἔπιπλα αὐτοῦ τοῦ νοσοκομείου εἶναι παληά.

τό ἔπιπλο	a piece of furniture

Ἤθελαν ν'ἀγοράσουν τρεῖς πολυθρόνες καί πέντε
καρέκλες.

ἡ πολυθρόνα	arm chair
ἡ καρέκλα	chair

Ὅλες οἱ πολυθρόνες αὐτῆς τῆς αἰθούσης εἶναι
ἀναπαυτικές.

ἀναπαυτικός, -ή, -ό	comfortable

Αὐτά τά τραπεζάκια εἶναι πάντα γεμάτα περιοδικά.

τό τραπεζάκι	small table
τό περιοδικό	magazine

Οἱ τοῖχοι αὐτοῦ τοῦ δωματίου ἔχουν πολύ ὡραῖο χρῶμα.

ὁ τοῖχος	wall

Δέν εἴδαμε τήν φωτογραφία τῆς κόρης σας.

ἡ φωτογραφία	photo, picture

Αὐτό τό χτένισμα σᾶς πάει πολύ καί εἶναι πολύ | coiffure
τῆς μόδας.

ἡ μόδα	mode, fashion

Τοῦ ἄρεσε νά ἔχη πάντα μουστάκια καί γένεια.

τό μουστάκι	moustache
τά γένεια/ἡ γενειάδα	beard

Αὐτό τό ἀγόρι εἶναι πολύ εὐγενικό.

εὐγενής, -ής -ικό/(-ές Κ.)	polite

Σήμερα δέν εἶσθε καθόλου ὁμιλητικός.

ὁμιλητικός, -ή, -ό	talkative

Αὐτό <u>τό θέμα</u> δέν τούς ἄρεσε καθόλου.
theme, subject, matter, question

Ὁ <u>ἀθλητισμός</u> ἦταν ἡ ζωή του.
athletics, sport

Οἱ φίλοι σας εἶναι πολύ <u>κοινωνικοί</u>.

κοινωνικός, -ή, -ό
social

Τό <u>γεγονός</u> εἶναι ὅτι πουθενά ἀλλοῦ δέν μπορεῖτε νά
event, fact

βρῆτε αὐτήν τήν θαυμάσια <u>ἀτμόσφαιρα</u>.

ἡ ἀτμόσφαιρα
atmosphere

Στήν ὁδόν Σταδίου εἶναι τό κομμωτήριο τοῦ περίφημου George, ἕνα ἀπό τά καλλίτερα τῆς πρωτευούσης. "Αν πᾶτε ἐκεῖ θά γνωρίσετε ὅλη τήν ἀφρόκρεμα τῆς 'Αθήνας. Εἶναι στό πρῶτο πάτωμα μιᾶς καινούργιας πολυκατοικίας καί δέν χρειάζεται νά πάρετε ἀσανσέρ γιά νά πᾶτε σ'αὐτό. Μόλις μπαίνετε ἀριστερά εἶναι τό κομμωτήριο καί τό διπλανό διαμέρισμα εἶναι τό κουρεῖο. 'Η αἴθουσα ἀναμονῆς καί τῶν δύο εἶναι ἐπιπλωμένη μέ πολύ γοῦστο καί ἔχει πολύ μοντέρνα ἔπιπλα. Οἱ πολυθρόνες καί οἱ καρέκλες της εἶναι πολύ ἀναπαυτικές καί τά ὡραῖα τραπεζάκια της εἶναι πάντα γεμᾶτα μέ ξένα καί ἑλληνικά βιβλία καί περιοδικά. Οἱ τοῖχοι της ἔχουν φωτογραφίες ὡραίων γυναικῶν μέ θαυμάσια χτενίσματα ἤ ἀνδρῶν πού ἔχουν κάποτε,σύμφωνα μέ τήν μόδα,μακρυά μαλλιά καί μερικές φορές πλούσια μουστάκια καί γένεια. 'Ο George εἶναι πολύ εὐγενής μέ τούς πελάτες του καί ὁμιλητικός κι'ἀπ'αὐτόν μπορεῖτε νά μάθετε ὅλα τά νέα. Μιλάει γιά ὅλα τά θέματα, πολιτικά, ἀθλητισμό, γιά διάφορα κοινωνικά γεγονότα, κ.τ.λ. "Ετσι ὅταν πᾶτε ἐκεῖ θά βρῆτε πάντα μία εὐχάριστη ἀτμόσφαιρα γεμάτη ἐνδιαφέρον.

Response Drill

B

Ποῦ εἶναι τό κομμωτήριο τοῦ George?

Εἶναι ἕνα καλό κομμωτήριο;

Πηγαίνει καλός κόσμος σ'αὐτό;

Εἶναι σ'ἕνα ἀπό τά μικρά παληά κτίρια τῆς ὁδοῦ Σταδίου;

Σέ ποιό ἀκριβῶς μέρος τῆς πολυκατοικίας εἶναι;

Πηγαίνουν ἄνδρες ἐκεῖ;

Πῶς εἶναι ἡ αἴθουσα ἀναμονῆς του;

Τί μπορεῖτε νά δῆτε στούς τοίχους αὐτῆς τῆς αἰθούσης;

Πῶς εἶναι ὁ George   μέ τούς πελάτες του;

Γιά ποιά πράγματα τοῦ ἀρέσει νά μιλάη;

Νομίζετε ὅτι δέν θά βαρεθῆτε ὅταν πᾶτε ἐκεῖ;

Grammatical Notes

Note 21.1 Noun: Third Declension Neuter Nouns in -ος.

Δέν εἴδαμε ποτέ αὐτά τά μέρη.   We never saw those places.

Αὐτά εἶναι τά καλλίτερα εἴδη.   Those are the best kinds.

These examples show the use of the 3rd declension neuter nouns in -ος.

The complete declension paradigm of this family of nouns is:

Sg.		Pl.	
τό	μέρος	τά	μέρη
τοῦ	μέρους	τῶν	μερῶν
τό	μέρος	τά	μέρη

Note 21.2 Noun: The use of εἶδος   'kind', 'sort', 'species'.

Τί εἴδους φροῦτα εἶχε αὐτό τό κτῆμα;   What kind of fruit did this farm have?

Εἶχε ὅλων τῶν εἰδῶν τά φροῦτα.   It had all sorts of fruits.

The word εἶδος   is often used in the genitive case even when it is the subject or the object of the verb, e.g.

Τί εἴδους πράγματα εἶναι αὐτά;   What kind of things are these?

Τί εἴδους πράγματα βλέπετε;   What kind of things do you see?

Ἔχω πολλῶν εἰδῶν πράγματα   I have a lot of things.

Other constructions such as ἔχω πολλά εἴδη πραγμάτων, though less frequently used, are also possible.

Note 21.3 Verb: Class III Verbs - Imperative.

The 'familiar' Imperative (i.e. 2nd pers.Sing.) ending of this Class of verbs is -ου and that of the 'polite' Imperative (i.e. 2nd pers.Plur.) is -ῆτε.

The familiar form is usually based on the active perfective stem and the polite one on the passive perfective stem.

Class III verbs which do not have an active counterpart form their familiar Imperative on the basis of the root consonant changes discussed in Note 20.1.3

Examples:

			Imperative	
Verb	Active Perf.Stem	Passive Perf.Stem	Familiar	Polite
καθαρίζομαι	καθαρίσ-	καθαρισθ-	καθαρίσου	καθαρισθῆτε
παντρεύομαι	παντρέφ-	παντρευθ-	παντρέφου	παντρευθῆτε
δείχνομαι	δείξ-	δειχθ-	δείξου	δειχθῆτε
ἐργάζομαι	-	ἐργασθ-	ἐργάσου	ἐργασθῆτε

Some verbs of this class have irregular Imperatives e.g. the Imperative of the verb

ἔρχομαι   is   ἔλα, ἐλᾶτε   (Note 11.3).

The 'polite' Imperative of the verb   κάθομαι   is   καθῆστε   and the 'familiar'

one is   κάθησε   or   κάτσε.

Note 21.4 Adjective: The use of δικός, -ή, -ό 'one's own'.

Θέλει νά πάη νά κτίση ἕνα δικό του σπίτι. He wants to go and build his own house.

The adjective δικός, -ή,-ό 'one's own' is always used together with the possessive

pronoun μου, του, σου etc. and agrees with the noun it modifies or the noun it refers to.

In the latter case it corresponds in meaning to the English possessive pronoun 'mine','yours',

his', etc.

Examples:

Ὁ δικός μου ἀδερφός.	My own brother.
Αὐτός εἶναι δικός μου.	He is mine.
Ἡ δική σου κόρη.	Your own daughter.
Αὐτή εἶναι δική σου.	She is yours.
Τό δικό του παιδί.	His own child.
Αὐτό εἶναι δικό του.	It is his.
Οἱ δικοί μας ἀδερφοί.	Our own brothers.
Αὐτοί εἶναι δικοί μας.	They are ours.
Οἱ δικές σας κόρες.	Your own daughters.
Αὐτές εἶναι δικές σας.	They are yours.
Τά δικά τους παιδιά.	Their own children.
Αὐτά εἶναι δικά τους.	They are theirs.

Response Exercise

Κάθε πότε κόβετε τά μαλλιά σας;

Πῶς κόβετε τά μαλλιά σας;

Ποῦ εἶναι τό κουρεῖο σας;

Ξυρίζεστε μόνος σας;

Εἶναι 'Αμερικανός ὁ κουρέας σας;

Εἶναι ὁμιλητικός;

Γιά ποιά πράγματα τοῦ ἀρέσει νά σᾶς μιλάη;

Νομίζετε ὅτι εἶναι αὐτό ἕνα ἀκριβό κουρεῖο;

Πηγαίνει ἡ γυναίκα σας συχνά στό κομμωτήριο;

Σᾶς ἀρέσει αὐτό πού κάνει καί ἄν ναί γιατί;

Ποιά σπόρ σᾶς ἀρέσουν;

Ποιά εἶναι κατά τήν γνώμη σας τά πλεονεκτήματα τοῦ ἀθλητισμοῦ;

Νομίζετε ὅτι ὑπάρχουν καί μερικά μειονεκτήματα;

Σᾶς ἐνδιαφέρουν τά πολιτικά;

Τί σᾶς ἐνδιαφέρει περισσότερο ἡ ἐσωτερική πολιτική ἤ ἡ ἐξωτερική;

Ποιά εἶναι κατά τήν γνώμη σας τά πιό σημαντικά γεγονότα αὐτοῦ τοῦ χρόνου;

End of Tape 10B

Tape 11A

<u>Unit 22</u>

<u>Basic Dialogue</u>

<u>Πέτρος</u>

βιάζομαι (βιασθῶ)   to be in a hurry

Λάκη, μή βιάζεσαι τόσο. Θά σέ κόψη   Don't be in a hurry, Laki. You may get
κανένα αὐτοκίνητο.   run over by a car ('some car will cut you').

<u>Λάκης</u>

προλαβαίνω (προλάβω)   to anticipate, to get in time,
ἀλλιῶς   to catch
                                                                    otherwise

Πρέπει νά προλάβω τό λεωφορεῖο, γιατί   I have to catch the bus, because otherwise
ἀλλιῶς θά χάσω τό ἀεροπλάνο.   I'll miss the plane.

<u>Πέτρος</u>

ὁ παληόκαιρος   (the) bad weather

Δέν ἤξερα ὅτι πρόκειται νά ταξιδέψης   I didn't know that you were going to travel
μ'αὐτόν τόν παληόκαιρο. Ποῦ θά   in such bad weather. Where are you going?
πᾶς;

<u>Λάκης</u>

διεθνής, -ής, -ές   international
ἡ ἔκθεσις   (the) exhibition, show, statement,
                                                           report, composition
τό ἀεροδρόμιο   (the) airport

Στήν Διεθνῆ "Ἔκθεσι Θεσσαλονίκης.   To the International Fair in Thessaloniki.
Πρέπει στίς ὀκτώ νά εἶμαι στό   I have to be at the airport by eight.
ἀεροδρόμιο.

ἡ ἐποχή   (the) epoch, season, time, era

Νομίζεις ὅτι τά ἀεροπλάνα εἶναι πάντα   Do you think the planes are always crowded γεμάτα κόσμο αὐτήν τήν ἐποχή;   this time of year?

Πέτρος

ἡ αἰτία	(the) cause, reason, motive
ἐκ, ἐξ	from
ἐξ αἰτίας	for that reason, because of
ἀμφιβάλλω (ἀμφιβάλω)	to doubt
ἡ κακοκαιρία	(the) bad weather

"Ἴσως, ἐξ αἰτίας τῆς ἐκθέσεως. 'Αλλά
ἀμφιβάλλω γιά σήμερα τό βράδυ μ'αὐτήν
τήν κακοκαιρία. Γιατί δέν ἀναβάλλεις
τό ταξίδι σου γιά αὔριο;

Maybe, because of the exhibition. But
I doubt it this evening with this bad
weather. Why don't you put off your trip
until tomorrow?

Λάκης

ἡ κουταμάρα	nonsense
πολυσκέπτομαι (πολυσκεφθῶ)	to think too much, to pay too much attention
ὁ ἑαυτός (μου, σου, του...)	myself, yourself, himself, etc.
τό ζήτημα	(the) question, point, issue
ἡ μνηστή	(the) fiancée

Μή λές κουταμάρες. Ξέρεις ὅτι δέν
πολυσκέπτομαι τόν ἑαυτό μου. 'Αλλά
τό ζήτημα εἶναι ὅτι μέ περιμένει κι'
ἡ μνηστή μου στό ἀεροδρόμιο.

Don't be silly ('don't say nonsense'). You
know I don't care much about myself.
But the fact is that my fiancée is waiting
for me at the airport.

Πέτρος

ἐπί	on, upon, during, by, under, for
ἐπί τέλους	at last, at any rate
καθυστερῶ (καθυστερήσω) (3)	to delay, defer

'Επί τέλους, κάνε ὅτι νομίζεις. Δέν
θέλω νά σέ καθυστερήσω καί νά χάσης
ἐξ αἰτίας μου τ'ἀεροπλάνο σου.

At any rate, do whatever you want ('think').
I don't want to keep ('delay') you so that
you'll miss the plane because of me.

ἀκριβής, -ής, -ές	exact
ἀνυπόμονος, -η, -ο	impatient

268

Καλό ταξίδι, λοιπόν. Τρέξε νά εἶσαι   Have a nice trip. Run so that you'll be
ἀκριβής στήν ὥρα σου, γιατί ξέρω   on time, because I know how impatient
πόσο ἀνυπόμονη εἶναι ἡ μνηστή σου.   your fiancée is.

Λάκης

 τοὐναντίον   on the contrary

 ὑπομονητικός, -ή, -ό   patient

 ἐν πάσῃ περιπτώσει   in any case

 ξαναλέω (ξαναπῶ)   to talk over again

Μήν τό λές αὐτό. ῍Εγώ τοὐναντίον   Don't say that. On the contrary I believe
πιστεύω ὅτι εἶναι πολύ ὑπομονητική.   she's very patient. In any case, goodbye
῍Εν πάσῃ περιπτώσει, γειά σου καί   now. We'll talk it over again when I come
θά τά ξαναποῦμε ὅταν γυρίσω.   back.

Response Drill

A

Τί εἶπε ὁ Πέτρος στόν φίλο του;

Γιατί βιαζόταν αὐτός;

῏Ηξερε ὁ Πέτρος ὅτι ἐπρόκειτο νά ταξιδέψῃ ὁ Λάκης;

Ποῦ ἐπρόκειτο νά πάῃ;

Τί ὥρα ἔπρεπε νά εἶναι στό ἀεροδρόμιο;

Ποιά ἦταν ἡ ἐρώτησις πού ἔκανε ὁ Λάκης στόν φίλο του γιά τ'ἀεροπλάνα;

Τί τοῦ ἀπήντησε αὐτός;

Πῆρε σοβαρά τά λόγια του ἐκεῖνος;

Τί τοῦ εἶπε στό τέλος ὁ Πέτρος γιά τήν μνηστή του;

Εἶχε καί ὁ Λάκης τήν ἴδια γνώμη μ'αὐτόν γι'αὐτήν;

Narrative

Αὐτά <u>τά τράμ</u> εἶναι πολύ καινούργια.

   τό τράμ   streetcar

῞Ολα τά ἔπιπλά τους ἦταν <u>πράσινα</u>.

   πράσινος, -η, -ο   green

Τότε δέν <u>ὑπῆρχαν</u> αὐτά τά κτίρια.   (they) existed

Ἤσουνα πολύ <u>κίτρινος</u> χθές. Τί εἶχες;

        κίτρινος, -η, -ο   yellow, pale

Κάθε μέρα <u>αἰσθανόταν</u> καί καλλίτερα.

        αἰσθάνομαι (αἰσθανθῶ/αἰστανθῶ)   to feel

Τοῦ ἄρεσε πολύ <u>ἡ πολυτέλεια</u>.   luxury

Τά μόνα ψάρια πού ἔτρωγε ἦταν <u>οἱ σαρδέλλες</u>.

        ἡ σαρδέλλα   sardine

Ἔξω ἀπ'τό θέατρο ἦταν μία πολύ μεγάλη <u>οὐρά</u>.

        ἡ οὐρά   line, tail

Ποτέ δέν τούς <u>πλησίαζε</u>.

        πλησιάζω (πλησιάσω)   to come near, to approach

        μέν   particle used to express
                             certainty on the part of
                             the speaker.

Αὐτός κάνει σάν <u>τρελλός</u> ἀπ'τήν χαρά του.

        τρελλός, -ή, -ό   mad, insane, crazy

Ἐδῶ γίνονται πολλά <u>ἐπεισόδια</u>.

        τό ἐπεισόδιο   episode, incident, occurrence

Τόσον καιρό προσπαθοῦσαν <u>μάταια</u> νά τόν δοῦν.   in vain

        ὁ εἰσπράκτωρ/εἰσπράκτορας   (bus) conductor

Ὅλα τά μαγαζιά εἶναι <u>ἄδεια</u> σήμερα.

        ἄδειος, -α, -ο   empty

        τό τρόλλεϋ μπάς   trolley bus

Δέν τό εἶπα γιά νά <u>κολακευθῆτε</u>.

        κολακεύομαι (κολακευθῶ)   to be flattered

<u>Μακάρι</u> νά μπορούσαμε νά πᾶμε στήν Ἑλλάδα.   I wish we were able....

Ἦταν ἡ ὡραιότερη <u>ἄμαξα</u> πού εἶδα ποτέ μου.   carriage, cart

<u>Ξεκίνησαν</u> πολύ πρωΐ γιά τό ταξίδι τους.

        ξεκινῶ (ξεκινήσω) (2)   to start, to set out

Εἶναι κι'οἱ δυό τους πολύ <u>ἥσυχοι</u> ἄνθρωποι.

        ἥσυχος, -η, -ο   calm, quiet

Αὐτό τό σπίτι εἶναι γεμάτο <u>θαλπωρή</u>.

        ἡ θαλπωρή   warmth

Πρὶν ἀπό μερικά χρόνια ἡ 'Αθήνα ἦταν γεμάτη ἀπό τράμ. Μερικά πού ἦταν
ἀρκετά παληά εἶχαν πράσινο χρῶμα κι'ὅταν περνοῦσαν ἔκαναν τρομερή φασαρία.
'Αλλά ὑπῆρχαν καί τά πιό καινούργια, πού ἦταν κίτρινα καί μοντέρνα καί αἰσθανό-
σουν θαῦμα ὅταν πήγαινες μ'αὐτά.   Αὐτά τά τράμ πού ἦταν πολυτελείας, ἦταν κάποτε
τόσο γεμάτα κόσμο, πού ἔμοιαζαν μέ κουτιά γεμάτα μέ σαρδέλλες.   Ὅσοι περίμεναν
στήν οὐρά γιά νά πάρουν τό τράμ, τό πρῶτο πρᾶγμα πού κύτταζαν, μόλις πλησίαζε,
ἦταν, τί χρῶμα εἶχε πράσινο ἤ κίτρινο.   Κι'ἄν μέν ἦταν κίτρινο ἔκαναν σάν
τρελλοί γιά νά κατορθώσουν νά μποῦν μέσα καί νά πιάσουν μία θέσι.   Γινόταν
πάντα μεγάλη φασαρία καί πάρα πολλά ἐπεισόδια καί ὁ καϋμένος ὁ εἰσπράκτορας
προσπαθοῦσε μάταια νά βάλη τήν τάξι.   Ἄν ὅμως ἦταν πράσινο, κανένας δέν ἤθελε
νά μπῆ μέσα κι'ἦταν τίς περισσότερες φορές ἄδειο.

Σήμερα τήν θέσι τῶν τράμ τήν ἐπῆραν τά λεωφορεῖα καί τά τρόλλεϋ μπάς
καί κολακεύονται πολύ οἱ Ἕλληνες, ὅταν τούς πῆς πόσο μοντέρνα καί ἀναπαυτικά
εἶναι.   'Αλλά ἄν ρωτήσετε τόν παπποῦ μου θά σᾶς πῆ ὅτι ὅλα αὐτά δέν ἀξίζουν
τίποτα.   Μακάρι νά ἐρχόταν πίσω ἡ ἐποχή τῶν ἀμαξῶν, τότε πού ξεκινοῦσες τό
πρωΐ κι'ἔφτανες τό βράδυ στόν προορισμό σου....   Τότε ὅλα τά πράγματα ἦταν τόσο
ὅμορφα, ἡ ζωή ἦταν τόσο ἤσυχη καί τό κάθε τι εἶχε τόση θαλπωρή κι'ὁμορφιά.

Response Drill

B

'Υπῆρχαν τράμ στήν 'Αθήνα πρίν ἀπό μερικά χρόνια;
Πῶς ἦταν αὐτά τά τράμ;
Ἦταν πάντα πολύς κόσμος στά κίτρινα;
Τί ἔκανε ὁ κόσμος, πού περίμενε στήν οὐρά γιά τό τράμ;
Τί ἔκαναν, ὅταν ἔβλεπαν, ὅτι πλησίαζε ἕνα κίτρινο τράμ;
Τί ἔκαναν, ὅταν ἔβλεπαν ἕνα πράσινο;
Ἔχουν ἀκόμα καί τώρα τράμ στήν 'Αθήνα;
Τί πιστεύει ὁ παπποῦς γιά ὅλα αὐτά;

Grammatical Notes

Note 22.1 Adjectives: Adjectives in -ής.

Εἶναι πολύ εὐγενής.   He's very polite..

Τρέξε νά εἶσαι ἀκριβής στήν ὥρα σου.   Run so you'll be (exact) on time.

Στήν Διεθνή"Εκθεσι Θεσσαλονίκης.   To the International Fair in Thessaloniki.

The above examples illustrate the use of adjectives in -ής, -ής, -ές (3rd declension adjectives in katharevusa).

Some adjectives in -ής such for example as εὐγενής 'polite' have an alternate form in -ικός e.g. εὐγενικός, εὐγενική (or εὐγενικιά), εὐγενικό. (See also Note 3.1)

The plural endings of these adjectives are -εις for the masculine and feminine and -ῆ for the neuter, e.g.

	Sg.			Pl.	
ὁ	διεθνής	σταθμός	οἱ	διεθνεῖς	σταθμοί
ἡ	διεθνής	ἔκθεσις	αἱ/οἱ	διεθνεῖς	ἐκθέσεις
τό	διεθνές	ξενοδοχεῖο	τά	διεθνῆ	ξενοδοχεῖα

The katharevusa declension of these adjectives will be discussed in later units.

Note 22.2 Verb: Class I verbs: Prohibitive Imperative.

Μή(ν) τρέχης τόσο γρήγορα.   Don't run so fast!

Μή(ν) τοῦ πῆς τίποτα.   Don't tell him anything!

The prohibitive imperative is formed by means of the word μή(ν) put before the 2nd persons Present (Imperfective Aspect) or 2nd pers. Perf. Stem Form (Perfective Aspect).

Note 22.3 Verb: The verb ὑπάρχω 'to exist'

Τότε δέν ὑπῆρχαν αὐτά τά κτίρια.

The perfective stem form of this verb is ὑπάρξω and the Continuous Past is ὑπῆρχα.

e.g.   Αὐτά τά κτίρια δέν θά ὑπάρχουν σέ λίγο καιρό.

Δέν ὑπῆρξε ποτέ ἕνα τέτοιο ξενοδοχεῖο ἐδῶ.

Πέρυσι δέν ὑπῆρχαν ἐδῶ αὐτά τά κτίρια.

Δέν θά μπορέσουν νά ὑπάρξουν καλλίτερες σχολές ἀπ'αὐτήν.

Note 22.4 The use of the word μακάρι.

The word μακάρι plus νά is used to express wishful thinking.

The verb following μακάρι νά may be either in the Continuous Past or in the Subjunctive.

Μακάρι νά μποροῦσα νά ἐρχόμουνα μαζί   I wish I had been able to come with you to

σου στήν 'Ελλάδα πέρυσι τό καλοκαίρι.   Greece last summer.

Μακάρι νά μπορέσω νά ἔρθω μαζί σου   I wish I could go with you to Greece next
τοῦ χρόνου τό καλοκαίρι.   summer!

Response Exercise

"Εχουμε σήμερα τράμ στήν πόλι μας;

"Εως πότε ὑπῆρχαν τράμ ἐδῶ;

Γιατί δέν ὑπάρχουν πιά;

Σᾶς ἀρέσει νά ταξιδεύετε μέ λεωφορεῖο;

"Εχουν τά ἀμερικανικά λεωφορεῖα ἕναν εἰσπράκτορα;

Νομίζετε ὅτι ἡ τροχαία κίνησις τῆς 'Αθήνας εἶναι καλλίτερη ἀπό τήν τροχαία
     κίνησι τῶν ἄλλων εὐρωπαϊκῶν πρωτευουσῶν;

Μέ τί σᾶς ἀρέσει νά ταξιδεύετε, μέ ἀεροπλάνο ἤ μέ πλοῖο;

Τί αἰσθάνεσθε ὅταν ταξιδεύετε μέ ἀεροπλάνο;

Νομίζετε ὅτι εἶναι ἐπικίνδυνο νά ταξιδεύῃ κανείς μέ ἀεροπλάνο;

Πόσες φορές ἔχετε ταξιδέψει μέ ἀεροπλάνο στήν ζωή σας;

Πόσες φορές μέ πλοῖο;

"Ησαστε ποτέ σέ μία διεθνῆ ἔκθεσι;

Πήγατε στήν Διεθνῆ "Εκθεσι τῆς Νέας 'Υόρκης;

"Αν ναί, μπορεῖτε νά μᾶς πῆτε τί εἴδατε;

Μπορεῖτε νά μᾶς πῆτε κάποιο εὐχάριστο γεγονός ἀπ'τήν ζωή σας;

End of Tape 11A

Tape 11B

Unit 23

Basic Dialogue

A

τό ἀρτοποιεῖον	(the) bakery (K.)
τό κρεοπωλεῖον	(the) butcher shop (K.)
τό ὀπωροπωλεῖον	(the) fruit-vegetable store(K.)
τό ἐδωδιμοπωλεῖον	(the) grocery (K.)
τό φαρμακεῖον	(the) pharmacy

Μήπως ξέρετε ποῦ εἶναι τό ἀρτοποιεῖο, τό κρεοπωλεῖο, τό ὀπωροπωλεῖο, τό ἐδωδιμοπωλεῖο καί τό φαρμακεῖο;

Do you know by any chance, where a 'bread vendor' a 'meat vendor', 'green-grocer's shop', a 'provision store' and a pharmacy are?

B

ὁ φοῦρνος	(the) bakery, oven
τό χασάπικο	(the) butcher shop
τό μανάβικο	(the) fruit-vegetable store
τό μπακάλικο	(the) grocery

Θέλετε νά πῆτε ὁ φοῦρνος, τό χασάπικο, τό μανάβικο καί τό μπακάλικο;

You mean the bakery, the butcher shop, the fruit and vegetable store and the grocery?

ἡ ἀγορά	(the) market
τό ψαράδικο	(the) fish market
τό ἰχθυοπωλεῖο	(the) fish market (K.)

Εἶναι στό κέντρο τῆς ἀγορᾶς, κοντά στά ψαράδικα. Τά ἰχθυοπωλεῖα ὅπως λέτε ἐσεῖς...

They're in the center of the market near the fish market or 'fish vendor' as you say.

ἡ πλατεία	(the) town square
ἡ δημαρχία	(the) Town Hall

ἡ προκυμαία

(the) pier

Τό φαρμακεῖο εἶναι στήν πλατεία,
ἀκριβῶς πίσω ἀπ'τήν Δημαρχία,
κοντά στήν προκυμαία.

The pharmacy is on the square, right behind
the Town Hall, near the pier.

A

ἀνοίγω (ἀνοίξω)

to open

ἀνοικτός/ἀνοιχτός, -ή, -ό

open

κλειστός, -ή, -ό

closed

Έως πότε εἶναι ἀνοιχτά τά μαγαζιά;

How long are these stores open?

B

γενικά

generally

κλείνω (κλείσω)

to close

Ἐξαρτᾶται ἀπό τό μαγαζί, κυρία μου,
ἀλλά γενικά ὅλα κλείνουν ἀργά.

It depends on the store, madam. But
generally they all close late.

ἡ λουτρόπολις

(the) resort, spa

βραδυνός, -ή, -ό

evening (adj.)

Πρέπει νά ξέρετε πώς ἡ κοινωνική ζωή
τῆς λουτροπόλεως ἀρχίζει τίς βρα-
δυνές ὧρες.

You must know that the social life in this
resort begins late at night.

A

ἡ ἐργασία

(the) work

Μά καλά, τί ὥρα ξυπνοῦν οἱ ἄνθρωποι
ἐδῶ, γιά νά πᾶνε στίς ἐργασίες
τους;

Well then, what time do the people here
wake up in order to go to work?

B

(ἐ)ντόπιος, -α, -ο

native, local

συνειθισμένος, -η, -ο

accustomed, usual, used to

σάν κι'ἐσᾶς

like you

Οἱ ντόπιοι ἀρκετά νωρίς, μ'αὐτό δέν τούς πειράζει. Εῖναι συνειθισμένοι. 'Αλλά οἱ περισσότεροι ἐδῶ εῖναι ξένοι κι'αὐτοί ξυπνοῦν πολύ ἀργά, σάν κι' ἐσᾶς...

The local people pretty early, but they don't mind; they're used to it. But the majority of people here are strangers and they get up very late, like you...

A

περίεργος, -η, -ο

curious, peculiar, strange

'Αλήθεια; Ποῦ τό ξέρετε; Τί περίεργος ἄνθρωπος πού εῖσθε.

Is that so? How do you know that? What a strange man you are.

Response Drill

A

Πῶς εῖναι στήν Καθαρεύουσα οἱ λέξεις φοῦρνος, χασάπικο, μανάβικο, μπακάλικο καί φαράδικο;

Τί ἤθελε νά μάθη αὐτή ἡ κυρία;

Τί τῆς ἀπήντησε ἐκεῖνος;

Τί ἄλλο τόν ρώτησε γιά τά μαγαζιά;

Καί τί τῆς εῖπε αὐτός;

Τί ὥρα ἀρχίζει ἡ κοινωνική ζωή αὐτῆς τῆς λουτροπόλεως;

Καί τί ὥρα ξυπνάει ὁ κόσμος τό πρωΐ, γιά νά πάη στήν δουλειά του;

"Αρεσε σ'αὐτήν τήν κυρία αὐτός ὁ ἄνθρωπος;

Γιατί τό εῖπε αὐτό;

Narrative

Τόν εῖδα τυχαῖα στό θέατρο.

τυχαῖα/τυχαίως

accidentally

Δέν θυμᾶμαι ἄλλο πόσα λεφτά πλήρωσα τότε.

θυμᾶμαι (θυμηθῶ)

to remember, to recall

'Εκεῖνο τό τοπίο ἦταν ὑπέροχο.

landscape

'Από μακρυά εἴδαμε τήν καταπράσινη πεδιάδα.

καταπράσινος, -η, -ο

very green

Ὅλα τά βουνά ἦταν γεμάτα <u>δέντρα</u>.

       τό δέντρο/δένδρο   **tree**

Ὁ δρόμος περνοῦσε μέσα ἀπό δύο <u>ἀπότομα</u> βουνά.

       ἀπότομος, -η, -ο   **steep**

Ὅλα τά νησιά μας εἶναι <u>πανέμορφα</u>.   **very beautiful (poet.)**

<u>Γύρω</u> ἀπ'τό λιμάνι ἦταν τά ξενοδοχεῖα.   **around**

Δέν πήγαινε ποτέ μόνος του <u>περίπατο</u>.

       ὁ περίπατος   **walk, stroll**

Αὐτό τό χωριό εἶναι γεμάτο πλατάνια.

       τό πλατάνι/ὁ πλάτανος   **plane-tree**

<u>Τραγουδοῦσαν</u> πάρα πολύ σιγά.

       τραγουδῶ (τραγουδήσω) **(1)**   **to sing**

Αὐτή <u>ἡ κιθάρα</u> εἶναι πολύ καλή.   **guitar**

Ζοῦσε μέσα σ'ἕνα <u>ὄνειρο</u>.

       τό ὄνειρο   **dream**

<u>Ὁ ἀέρας</u> ἦταν πολύ δυνατός.   **air, wind**

Καθόσουνα κοντά στά δέντρα καί σοῦ ἐρχόταν

  <u>ἡ μυρωδιά</u> ἀπ'τά λεμόνια.   **smell, perfume, fragrance,**
                                         scent

       τό κοκκορέτσι   **a dish made of intestines**
                                         wound on a spit

Ἤθελε πολύ νά τήν <u>ξαναφέρουν</u> στήν Ἀμερική.

       ξαναφέρνω (ξαναφέρω)   **to bring back**

Δέν πίστευες ὅτι ζοῦσες στήν <u>πραγματικότητα</u>.

       ἡ πραγματικότητα/-της   **reality**

Μοῦ φαίνεται ὅτι αὐτός ζῆ μέ τίς <u>ἀναμνήσεις</u> του.

       ἡ ἀνάμνησις   **recollection**

Μιλοῦσε πάντα πολύ <u>ἁπλᾶ</u>**¹** καί <u>ὄμορφα</u>.**²**   **1** **simply**

Καί τοῦ ἄρεσε νά λέη, '**ἄν** θέλη <u>ὁ Θεός</u> καί μέ   **2** **beautifully**
                                            God

  <u>ἀξιώση</u> νά δῶ τόν γιό μου γιατρό'.

       ἀξιώνω (ἀξιώσω)   **to grant**

       ξαναζῶ (ξαναζήσω)   **to live again**

     Ποτέ δέν θά ξεχάσω τί ὄμορφα πού πέρασα σ'ἐκεῖνο τό ἑλληνικό χωριό κοντά στήν θάλασσα. Τό εἴδαμε τυχαῖα σ'ἕνα ἀπό τά ταξίδια μας στήν Ὀλυμπία.

Θυμᾶμαι ἀκόμα πόσο μεγάλη ἐντύπωσι μᾶς ἔκανε ἡ ὀμορφιά τοῦ τόπ.ου καί ἀποφασί-
σαμε νά μείνουμε γιά λίγο ἐκεῖ. Καταπράσινα δέντρα, ἀπότομα βουνά κι'ἐκείνη
ἡ πανέμορφη θάλασσα.... Τό πιό σπουδαῖο μέρος τοῦ χωριοῦ ἦταν ἡ πλατεία του.
Γύρω ἀπ'αὐτήν ἦταν ὅλα τά μαγαζιά, τά καφενεῖα, τά ἐστιατόρια καί οἱ ταβέρνες.
'Εκεῖ πήγαινε τά βράδυα ὁ κόσμος περίπατο, ἤ καθότ̣ν στά καφενεῖα κάτω ἀπ'τά
μεγάλα πλατάνια. Αἰσθανόσουν τόση χαρά νά κάθεσαι στήν παραλία νά βλέπης
τά βουνά καί τήν θάλασσα καί ν'ἀκοῦς τίς ὅμορφες φωνές τῶν ἀγοριῶν πού τραγου-
δοῦσαν μέ τίς κιθάρες τους. Κι'ὅταν ἀργότερα ἔβγαινε τό φεγγάρι ὅλο τό μέρος
ἔπαιρνε τέτοια ὀμορφιά,πού νόμιζες ὅτι ζοῦσες μέσα σ'ἕνα ὄνειρο. Καί μόνο ὁ
ἀέρας πού σοῦ ἔφερνε τήν δυνατή μυρωδιά τοῦ κοκκορετσιοῦ σέ ξανάφερνε στήν
πραγματικότητα...

    Πόσες φορές ἡ ἀνάμνησι αὐτοῦ τοῦ μικροῦ χωριοῦ δέν μέ κάνει νά σκέπτωμαι
τί ἀπλᾶ καί ὅμορφα πού μπορεῖ νά ζήση κανείς κοντά στήν φύσι καί εὔχομαι γρή-
γορα ὁ Θεός νά μ'ἀξιώση νά ξαναζήσω τίς ὑπέροχες αὐτές στιγμές.

Response Drill
B

Ποῦ κοντά ἦταν ἐκεῖνο τό 'Ελληνικό χωριό;

Πῶς ἦταν ἐκεῖ τό τοπίο;

Τούς ἄρεσε αὐτό τό μέρος;

Ποιό ἦταν τό πιό σπουδαῖο μέρος τοῦ χωριοῦ;

Τί ὑπῆρχε γύρω ἀπό τήν πλατεία τοῦ χωριοῦ;

Ποῦ πήγαινε τά βράδυα ὁ κόσμος;

Τί αἰσθανόταν ἐκείνη, ὅταν καθόταν στήν παραλία;

Πῶς γινόταν ἐκεῖνο τό μέρος, ὅταν ἔβγαινε τό φεγγάρι;

Φάγατε ποτέ κοκκορέτσι;

Τί αἰσθάνεται κανείς,ὅταν πάη καί ζήση γιά λίγο σ'ἕνα τέτοιο μέρος;

Grammatical Notes

Note 23.1 Verb: Past Participle.

'Η αἴθουσα ἀναμονῆς εἶναι θαυμάσια   The waiting room is beautifully furnished.
ἐπιπλωμένη.

Στίς πόλεις ὑπάρχουν πολλοί μορφωμένοι   In the towns there are many educated people.
ἄνθρωποι.

Δέν ξέραμε ὅτι ὁ φίλος σας εἶναι   We didn't know that your friend was married.

<u>παντρεμένος</u>.

The underlined words in the above sentences are Past Participles.

The Past Participles end in -μένος   have gender (-ος,-η -ο) and are inflected
like other adjectives in -ος.

As a general rule the Greek past participle is based on the Class III Verbs (Passive)
perfective stem of the verb and is formed by the addition of the suffix -μένος, -μένη,
-μένο.   The last consonant (or combination of two consonants) of the stem is either dropped
or replaced according to the following rules:

1) -φθ /-φτ- <u>or</u> -υθ-/-υτ- are usually dropped (with the exception of stems in -ευθ-/-
     -ευτ- and   -αυθ-/-αυτ- the   -μ- of the suffix-μένος is doubled), e.g.

Verb		Perf.Stem	Past Participle	
παντρεύομαι	'to marry'	παντρευθ-	παντρεμένος	'married'
γράφομαι	'to be written'	γραφθ-	γραμμένος	'written'
ξοδεύομαι	'to be spent'	ξοδευθ-	ξοδεμένος/ξο-δευμένος	'spent'
<u>but</u>				
παύομαι	'to be dismissed'	παυθ-	παυμένος	'dismissed'

2) -χθ-/-χτ- are replaced by   -γ-

ἀνοίγομαι	'to be opened'	ἀνοιχθ-	ἀνοιγμένος	'opened'
διδάσκομαι	'to be taught'	διδαχθ-	διδαγμένος	'taught'
ἀλλάζομαι	'to be changed'	ἀλλαχθ-	ἀλλαγμένος	'changed'
διώχνομαι	'to be sent away'	διωχθ-	διωγμένος	'sent away'

3) -σθ-/-στ- are replaced by   -σ-

διαβάζομαι	'to be read'	διαβασθ-	διαβασμένος	'read'
ἀγοράζομαι	'to be bought'	ἀγορασθ-	ἀγορασμένος	'bought'
γελιέμαι	'to be laughed at'	γελασθ-	γελασμένος	'laughed at'

4) -θ- is dropped, e.g.

ἀγαπιέμαι	'to be loved'	ἀγαπηθ-	ἀγαπημένος	'loved'
συγχωροῦμαι	'to be forgiven'	συγχωρεθ-	συγχωρεμένος	'forgiven'
πλένομαι	'to be washed'	πλυθ-	πλυμένος	'washed'

Verb		Perf. Stem	Past Participle	
βάζομαι	'to be put'	βαλθ-	βαλμένος	'put'
στέλνομαι	'to be sent'	σταλθ-	σταλμένος	'sent'

Note 23.2 Verb: Class III Verbs: Irregular Perfective stems.

Μοῦ φαίνεται ὅτι αὐτός ζῆ μέ τίς   It seems to me that he lives in his

    ἀναμνήσεις του.   memories.

     The Perfective Stem Form of the verb   φαίνομαι   'to seem' is φανῶ, φανῆς,

φανῆ,   etc. It is 'irregular' because it does not have the suffix - θ- (or - τ-) which

is characteristic of perfective stems of this class of verbs. The Simple Past   φάνηκα   and

the Continuous Past φαινόμουν(α)   are regularly formed (form the Perf. Stem form and

the Present respectively).

     Among other verbs conjugated like   φαίνομαι   are:

χαίρομαι	(χαρῶ)	'to be glad'
κόβομαι	(κοπῶ)	'to be cut'
πνίγομαι	(πνιγῶ)	'to be drowned'

Note 23.3 Verb: Verbs of 'Mixed' Conjugation.

     Some Class I verbs like   βρίσκω   'to find' and βγαίνω   'to go out' and others

form their Perfective Stem forms like the Class III verbs described above, e.g.

Verb	Perf. Stem Form	Simple Past
βρίσκω	βρῶ	βρῆκα
βγαίνω	βγῶ	βγῆκα
μπαίνω	μπῶ	μπῆκα

     The verb   γίνομαι   'to become' behaves like a Class I verb and the verb κάθομαι

'to sit', 'to reside' like a Class II verb:

γίνομαι	γίνω	ἔγινα
κάθομαι	καθήσω	κάθησα

Response Exercise

Ξέρετε ἄν τά φαρμακεῖα τῆς Ἀμεοικῆς εἶναι διαφορετικά ἀπ'τά φαρμακεῖα τῆς

   Ἑλλάδας;

Ξέρετε ἄν ὑπάρχουν καταστήματα στὴν Ἑλλάδα ἤ στὴν Εὐρώπη πού πουλᾶνε ὅλων
τῶν εἰδῶν τά πράγματα, ὅπως ἐδῶ στὴν Ἀμερική;

Τί ὥρα ξυπνᾶτε τό πρωΐ γιά νά πᾶτε στὴν ἐργασία σας;

Τί ὥρα τελειώνετε τήν ἐργασία σας καί τί κάνετε συνήθως μετά;

Ποῦ εἶναι τό γραφεῖο σας;

Ποιά εἶναι ἡ πιό σπουδαία γειτονιά στὴν πόλι μας;

Σᾶς ἀρέσει ἡ κοινωνική ζωή;

Τί κάνετε συνήθως τά Σαββατο-Κύριακα;

Ποῦ πηγαίνετε κάθε καλοκαίρι;

Σᾶς ἀρέσει τό βουνό ἤ ἡ θάλασσα;

Ξέρετε καμμία καλή λουτρόπολι;

Ποῦ σκέπτεστε νά πᾶτε ὅταν τελειώσετε τά ἑλληνικά σας μαθήματα; θά πᾶτε
κατ᾽εὐθεῖαν στὴν Ἑλλάδα ἤ σκέπτεσθε νά πᾶτε πρῶτα κάπου ἀλλοῦ;

Τί κάνατε πέρυσι τό καλοκαίρι;

Σᾶς ἀρέσει νά πηγαίνετε περίπατο στὴν ἐξοχή;

Ποῦ μένατε ὅταν ἤσαστε παιδί; Μπορεῖτε νά μᾶς πῆτε μερικά πράγματα γιά τό
σπίτι σας, τούς γονεῖς σας καί τήν ζωή σας;

Σᾶς ἀρέσει νά σκέπτεσθε τό παρελθόν ἤ προτιμᾶτε νά ζῆτε στό παρόν;

End of Tape 11B

Tape 12A

Unit 24

Basic Dialogue

A

ἐμπρός	Hello! (on phone), come in (at knock), forward
κτηματομεσιτικός, -ή, -όν	real estate (adj.)
ὁ κ.τάδε	Mr. so-and-so
νοικιάζω (νοικιάσω)	to rent

'Εμπρός, κτηματομεσιτικό γραφεῖο τοῦ κ.τάδε; Θά ἤθελα νά νοικιάσω ἕνα διαμέρισμα.

Hello! Real estate Office of Mr. so-and-so? I'd like to rent an apartment.

B

ἡ συνοικία	(the) section, district

Σέ ποιά συνοικία τό θέλετε καί πόσα δωμάτια χρειάζεσθε;

Do you have any particular section in mind ('in what section do you want it') and how many rooms do you need?

A

τό Κολωνάκι	a section of Athens
ἡ κρεββατοκάμαρα	(the) bedroom
τό σαλόνι	(the) living room
ἡ τραπεζαρία	(the) dining room

Θά προτιμοῦσα τό Κολωνάκι καί χρεια- ζόμαστε τρεῖς κρεββατοκάμαρες, μεγά- λο σαλόνι, τραπεζαρία καί κουζίνα καί δωμάτιο ὑπηρεσίας.

I'd prefer Kolonaki, and we need three bedrooms, a large living room, a dining room, kitchen and a maid's room.

B

ἡ ὄψις/ὄψη	look (general appearance), consideration
ὑπό	under (K.)
ὑπ'ὄψιν	under consideration, in view

ὄγδοος, -η, -ο

ὁ ὄροφος

διαθέσιμος, -η, -ο

eighth

(the) floor, story(of a building)

available, free, vacant

Ἔχω ἕνα ὑπ'ὄψι μου, στόν ὄγδοο ὄροφο μιᾶς πολυκατοικίας, ἀλλά πρός τό παρόν δέν εἶναι διαθέσιμο.

I know of one ('I have one under consideration') on the eighth floor of an apartment house, but it's not vacant at the present time.

τό λουτρό

ὁ κῆπος

ἡ ταράτσα

(the) bathroom

(the) garden

(the) terrace

Ἀλλά ὑπάρχει κι'ἕνα σπίτι μ'ὅλα αὐτά πού θέλετε καί ἐπί πλέον δύο λουτρά, κῆπο καί ταράτσα.

But there is a house with everything you want and besides [it has] two bathrooms, a garden and a terrace.

ἡ ἐκκλησία

τό ὕψωμα

ἡ θέα

τό μπαλκόνι

ἡ βεράντα

πρός

(the) church

(the) height (eminence)

(the) view

(the) balcony

(the) porch

towards (K.)

Εἶναι κοντά σέ μία ἐκκλησία, σ'ἕνα ὕψωμα καί ἡ θέα του ἀπό τά μπαλκόνια καί τήν βεράντα πρός τήν θάλασσα εἶναι θαυμάσια.

It's near the church on the hill, and the view towards the sea [both] from the balconies and the porch is beautiful.

A

κοστίζω (κοστίσω)

τό ἐνοίκιο

ὑπερβαίνω (ὑπερβῶ)

to cost

(the) rent

to exceed, to surpass

Καλά. Πόσα κοστίζει τόν μῆνα; Θέλω τό ἐνοίκιο νά μήν ὑπερβαίνη τίς 4.000.- δρχ.

Very well. How much does it cost a month? I don't want to pay more than 4000 drachmas. ('I want the rent not to exceed 4000 drachmas').

ἡ θέρμανσις	(the) heating
τό ἠλεκτρικό	(the) electricity

Γιατί πληρώνει κανείς τόσα πολλά μαζί μέ τήν θέρμανσι, τό ἠλεκτρικό κ.τ.λ.

because you pay so much (money), with the heating, electricity, etc.

B

τυχαίνω (τύχω)	to happen
ὁ ἰδιοκτήτης	(the) proprietor, owner
ξαναπέρνω (ξαναπάρω)	to call back
τό ἐσωτερικό	(the) (telephone) extension

Τυχαίνει νά μήν ξέρω αὐτήν τήν στιγμή, ἀλλά θά τηλεφωνήσω στόν ἰδιοκτήτη καί θά σᾶς ξαναπάρω. Εἴπατε ὅτι τό τηλέφωνό σας εἶναι 045-136, ἐσωτερικό 203;

It so happens that right now I don't know it, but I'm going to call the owner and will call you back. Did you say your telephone number was 045-136, extension 203?

ἐξάπαντος	surely, for certain
τό συμβόλαιο	(the) contract
ἡ προκαταβολή	(the) retainer
καπαρόνω (καπαρόσω)	to pay in advance for, to pay a deposit on

Θά σᾶς τηλεφωνήσω ἐξάπαντος σήμερα τό ἀπόγευμα κι'ἄν σᾶς ἀρέσει, ἔρχεσθε ὑπογράφετε τό συμβόλαιο καί δίνετε μία προκαταβολή γιά νά τό καπαρόσετε.

I'm going to call you this afternoon, for certain and if it suits you, come over, sign the contract and pay a deposit as a retainer.

Response Drill

A

Ἐμπρός, τί εἶναι ἐκεῖ παρακαλῶ;
Τί ἤθελε αὐτός ὁ κύριος;
Ποῦ ἀκριβῶς τό ἤθελε τό διαμέρισμα;
Πόσα δωμάτια ἤθελε νά ἔχη;
Αὐτός ὁ κύριος ἦταν Ἀμερικανός, ξέρετε γιατί;

Ὑπῆρχε ἕνα τέτοιο διαμέρισμα;

Ὑπῆρχε τίποτ'ἄλλο διαθέσιμο;

Ποῦ ἦταν αὐτό τό σπίτι;

Τί ἐπί πλέον εἶχε αὐτό τό σπίτι;

Πῶς ἦταν ἡ θέα του ἀπ'τά μπαλκόνια καί τήν βεράντα;

Πόσα κόστιζε τόν μῆνα;

Τό ἐνοίκιο εἶναι τό μόνο πρᾶγμα πού πρέπει νά πληρώση κανείς;

Μποροῦσε ὁ κ.τάδε νά μάθη ἀμέσως πόσα κόστιζε αὐτό τό σπίτι;

Τί θά ἔκανε ὁ πελάτης ἄν τοῦ ἄρεσε αὐτό τό σπίτι;

Τί εἶναι ἡ προκαταβολή;

Narrative

"Εκαναν ὅτι μποροῦσαν γιά νά <u>ἱκανοποιήσουν</u> ὅλους
   τούς πελάτες τους.

ἱκανοποιῶ (ἱκανοποιήσω) (3)	to satisfy

Δέν ὑπάρχει <u>ἀνάγκη</u> νά τοῦ τηλεφωνήσετε τώρα ἀμέσως.

ἡ ἀνάγκη	necessity, need

Δέν θυμόταν ποτέ πού ἔβαζε <u>τό κλειδί</u>.   key

Μπορεῖτε νά πάρετε τ'αὐτοκίνητο, <u>πληρώνοντας</u>   on paying
   μία προκαταβολή.

"Ηθελαν νά τούς <u>προπληρώση</u> δύο μισθούς.

προπληρώνω (προπληρώσω)	to pay in advance

Ὁ ἰδιοκτήτης ζητοῦσε ὅλα τά λεφτά <u>προκαταβολικῶς</u>.   in advance

<u>Ἀνάλογα</u> μέ τά λεφτά πού θά πληρώσετε, θά σᾶς
   δώσουν μία καλή θέσι στό θέατρο.

ἀνάλογα/ἀναλόγως	in proportion to

<u>Ὁ θυρωρός</u> δέν ἦταν ποτέ στήν πόρτα τῆς πολυκατοικίας.   doorman,   janitor

Ἐλπίζω νά ἔχη <u>καλοριφέρ</u> αὐτό τό σπίτι.

τό καλοριφέρ	radiator

Θά πληρωθῆτε στό τέλος τοῦ μηνός τόν <u>κανονικό</u>
   μισθό σας.

κανονικός, -ή, -ό	regular, ordinary

Αὐτός ὁ ἄνθρωπος εἶναι πολύ <u>σπάταλος</u>.	wasteful, extravagant,
σπάταλος, -η, -ο	prodigal
"Αν θέλετε <u>νά κολυμπήσετε</u> νά πᾶτε σ'ἐκείνη τήν παραλία.	
κολυμπῶ (κολυμπήσω) (1)	to swim, to bathe
Τόν ἄκουγες νά φωνάζη <u>μέρα-νύχτα</u>.	day and night
Εἶχαν πολλές <u>πάπιες</u> στό κτῆμα τους.	
ἡ πάπια	duck
"Εχετε ἕνα πολύ ὅμορφο <u>μωρό</u>.	
τό μωρό	baby
Αὐτό εἶναι ἕνα ἀπ'τά καλλίτερα <u>πλυντήρια</u>.	
τό πλυντήριο	washing machine
"Ολοι <u>οἱ ἔνοικοι</u> αὐτῆς τῆς πολυκατοικίας εἶναι ξένοι.	
ὁ ἔνοικος	lodger, tenant
Εἶναι ὅλοι τους πολύ καλοί <u>Χριστιανοί</u>.	
Χριστιανός -ή	Christian
Τούς ἄρεσε νά <u>μοιράζωνται</u> τό κάθε τι.	
μοιράζομαι (μοιρασθῶ)	to share
'Εφέτος εἴχατε πολλά <u>ἔξοδα</u>.	
τό ἔξοδο	expense
Τοῦ ἀρέσει πολύ <u>ἡ σπατάλη</u>.	extravagance, waste (of money etc.)
'Η θέα ἀπό <u>τό ρετιρέ</u> εἶναι θαυμάσια.	penthouse
Εἶναι <u>τό δεύτερο</u> σπίτι δεξιά.	
δεύτερος, -η/-α, -ο	second
Αὐτή <u>ἡ σκάλα</u> εἶναι πολύ ἀπότομη.	stairway, stairs, ladder
<u>Κτίσθηκαν</u> πολλές πολυκατοικίες σ'αὐτήν τήν συνοικία.	
κτίζομαι (κτισθῶ)	to be built
Θά πάρετε ἀμέσως τό διαβατήριό σας. Δέν πιστεύω νά σᾶς φέρουν <u>δυσκολίες</u>.	
ἡ δυσκολία	difficulty

Τό κτηματομεσιτικό γραφεῖο τοῦ κ.Μαυρέα εἶναι γεμάτο κόσμο, πού θέλει
νά νοικιάση διαμερίσματα. Ὁ κ.Μαυρέας εἶναι ἕνας πολύ ἔξυπνος ἄνθρωπος καί
προσπαθεῖ μέ κάθε τρόπο νά ἱκανοποιήση τούς πελάτες του. Τούς βρίσκει τά δια-
μερίσματα πού θέλουν καί ὕστερα τούς πάει καί τούς τά δείχνει. Ὅταν αὐτά τά
διαμερίσματα συμφωνοῦν μέ τά γοῦστα καί τίς ἀνάγκες τῶν πελατῶν του αὐτοί τά
παίρνουν, ἤ μᾶλλον παίρνουν τά κλειδιά τῶν διαμερισμάτων, πληρώνοντας, βεβαίως,
μία προκαταβολή. Κάποτε οἱ πελάτες πρέπει νά προπληρώσουν ἕξι ἤ καί περισσότε-
ρα ἐνοίκια προκαταβολικῶς, ἀνάλογα μέ τό τί ζητᾶ ὁ ἰδιοκτήτης. Ἀλλά ὁ κ.Μαυ-
ρέας κάνει ὅτι μπορεῖ γιά νά δώσουν λιγώτερη προκαταβολή καί ἄν τό ἐνοίκιο
εἶναι πολύ ἀκριβό, προσπαθεῖ νά κάνη στούς πελάτες του μία καλλίτερη τιμή.
Γι᾽αὐτό καί τόν προτιμοῦν ὅλοι, διότι ἄν μένετε σέ πολυκατοικία δέν εἶναι μόνο
τό ἐνοίκιο πού πρέπει νά πληρώσετε, ἀλλά καί πολλά ἄλλα πράγματα, ὅπως τόν
μισθό τοῦ θυρωροῦ, παραδείγματος χάριν, τό καλοριφέρ, τό ἠλεκτρικό, κ.τ.λ.
Καί τί νά πῆ κανείς γιά τόν λογαριασμό τοῦ νεροῦ πού κάποτε εἶναι πέντε φορές
μεγαλύτερος ἀπ᾽τόν κανονικό, ἐπειδή ὁ διπλανός σας εἶναι σπάταλος καί τοῦ ἀρέ-
σει νά κολυμπάη μέρα-νύχτα σάν τήν πάπια μέσα στό νερό, ἤ ἐπειδή ἡ διπλανή σας
ἔχει ἕνα μωρό καί βάζει κάθε μέρα τό πλυντήριο. Κι᾽ἐσεῖς ὅπως ὅλοι οἱ ἄλλοι
ἔνοικοι πρέπει σάν καλοί Χριστιανοί νά μοιρασθῆτε τά ἔξοδά τους καί τήν σπατάλη
τους... Ἀλλά ἀρκετά γι᾽αὐτό τό θέμα.
Οἱ περισσότεροι πελάτες τοῦ κ.Μαυρέα προτιμοῦν τά ρετιρέ πού ἔχουν ὡραία θέα.
Μερικοί ἄλλοι ὅμως προτιμοῦν τόν πρῶτο ἤ δεύτερο ὄροφο, διότι δέν τούς ἀρέσουν
οἱ πολλές σκάλες ἤ διότι φοβοῦνται νά μπροῦν στό ἀσανσέρ... Εὐτυχῶς γιά τόν
κ.Μαυρέα καί τούς πελάτες του τόν τελευταῖο καιρό ἔχουν κτισθῆ τόσες πολλές
πολυκατοικίες στήν Ἀθήνα πού ὁ καθένας μπορεῖ νά βρῆ αὐτό πού θέλει χωρίς
δυσκολία.

Response Drill

B

Τί θέλουν ὅλοι αὐτοί στό κτηματομεσιτικό γραφεῖο τοῦ κ.Μαυρέα;
Τί εἴδους ἄνθρωπος εἶναι αὐτός;
Τί προσπαθεῖ νά κάνη;
Πῶς ἀκριβῶς κάνει τήν δουλειά του;

Τί κάνουν οἱ πελάτες ὅταν βροῦν τό κατάλληλο διαμέρισμα;

Πόσα ἐνοίκια πρέπει νά πληρώσουν κάποτε προκαταβολικῶς;

Πληρώνουν οἱ πελάτες τόσα πολλά λεφτά;

Μένουν ἱκανοποιημένοι μέ τήν δουλειά τοῦ κ.Μαυρέα;

"Αν μένετε σέ μία πολυκατοικία τό ἐνοίκιο εἶναι τό μόνο πρᾶγμα πού πληρώνετε;

Τί νομίζετε γιά τόν λογαριασμό τοῦ νεροῦ παραδείγματος χάριν;

Γιατί γίνεται αὐτό;

Καλά δέν πληρώνουν αὐτοί μόνοι τους τούς λογαριασμούς τους;

Εἴπατε τίποτα, κύριε;

Τί προτιμοῦν οἱ περισσότεροι πελάτες τοῦ κ.Μαυρέα;

Γιατί προτιμοῦν αὐτούς τούς ὀρόφους;

Μπορεῖ νά βρῆ κανείς εὔκολα ἕνα διαμέρισμα τοῦ γούστου του σήμερα στήν ᾿Αθήνα;

Πῶς συμβαίνει αὐτό;

Grammatical Notes

Note 24.1 Verb: Prefix ξανα- 'again'.

"Ημουνα ἕτοιμος νά ξαναπάω ἐκεῖ.	I was about to go there again.
Θά τά ξαναποῦμε ὅταν γυρίσω.	We'll talk it over again when I come back.
"Ηθελε νά τήν ξαναφέρουν στήν ᾿Αμερική.	She wanted them to take her back to America.
῾Ο Θεός νά μέ ἀξιώση νά ξαναζήσω τίς ὑπέροχες αὐτές στιγμές.	[I hope] God will grant me to live again those beautiful moments.

As illustrated by the above examples the verbs with the prefix ξανα- correspond in meaning to English 'do so-and-so again', 'to re-do' something.

This prefix is extremely productive in Greek, and can be used with a great number of verbs, e.g. ξαναβλέπω 'to see again' ξαναβγαίνω 'to go out again', ξανα-βρίσκω 'to find again', ξαναγίνομαι 'to recur' ξαναγράφω 'to rewrite' ξαναγυρίζω 'to come back again', ξαναδιαβάζω 'to read again' ξαναδίνω 'to give back' ξαναζητῶ 'to claim back' ξαναζῶ 'to revive' ξανακτίζω 'to rebuild' ξαναμαθαίνω 'to learn afresh', ξαναμιλῶ 'to speak again', ξαναπαίρνω 'to re-take' ξαναπαντρεύομαι 'to remarry' ξαναπιάνω 'to catch again', etc. etc.

Verbs beginning with a vowel usually have this vowel assimilated with the /a-/ of the prefix ξανα- e.g.

ἀγαπῶ	'to love'	ξαναγαπῶ	'to love again'
ἀγοράζω	'to buy'	ξαναγοράζω	'to repurchase'
ἀνοίγω	'to open'	ξανανοίγω	'to reopen'
ἔρχομαι	'to come'	ξανάρχομαι/	'to return'
		ξαναέρχομαι	etc.

Note 24.2 Verb: Present Active Participle

Μπορεῖτε νά πάρετε τό αὐτοκίνητο, πλη-   You can drive this car ('take it') on

ρώνοντας μία προκαταβολή.   paying a down-payment.

This example illustrates the use of the Present Active Participle, which is formed by adding the suffix -οντας (Class I Verbs) and -ῶντας   (Class II Verbs) to the Present stem of the verb.

The Present Active Participle means 'on doing so-and-so' and is indeclinable. (The corresponding katharevusa form, which is declinable, will be discussed in later units).

Examples: πηγαίνοντας, τρώγοντας, μιλῶντας, γελῶντας etc.

Response Exercise

Σέ ποιά συνοικία τῆς πόλεως μένετε;

Μένετε σέ σπίτι ἤ σέ διαμέρισμα;

Ἄν μένετε σέ σπίτι, εἶναι δικό σας αὐτό τό σπίτι;

Πόσα δωμάτια ἔχει τό σπίτι ἤ τό διαμέρισμά σας;

Πότε χτίστηκε αὐτό τό σπίτι;

Θυμᾶστε ἄν πληρώσατε στήν ἀρχή προκαταβολή γιά τό σπίτι ἤ γιά τό διαμέρισμά σας;

Πόσα πληρώνετε τόν μῆνα γιά ἐνοίκιο;

Πόσα πληρώνετε γιά ἠλεκτρικό, καλοριφέρ καί νερό;

Ἄν μένετε σέ πολυκατοικία, ἔχει θυρωρό αὐτή ἡ πολυκατοικία;

Ἔχετε ὡραία θέα ἀπ'τό διαμέρισμά σας ἤ τό σπίτι σας;

Τί εἴδους ἔπιπλα ἔχετε στό σαλόνι καί τήν τραπεζαρία σας;

Ἔχετε κῆπο;

"Εχετε πολλά δέντρα στόν κῆπο σας;

"Εχετε γκαράζ;

Σᾶς ἀρέσει νά δέχεσθε κόσμο στό σπίτι σας καί γιατί;

"Αν θέλετε νά δέχεσθε ὅλη τήν ὥρα κόσμο στό σπίτι σας, νομίζετε ὅτι εἶναι
   καλλίτερα νά μένετε σ'ἕνα σπίτι ἤ σ'ἕνα διαμέρισμα καί γιατί;

Σᾶς ἀρέσει ἄν ζῆτε σέ διαμέρισμα νά ἔρχωνται οἱ ἄλλοι ἔνοικοι στό σπίτι σας
   ὅποτε θέλουν, κι'ἄν ὄχι γιατί;

Ξέρετε ἄν ὑπάρχει κάποια διαφορά στόν τρόπο ζωῆς τῶν ἀνθρώπων μιᾶς ἀμερικα-
   νικῆς πολυκατοικίας ἀπό μιᾶς εὐρωπαϊκῆς ἤ ἑνός ἄλλου μέρους τοῦ κόσμου;

Ποῦ εἶναι,κατά τήν γνώμη σας, καλλίτερα νά μένη μία οἰκογένεια μέ παιδιά
   σ'ἕνα διαμέρισμα ἤ σ'ἕνα σπίτι καί γιατί;

Μπορεῖτε νά μᾶς πῆτε ποιό ἦταν τό καλλίτερο σπίτι πού μείνατε ποτέ, σέ
   ποιό μέρος ἦταν, πῶς ἦταν κ.τ.λ.;

Unit 25

Basic Dialogue

Part I

ἡ νοσοκόμος

Περάστε μέσα, παρακαλῶ, καθῆστε.   Come on in please. Take a seat. Which
Μέ ποιόν γιατρό ἔχετε ραντεβοῦ;   doctor do you have an appointment with?

ἕνας ἀσθενής   a patient

ὁ παθολόγος   (the) doctor (general practitioner)
ὁ χειροῦργος   (the) surgeon

Μέ τόν παθολόγο, ἀλλά θέλω νά ξέρω   With the general practitioner, but I'd also
ποιές ὧρες δέχεται τό πρωΐ καί ὁ   like to know when ('which hours') the
χειροῦργος.   surgeon receives [patients] in the morning.

νοσοκόμος

Ὁ κ.Παπαδόπουλος δέχεται μετά τίς   Dr.('Mr') Papadopoulos sees them after
δύο.   2.p.m.

ὑποβάλλω (ὑποβάλω)   to submit, to present, suggest

Θά ἤθελα ὅμως τώρα νά σᾶς ὑποβάλω μερι-   However I'd like to ask ('submit') you some
κές ἐρωτήσεις. Πῶς λέγεσθε; Ποῦ   questions now. What is your name? Where
ἐργάζεσθε;   do you work?

ἀσθενής

ἀγροτικός, -ή, -ό   rural, agricultural
ἡ ἀσφάλεια/ἀσφάλισις   (the) insurance, security
τό ταμεῖο   (the) cashier's office
ἡ ὑγεία   (the) health

Πραξιτέλης Τριανταφύλλου. Ἐργάζομαι   [My name is] Praksitelis Triandafilu. I work
στήν Ἀγροτική Τράπεζα καί ἔχω ἀσφά-   at the Agricultural Bank and have health
λεια μέ τό Ταμεῖο Ὑγείας τῆς Τρα-   insurance with the bank.
πέζης.

<u>νοσοκόμος</u>

ασφαλισμένος, -η, -ο	insured
τό ἴδρυμα	(the) establishment, institution
τό "Ιδρυμα Κοινωνικῶν	National Social Insurance
'Ασφαλήσεων (I K.A.)	(I.K.A.)

Δέν εἶσθε ἀσφαλισμένος στό "Ιδρυμα Κοι-   You are not insured with the National
νωνικῶν 'Ασφαλήσεων;   Social Insurance?

<u>ἀσθενής</u>

δημόσιος, -α, -ο	public

"Οχι. Τό I.K.A. εἶναι γιά τούς   No, IKA is for public servants, workers,
δημοσίους ὑπαλλήλους, ἐργάτες κ.τ.λ.   etc.

End of Tape 12A

Tape 12B

<u>Part II</u>

<u>νοσοκόμος</u>

τό ἱστορικό	(the) history of one's health
γεννιέμαι (γεννηθῶ)	to be born
τό ἔτος	(the) year (K.)

'Εν τάξει. Μπορῶ τώρα νά πάρω τό   All right. Now I can take down the history
ἱστορικό σας. Ποῦ γεννηθήκατε;   of your illness. Where were you born?
Πόσων ἐτῶν εἶσθε;   How old are you?

<u>ἀσθενής</u>

ἡ Κύπρος	Cyprus

Γεννήθηκα στήν Κύπρο καί εἶμαι 45   I was born in Cyprus and am 45 years old.
ἐτῶν.

<u>νοσοκόμος</u>

πάσχω	to suffer, to be ill (K.)
χρόνιος, -α, -ο	chronic
ἡ ἀσθένεια/νόσος (K.)/	(the) illness, sickness
ἀρρώστεια	

Πάσχετε ἀπό καμμία χρονία ἀσθένεια;   Do you have any chronic diseases?

ἀσθενής

δόξα τῷ Θεῷ/δόξα σοι ὁ Θεός	thank God!

"Οχι. Δόξα τῷ Θεῷ. "Εχω ἀρκετά καλή ὑγεία.

Thank God, no! I'm in pretty good health.

κάπου	somewhere
κάπου-κάπου	here and there, from time to time
τά ἀρθριτικά	arthritis
γερνῶ (γεράσω) (1)	to get older

Τό μόνο εἶναι ὅτι κάπου-κάπου ἔχω μερικούς πόνους ἀπό λίγα ἀρθριτικά. Γερνᾶμε, βλέπετε.

The only thing is that from time to time I suffer from arthritic pains. But you know, we're getting old!

νοσοκόμος

Τί ἀκριβῶς αἰσθάνεσθε τώρα; Ποῦ πονᾶτε;

How (exactly) are you feeling now? Where do you have pain?

ἀσθενής

ὁ πόνος	(the) pain
τό στομάχι	(the) stomach
ὁ πονοκέφαλος	(the) headache
ἡ ἀδιαθεσία	(the) weakness, indisposition

Αὐτήν τήν στιγμή ἔχω λίγους πόνους στό στομάχι, πονοκέφαλο καί μία γενική ἀδιαθεσία.

This very moment I have some pain in my stomach, a headache and a kind of general weakness.

πρό	before (K.)
πρό μηνός	a month ago (K.)
ἐξετάζω (ἐξετάσω)	to examine
(Simple Past: ἐξήτασα)	
τό ἕλκος	(the) ulcer

Ξέχασα νά σᾶς πῶ, πρό μηνός στό ἐξω-

I forgot to tell you that I had a medical

τερικό πού μέ ἐξήτασαν μοῦ εἶπαν ὅτι εἶχα ἕλκος.	examination ('they examined me') abroad a month ago and I was told I had ulcers.
ὁποῖος, -α, -ον	which
δέ	but, now, then
ἡ σκωληκοειδίτις	(the) appendicitis
ἐγχειρίζομαι (ἐγχειρισθῶ)	to be operated
ἡ ἐπιπλοκή	(the) complication

| 'Επί πλέον δέ καί σκωληκοειδίτιδα, ἡ ὁποία μοῦ εἶπαν πρέπει νά ἐγχειρισθῆ διότι πιθανόν νά μοῦ προκαλέση ἐπι- πλοκές. | Now, in addition to all this [I have] appendicitis which they told me I should be operated on   ('which must be operated') because otherwise it may cause complications. |

| κατά τά ἄλλα | as for the rest, otherwise |
| Κατά τά ἄλλα ἡ ὑγεία μου εἶναι πάρα πολύ καλή. | Otherwise my health is excellent. |

νοσοκόμος

| τό ἰατρεῖο | (the) doctor's office |
| γδύνομαι (γδυθῶ) | to undress , oneself |

| Ναί καταλαβαίνω... Περάστε στό ἰα- τρεῖο καί γδυθῆτε. | Yes, I understand... Come into the doctor's office and take off your clothes. |

ἑτοιμάζομαι (ἑτοιμασθῶ)	to get ready
προϊστάμενος, προϊσταμένη	chief, boss, superior
ἡ ἀδερφή προϊσταμένη	(the) head nurse
ἡ πίεσις	(the) pressure
ἡ μικροβιολόγος	(the) microbiologist
ἡ ἀνάλυσις	(the) analysis

| Μόλις ἑτοιμασθῆτε θά ἔρθη ἡ ἀδερφή προϊ- σταμένη γιά νά σᾶς πάρη τήν πίεσι καί ἡ μικροβιολόγος γιά διάφορες ἀναλύ- σεις. | As soon as you're ready the head nurse will come and take your [blood] pressure and a microbiologist will come for various analyses. |

Part III

μικροβιολόγος

τελευταῖα/τελευταίως	lately, recently
τό αἷμα	(the) blood
τά οὖρα	(the) urine

Κάνατε τελευταῖα ἀνάλυσι αἵματος καί οὖρων;

Have you had your blood and urine analysed recently?

ἀσθενής

ἡ ἀκτινογραφία	X-ray
ὁ πνεύμων	(the) lung
τό καρδιογράφημα	(the) cardiogram

"Οχι τώρα τελευταῖα. Θά ἤθελα, ἄν εἶναι δυνατόν, νά βγάλω καί μία ἀκτινογραφία τῶν πνευμόνων καί ἕνα καρδιογράφημα.

Not recently. I'd like if possible to get an X-ray of my lungs and a cardiogram.

μικροβιολόγος

προηγούμενος, προηγουμένη προηγούμενο	previous

Μπορεῖτε νά βγάλετε ἀκτινογραφία. 'Αλλά ἔχουμε τό προηγούμενο καρδιογράφημά σας.

You can get the X-ray, but we have your previous cardiogram.

ὁ συνάδελφος	(the) colleague
ὁ καρδιολόγος	(the) cardiologist
ὁ κόπος	(the) effort
δέν ἀξίζει τόν κόπο	it's not worth while

'Ο συνάδελφός μας καρδιολόγος κ.Πονηρί-δης μόλις μᾶς τό ἔστειλε καί δέν ἔχε-τε τίποτα. Δέν ἀξίζει τόν κόπο νά βγάλετε ἕνα ἄλλο.

Our colleague Dr.Poniridis the cardiologist has just sent it to us and you don't have anything [wrong]. It's not worth while taking another one.

βήχω (βήξω)	to cough
κρυωμένος, -η, -ο	one who has a cold

'Αλλά ἐσεῖς βήχετε πολύ. Μήπως εἶσθε κρυωμένος;

But you're coughing a lot. Perhaps you have a cold?

<u>ἀσθενής</u>

μπά!	no!
ἡ γρίππη	(the) influenza
ὑψηλός, -ή, -ό	high (K.)
ὁ πυρεττός	(the) fever

ᵀΑ! μπά, λιγάκι. Ξέχασα νά σᾶς πῶ ὅτι εἶχα γρίππη καί ὑψηλό πυρεττό.

No, just a little bit. I forgot to tell you I had flu and a high fever though.

ἡ ἀσπιρίνη	(the) aspirin
τό φάρμακο	(the) medicine, drug
ὁ λαιμός	(the) neck, throat
κουράζομαι (κουρασθῶ)	to get tired
παραμικρός, -ή, -ό	tiny, very small

Πῆρα ὅμως μερικές ἀσπιρίνες καί ἕνα φάρμακο γιά τόν λαιμό καί τώρα εἶμαι καλλίτερα. 'Αλλά κουράζομαι μέ τό παραμικρό.

But I took several aspirins and some medicine for my throat and feel better now, but I get tired very easily.

<u>μικροβιολόγος</u>

ξαπλώνω (ξαπλώσω)	to lie down
ἐν τῷ μεταξύ	in the meantime
τό θερμόμετρο	(the) thermometer

Τότε ξαπλῶστε γιά λίγο καί ἀνοῖξτε τό στόμα σας, γιά νά σᾶς βάλη ἐν τῷ μεταξύ ἡ ἀδελφή τό θερμόμετρο.

Then lie down for a while and open your mouth, so that, in the meantime, the nurse may take your temperature ('put the thermometer').

ἀνεβαίνω (ἀνεβῶ)	to go up, to rise
ἡ θερμοκρασία	(the) temperature

'Ανέβηκε λίγο ἡ θερμοκρασία σας, ἀλλά

Your temperature is a little high, but

δέν πειράζει.   it doesn't matter.

μικροβιολόγος

ἀδιάθετος, -η, -ο   indisposed

εἶσθε μιά χαρά   you 're in good shape

Εἶναι πού εἶσθε λίγο ἀδιάθετος. Μή   It's because you are a little indisposed.

φοβᾶσθε, εἶσθε μιά χαρά.   Don't worry, you're in good shape.

Λοιπόν ἐγώ φεύγω. Ὁ γιατρός θά σᾶς   Now I'm leaving. The doctor will examine

ἐξετάση ἀμέσως. Χαίρετε καί περα-   you in a minute. Goodbye and I hope you'll

στικά.   feel well again.

Grammatical Notes

Note 25.1 Numeral: Ordinal Numerals.

Θέλω ἕνα εἰσιτήριο πρώτης θέσεως.   I want a first class ticket.

"Ἔχω ἕνα ὑπ'ὄψι μου στόν ὄγδοο ὄροφο...   I know of one on the eighth floor.

The ordinal numerals are:

πρῶτος	1st
δεύτερος	2nd
τρίτος	3rd
τέταρτος	4th
πέμπτος	5th
ἔκτος	6th
ἔβδομος	7th
ὄγδοος	8th
ἔνατος	9th
δέκατος	10th
ἐνδέκατος/ἐντέκατος	11th
δωδέκατος	12th
δέκατος τρίτος	13th
εἰκοστός	20th
εἰκοστός πρῶτος	21st

εἰκοστός δεύτερος	22nd
τριακοστός	30th
τεσσαρακοστός	40th
πεντηκοστός	50th
ἑξηκοστός	60th
ἑβδομηκοστός	70th
ὀγδοηκοστός	80th
ἐνενηκοστός	90th
ἑκατοστός	100th
ἑκατοστός εἰκοστός πρῶτος	121st
διακοσιοστός	200th
τριακοσιοστός	300th
χιλιοστός	1000th
δισχιλιοστός	2000th
τρισχιλιοστός	3000th
δεκακισχιλιοστός	10000th
ἑκατοντακισχιλιοστός	100000th
ἑκατομμυριοστός	,000000th

Ordinal numerals are declined in all three genders like adjectives in - ος, -η, -ο.

Additional vocabulary

Physicians

μαιευτήρ-γυναικολόγος	obstetrician-gynecologist
ὀφθαλμίατρος	ophthalmologist
ὠτορινολαρυγγολόγος	otolaringologist
παιδίατρος	pediatrician
ὀδοντίατρος	dentist
ψυχίατρος	psychiatrist

Hospitals

τό μαιευτήριον	Maternity
τό ψυχιατρεῖον	Mental Institution
ἡ νευρολογική κλινική	Neurological Clinic

Patients

νευρασθενής	neurotic
ψυχοπαθής	psychopath

Diseases

ἡ ἱλαρά	measles
ἡ ἀνεμοβλογιά	chicken pox
ἡ ἡπατῖτις	hepatitis
ἡ συγκοπή καρδίας	heart attack
ὁ καρκῖνος	cancer

Useful words

ἡ ἐγχείρησις	(surgical) operation
ἡ διαφορά	difference
τά θαλασσινά	shellfish
τά μύδια	mussels
τά στρείδια	oysters
βρώμικος	dirty
συχνά	often
μεταξύ	between
θεραπεύομαι (θεραπευθῶ)	to be cured
νοσηλεύομαι (νοσηλευθῶ)	to be treated (patient)
ἀποφεύγω (ἀποφύγω)	to avoid
καλύπτω (καλύψω)	to cover

Response Exercise

Πῶς εἶναι ἡ ὑγεία σας;

"Ἠσασταν ποτέ πολύ ἄρρωστος;

Τί εἴχατε;

Πηγαίνετε συχνά στούς γιατρούς;

"Εχετε ποτέ ἐγχειρισθῆ;

"Αν ναί, τί εἴδους ἐγχείρησι ἐκάνατε;

Σέ ποιό νοσοκομεῖο ἐπήγατε;

Θυμᾶστε τί σᾶς ἔκαναν πρίν σᾶς ἐγχειρίσουν;

Τί εἴδους ἀσφάλεια ἔχετε;

Ἡ ἀσφάλειά σας καλύπτει τά νοσοκομεῖα καί τίς ἐπισκέψεις τῶν γιατρῶν;

Ἤσαστε ποτέ σέ νοσοκομεῖο στό ἐξωτερικό;

Πήγατε ποτέ νά ἐπισκεφθῆτε ἕνα μαιευτήριο στό ἐξωτερικό;

Μπορεῖτε νά μᾶς πῆτε πῶς εἶναι αὐτά τά νοσοκομεῖα;

Ποιά εἶναι ἡ διαφορά, κατά τήν γνώμη σας, μεταξύ ἑνός ἀμερικανικοῦ νοσοκο-
μείου καί ἑνός ξένου;

Νομίζετε ὅτι οἱ γιατροί εἶναι πολύ ἀκριβοί στήν 'Αμερική;

Ποιά εἶναι ἡ διαφορά μεταξύ ἑνός παθολόγου καί ἑνός χειρούργου;

Θά σᾶς ἄρεσε νά εἴσαστε γιατρός;

Ποιά εἶναι τά μειονεκτήματα τῆς δουλειᾶς ἑνός γιατροῦ καί ποιά τά πλεονεκτήματα;

Ποιές εἶναι οἱ πιό ἐπικίνδυνες ἀρρώστειες σήμερα;

Μπορεῖ νά θεραπευθῆ ὁ καρκῖνος;

Ξέρετε γιατί ὑπάρχουν τόσοι πολλοί νευρασθενεῖς καί ψυχοπαθεῖς σήμερα;

Ξέρετε ποῦ νοσηλεύονται αὐτοῦ τοῦ εἴδους οἱ ἀσθενεῖς;

Ξέρετε ποιοί γιατροί ἀσχολοῦνται μέ αὐτοῦ τοῦ εἴδους τῆς ἀσθένειες;

Ξέρετε τί ἀρρώστειες μπορεῖ νά πάθη ἕνας ξένος πού πηγαίνει στήν 'Ελλάδα;

Ξέρετε ὅτι πρέπει νά ἀποφεύγετε νά τρῶτε τά θαλασσινά πού βγαίνουν σέ βρώμικα
νερά (μύδια, στρείδια, κ.τ.λ.) διότι αὐτά προκαλοῦν τήν ἡπατίτιδα;

R E V I E W

Units 21-25

Review Drills

Fill in each blank with the proper form of the word given on the right.

Πρῶτα αὐτός δέν _____ ποτέ πόνους στό σῶμα του.   αἰσθάνομαι

Ξέραμε ὅτι ἔλεγε τήν ἀλήθεια. Δέν _____ γι'αὐτό οὔτε   ἀμφιβάλλω
μία στιγμή.

Πίστευε ὅτι μία ἡμέρα θά _____ νά πήγαινε σ'ἐκείνη τήν   ἀξιώνομαι
ὑπέροχη χώρα.

Θυμᾶμαι ὅτι περπατοῦσες πάντα τόσο σιγά. Δέν _____ ποτέ.   βιάζομαι

Κάθε πρωΐ ἔπρεπε ἐμεῖς νά τοῦ _____ τί θά ἔκανε ἐκείνη   θυμίζω
τήν ἡμέρα.

Τούς ἄρεσε νά _____ πολύ δυνατά.   γελῶ

Ὁ συγγραφεύς _____ πάντα μέ τόν φίλο του τόν βουλευτή.   διαφωνῶ

Οἱ φίλοι σας πρῶτα δέν _____ ποτέ τόν ἀριθμό τοῦ σπιτιοῦ   θυμᾶμαι
σας.

Ἦταν πολύ περίεργος στήν δουλειά του. Δέν τόν _____   ἱκανοποιῶ
κανένας ὑπάλληλος.

Ἕνα αὐτοκίνητο σταμάτησε στήν μέση τοῦ δρόμου καί μᾶς   καθυστερῶ
_____ πάρα πολύ.

Τοῦ ἄρεσε τόσο πολύ αὐτό τό σπίτι πού ἔδωσε ἀμέσως μία   καπαρόνω
προκαταβολή γιά νά τό _____.

Ὅλοι ἔλεγαν ὅτι ἐσεῖς πρῶτα _____ πολλά λεφτά.   κερδίζω

Αὐτά τά μαγαζιά δέν _____ ποτέ πρίν ἀπό τίς δέκα.   κλείνω

Τοῦ ἄρεσε νά τούς κυττάζη ὅταν αὐτοί _____ τό κρέας.   κόβω

Δέν σᾶς τό εἴπαμε γιά νά σᾶς _____.   κολακεύω

Τό λιμάνι ἦταν γεμάτο ἀπό ναῦτες πού _____.   κολυμπῶ

Ἤθελαν νά _____ αὐτό τό σπίτι οἱ δυό τους.   μοιράζομαι

Ποτέ δέν περίμενε τούς ἄλλους νά περάσουν. _____   μπαίνω
πάντα πρῶτος.

Αὐτή ἡ καινούργια πολυκατοικία εἶναι πολύ ὄμορφη. Θά _____   νοικιάζομαι ἀμέσως.

"Εμεναν τόσο μακρυά οἱ συγγενεῖς τους, πού ὅταν πήγαιναν νά τούς

δοῦν _____ τό πρωΐ καί ἔφταναν τό βράδυ.   ξεκινῶ

"Αν καί πολλές φορές ἦταν στό ἄλλο δωμάτιο ὅταν μιλούσαμε ἐμεῖς   ξεφεύγω

οἱ δύο, δέν τῆς _____ ποτέ οὔτε μία λέξι ἀπ'τήν κουβέντα

μας.

Κάθε πρωΐ χρειάζονται μία ὥρα γιά νά _____.   ξυρίζομαι

Δέν ξυριζόταν ποτέ μόνος του, πήγαινε πάντα στόν κουρέα, γιατί ξυρίζω

ἔλεγε ὅτι αὐτός τόν _____ πολύ καλά.

Τούς _____ ὅλα τά χρήματά τους κι'ἔτσι μπόρεσαν ν'ἀνεβοῦν   παραδίνω

στό πλοῖο.

Κανένας δέν τούς _____. Ἦταν καί οἱ δυό τους πολύ περίεργοι πλησιάζω

ἄνθρωποι.

Χωρίς νά _____ πῆγε κι'ἀγόρασε ἐκεῖνο τό καινούργιο αὐτοκί- πολυσκέπτομαι

νητο.

Μέ κάθε τρόπο προσπαθοῦσαν νά τοῦ _____ τό ἐνδιαφέρον.   προκαλῶ

Φύγατε τόσο γρήγορα πού δέν _____ οὔτε νά σᾶς δοῦμε.   προλαβαίνω

Αὐτό τό κουστούμι δέν εἶναι καθόλου καλό. Δέν _____ ποτέ   προσέχω

τί ἀγοράζετε.

Αὐτοί στόν πόλεμο _____ ὅλους τούς κατοίκους αὐτοῦ τοῦ χω- σκοτώνω

ριοῦ.

Δέν (αὐτό) _____ ποτέ νά γνωρίσουμε τούς φίλους σας.   τυχαίνω

Ὁ μισθός τους πρῶτα δέν _____ τίς 6.000 δρχ.-   ὑπερβαίνω

Σ'αὐτό τό μέρος τῆς πόλεως ἔχουν _____ πολλά καινούργια   κτίζομαι/χτί-

κτίρια.   ζομαι

Ὁ πρόξενος τούς _____ διάφορες ἐρωτήσεις.   ὑποβάλλω

Ὁ γιός τους _____ τό 1965.   γεννιέμαι

"Ολο λέτε ὅτι _____, ἀλλά ἐσεῖς φαίνεσθε κάθε φορά πού   γερνῶ

σᾶς βλέπουμε νεώτερος.

Ἦταν πολύ γεροί ἄνθρωποι, δέν _____ ποτέ ἀπό τίποτα.   πάσχω

Δέν ἔχετε τίποτα. Πρίν ἕνα μῆνα σᾶς _____ οἱ γιατροί.   ἐξετάζω

"Οταν _____ τόν ἄκουγε ὅλος ὁ κόσμος.   βήχω

"Οταν ἀνέβαινε τήν σκάλα, _____ τόσο πολύ πού δέν μπο-   κουράζομαι
ροῦσε νά μιλήση.

Κάθε μεσημέρι τούς ἄρεσε νά _____ γιά μία-δύο ὧρες.   ξαπλώνω

"Επρεπε νά _____ ἑκατό σκάλες γιά νά πάη στήν δουλειά του. ἀνεβαίνω

Τίς περισσότερες φορές τά παιδιά τους _____ στήν τραπε-   γδύνομαι
ζαρία.

Ὁ φίλος σας θά _____ αὔριο τό πρωΐ.   ἐγχειρίζομαι

Αὐτός ὁ ἄνθρωπος κάνει πάντα ὅτι μπορεῖ γιά νά _____   προκαλῶ
φασαρίες.

Βλέπω ὅτι γιά νά _____ χρειάζεσαι τ'ὀλιγώτερο δύο ὧρες.   ἑτοιμάζομαι

Narrative

Τόν τελευταῖο καιρό στήν Ἀθήνα κτίζουν πολλές πολυκατοικίες. Πολυκατοι-
κίες μέ μοντέρνα διαμερίσματα καί ρετιρέ μέ ὑπέροχη θέα. Φαίνεται ὅτι οἱ
κάτοικοι τῶν Ἀθηνῶν* προτιμοῦν νά μένουν σέ πολυκατοικίες, διότι ἐκεῖ ἔχουν
ὅλες τίς ἀνέσεις. Γιά νά βροῦν ἕνα καλό διαμέρισμα πηγαίνουν στά διάφορα
κτηματομεσητικά γραφεῖα τῆς πόλεως. Οἱ ὑπάλληλοι τῶν γραφείων αὐτῶν κάνουν
ὅτι μποροῦν γιά νά τούς ἐξυπηρετήσουν καί τούς δείχνουν πάντα τά καλλίτερα
διαμερίσματα. "Αν αὐτά τά διαμερίσματα συμφωνοῦν μέ τά γοῦστα τῶν πελατῶν
τους, αὐτοί δίνουν μία προκαταβολή καί τά νοικιάζουν.

Οἱ πολυκατοικίες ἔχουν συνήθως 8 ὀρόφους. Στό πρῶτο πάτωμα κάποτε
εἶναι κουρεῖα, γραφεῖα, ἰατρεῖα παθολόγων καί χειρούργων, φαρμακεῖα, μπακάλικα
καί διάφορα ἄλλα μαγαζιά. Στούς ἄλλους ὀρόφους ὑπάρχουν διαμερίσματα τῶν δύο,
τριῶν, τεσσάρων δωματίων κ.τ.λ. καί στόν ὄγδοο ὄροφο τά ρετιρέ. Τά ρετιρέ
ἔχουν πολύ ὡραία θέα. Αὐτά τά διαμερίσματα ἔχουν ὅλες τίς ἀνέσεις, κεντρική
θέρμανσι, ἠλεκτρικές κουζίνες, ζεστό νερό κ.τ.λ. Δυστυχῶς μόνο πολύ λίγα ἀπ'
αὐτά εἶναι ἐπιπλωμένα. Οἱ ἔνοικοι τῶν πολυκατοικιῶν εἶναι συνήθως ἄνθρωποι
καλῆς οἰκονομικῆς καταστάσεως καί ἔχουν τά δικά τους ἔπιπλα. Τραπεζαρίες ἀπό
θαυμάσιο ξύλο, ἀναπαυτικές πολυθρόνες, ὡραῖες καρέκλες καί κρεββατοκάμαρες ἐπι-
πλωμένες μέ πολύ γοῦστο.

Ἡ βραδυνή ζωή στά διαμερίσματα τῶν πολυκατοικιῶν εἶναι μᾶλλον ἤσυχη.

─────────────────
*Athens in katharevusa is αἱ Ἀθῆναι

Οἱ ″Ελληνες,βλέπετε, εἶναι συνειθισμένοι νά βγαίνουν ἔξω τά βράδυα καί πολύ
λίγοι μένουν στό σπίτι τους, ἤ δέχονται ἐκεῖ τούς φίλους τους. Τό καλοκαίρι
ὅμως αὐτοί πού ἔχουν βεράντες περνοῦν τόν περισσότερο καιρό τους σ'αὐτές.
'Η θέα ἀπ'τίς βεράντες αὐτές εἶναι ὑπέροχη. Τά πανέμορφα βουνά τῆς 'Αθήνας
καί ἡ θαυμάσια θάλασσα φαίνονται ἀπό παντοῦ.

Μιά ὅμως πού μιλᾶμε γιά τόν τρόπο ζωῆς τῶν κατοίκων τῶν 'Αθηνῶν θά σᾶς
πῶ λίγα περισσότερα πράγματα γιά τό πῶς περνοῦν τόν καιρό τους οἱ ἄνθρωποι
αὐτοί. Οἱ ἄντρες, βεβαίως, πηγαίνουν κάθε πρωΐ στίς ἐργασίες τους καί κάθε
ἀπόγευμα στά καφενεῖα τους. Οἱ γυναῖκες, ἄν δέν ἐργάζωνται, μένουν στά σπίτια
τους καί κάνουν τίς δουλειές τους. Πηγαίνουν στήν ἀγορά γιά ν'ἀγοράσουν διά-
φορα πράγματα γιά τό φαγητό τους, κρέας ἀπ'τό χασάπικο, ψάρια ἀπ'τά ψαράδικα
καί λαχανικά καί φροῦτα ἀπ'τό μανάβικο. 'Εκεῖνες ὅμως οἱ γυναῖκες πού ἔχουν
ὑπηρέτριες δέν κάνουν τίποτα,παρά πηγαίνουν πρωΐ-πρωΐ κατ'εὐθεῖαν στό κομμω-
τήριο γιά νά φτειάξουν τά μαλλιά τους σύμφωνα μέ τήν μόδα καί νά γίνουν ὡραῖες.
″Αλλες πηγαίνουν τά μωρά τους περίπατο καί ἄλλες πού ἔχουν λίγα ψυχολογικά
προβλήματα* σάν τήν φίλη μας τήν Κα τάδε, πηγαίνουν κάθε μέρα στούς γιατρούς
γιά νά ἐξετάσουν τήν πίεσί τους ἤ τό αἷμα τους καί νά τούς ποῦν γιά τούς πονο-
κεφάλους καί τίς ἀδιαθεσίες τους. ″Αλλες πάλι πού αἰσθάνονται πιό πολύ χαρά γιά
τήν ζωή, ἀλλά ὄχι ἀρκετή, μένουν στό σπίτι τους καί διαβάζουν διάφορα βιβλία
καί περιοδικά γιά νά μποροῦν νά μιλοῦν καλά στά διάφορα σαλόνια πού πηγαίνουν.
″Αν καί οἱ 'Ελληνίδες εἶναι πολύ ὁμιλητικές γυναῖκες, δέν συνηθίζουν νά τηλεφω-
νοῦν ἡ μία στήν ἄλλη τόσο πολύ ὅπως κάνουν οἱ γυναῖκες στήν 'Αμερική. Πηγαίνουν
ὅμως πότε-πότε** τό πρωΐ καί κάθονται λίγο στά σπίτια τῶν φίλων τους καί ἐκεῖ
πίνοντας τόν καφέ τους τά λένε καί τά ξαναλένε.

Αὐτό μέ λίγα λόγια εἶναι ἕνα μέρος τῆς ζωῆς τῶν 'Αθηναίων***. Καί ἄν
μιλήσαμε λίγο περισσότερο γιά τίς γυναῖκες καί τόν τρόπο τῆς ζωῆς τους εἶναι
διότι στήν 'Ελληνική ζωή ἡ γυναῖκα παίζει ἕναν πολύ σπουδαῖο καί μεγάλο ρόλά.-

---

* τό ψυχολογικό πρόβλημα   psychological problem
** πότε-πότε   from time to time
*** ὁ 'Αθηναῖος, ἡ 'Αθηναία   an Athenian

Telling Time

Κούρντισε τό ρολόϊ σου.	Wind your watch.
Χάλασε, δέν πάει καλά.	It's out of order, it's not running well.
Τό δικό μου τρέχει πολύ.	Mine is too fast.
'Εμένα πάει πίσω.	Mine is slow.
Τί ὥρα εἶναι;	What time is it?
Εἶναι ἐννέα τό πρωΐ	It's 9:00 a.m.
ἐννιά'μισυ	9:30
δέκα παρά τέταρτο	9:45
δέκα καί δέκα	10:10
δέκα καί τέταρτο	10:15
δεκά'μισυ	10:30
ἐνδεκά'μισυ	11:30
δώδεκα τό μεσημέρι	12:00 noon
δωδεκά'μισυ τό μεσημέρι	12:30 p.m.
μιά'μισυ	1:30
δυό'μισυ	2:30
τρεῖς ἥμισυ	3:30
τέσσερεις ἥμισυ τό ἀπόγευμα	4:30 p.m.
πεντέ'μισυ	5:30
ἑξί'μισυ	6:30
ἑπτά'μισυ	7:30
ὀκτώ'μισυ	8:30
ἐννέα καί εἴκοσι πέντε	9:25
δώδεκα τά μεσάνυχτα	12:00 midnight
πέντε τό πρωΐ	5:00 a.m.

End of Tape 12B

GLOSSARY

A

ἄγαλμα (τό)	statue	αἰσθάνομαι 22	to feel
ἀγάπη (ἡ)	love	αἰτία (ἡ)	cause, reason, motive
ἀγαπῶ 17	to love	αἰώνιος	eternal
ἀγορά (ἡ)	market place	ἀκόλουθος (ὁ)	attache
ἀγοράζω 9	to buy	ἀκόμα/ἀκόμη	still, yet, more
ἀγόρι (τό)	boy	ἀκούω 8	to hear, to listen
ἀγρόκτημα (τό)	farm	ἀκρίβεια (ἡ)	expensiveness,
ἀγροτικός	rural, agricultural		exactness
ἄδεια (ἡ)	leave, permit, license	ἀκριβής	exact
ἄδειος	empty	ἀκριβός	expensive
ἀδερφή/ἀδελφή (ἡ)	sister	ἀκριβῶς	exactly
ἀδερφή προΐστα-		'Ακρόπολις (ἡ)	Acropolis
μένη (ἡ)	head nurse	ἀκτινογραφία (ἡ)	X-ray
ἀδερφός/ἀδελ-		ἀλάτι (τό)	salt
φός (ὁ)	brother	ἀλήθεια (ἡ)	truth, truly, indeed
ἀδιαθεσία (ἡ)	weakness, indis-		
	position	ἀλλά	but
ἀδιάθετος	indisposed	ἀλλάζω 11	to change
ἀδύνατόν	impossible	ἀλλιῶς	otherwise
ἀδύνατος	weak	ἄλλο	anymore
ἀέρας (ὁ)	air, wind	ἄλλος	other
ἀεροδρόμιο (τό)	airport	ἄμαξα (ἡ)	carriage, cart
ἀεροπλάνο (τό)	airplane	ἀμαξοστοιχία (ἡ)	train
ἀεροπορία (ἡ)	aviation	ἀμερικανικός	American (adj.)
'Αθήνα (ἡ)	Athens	'Αμερικανός	American
'Αθῆναι (αἱ)		'Αμερική	America
ἀθλητισμός (ὁ)	athletics, sport	ἀμέσως	immediately
αἴθουσα (ἡ)	hall, parlor	ἀμέτρητος	innumerable
αἷμα (τό)	blood	ἀμφιβάλλω 22	to doubt

ἄν	if
ἄν καί	although
ἀναβάλλω 16	to put off, postpone
ἀνάγκη (ἡ)	necessity, need
ἀνάκτορο(ν) (τό)	palace
ἀνάλογα	in proportion to
ἀνάλυσις (ἡ)	analysis
ἀνάμνησις (ἡ)	recollection
ἀναμονή (ἡ)	waiting
ἀναπαυτικός	comfortable, convenient
ἀναχωρῶ 18	to depart, to leave
ἀνεβαίνω 25	to go up, to climb up
ἀνεμοβλογιά (ἡ)	chicken pox
ἄνεσις (ἡ)	leisure, comfort
ἀνησυχῶ 14	to worry
ἀνήψια (τά)	nephews and nieces
ἀνηψιά/ἀνεψιά (ἡ)	niece
ἀνηψιός/ἀνε-ψιός (ὁ)	nephew
ἄνθρωπος (ὁ)	human being, people
ἀνοίγω 23	to open
ἀνοικτός	open, light (color)
ἄνοιξις (ἡ)	spring
ἀντάμωσις (ἡ)	meeting
ἀντίο	good-by
ἄντρας/ἄνδρας (ὁ)	male, husband, man
ἀνυπόμονος	impatient
ἀξία (ἡ)	value
ἀξίζω 11	to be worth
ἀξιοθέατος	worth seeing
ἀξιωματικός (ὁ)	army officer
ἀξιώνω 23	to grant
ἀπαθής	indifferent
ἀπαντῶ 16	to answer
ἀπαραίτητος	indispensable
ἀπλᾶ/ἀπλῶς	simply
ἀπλός	simple
ἀπό	from
ἀπόγευμα (τό)	afternoon
ἀπογοητεύομαι 18	to be disappointed
ἀπογοητεύω 18	to disappoint
ἀποκτῶ 17	to obtain, acquire
ἀπολαμβάνω 18	to enjoy, benefit
᾿Απόλλων (ὁ)	Apollo
ἀποσκευές (οἱ)	luggage, baggage
ἀπότομος	steep
ἀποφασίζω 16	to decide
ἀποφεύγω 25	to avoid
ἀπόψε	tonight
ἀργά	late
ἀρέσω 10	to like
ἀρθριτικά (τά)	arthritis
ἀριθμός (ὁ)	number
ἀριστερά	to the left
ἀρκετά	sufficiently, enough
ἀρκετός	sufficient, several
ἀρμόδιος	one in charge
ἀρνάκι/ἀρνί (τό)	lamb
ἄρρωστος	ill
ἀρτοποιεῖον (τό)	bakery
ἀρχαῖος	ancient
ἀρχαιότης/-τητα (ἡ)	antiquity

ἀρχή (ἡ)	beginning, authority	ἀχθοφόρος (ὁ)	porter
ἀρχηγός (ὁ)	leader	ἀχλάδι (τό)	pear
ἀρχίζω 4	begin, start		
ἀσανσέρ (τό)	elevator	**B**	
ἀσθένεια (ἡ)	illness	βαγκόν λί (τό)	sleeping car
ἀσθενής (ὁ)	sick person, patient	βάζω 16	to put, to lay, to place
ἄσκημος	ugly	βάθος (τό)	depth
ἀσπιρίνη (ἡ)	aspirin	βαλίτσα (ἡ)	suitcase
ἄσπρος	white	βαμβακερός	cotton (adj.)
ἀστυφύλακας/-φύλαξ (ὁ)	policeman	βαπόρι (τό)	ship
		βαριέμαι 18	to be bored
ἀστυφύλακας τῆς τροχαίας (ὁ)	traffic policeman	βασανίζω 17	to torture
		βγάζω 16	to take out
ἀσφάλεια/ἀσφάλισις (ἡ)	insurance, security	βγαίνω 15	to go out
		βέβαιος	sure
ἀσφαλισμένος	insured	βεβαίως	certainly
ἀσφαλῶς	certainly	βενζίνη/-α (ἡ)	gasoline
ἀσχολοῦμαι 19	to be busy with	βεράντα (ἡ)	porch
ἀτμόσφαιρα (ἡ)	atmosphere	βερύκκοκο (τό)	apricot
ἄτομο(ν) (τό)	individual	βήχω 25	to cough
ἀτυχία (ἡ)	misfortune	βιάζομαι 22	to be in a hurry
αὐγό (τό)	egg	βιβλίο(ν) (τό)	book
αὔριο(ν)	tomorrow	βίζα (ἡ)	visa
αὐτί (τό)	ear	βλακεία (ἡ)	stupidity
αὐτοκινητιστικός	pertaining to auto	βλέπω 5	to see
αὐτοκίνητο(ν) (τό)	car	βοήθεια (ἡ)	help, aid
αὐτός	this, he, it	βοηθῶ 8	to assist, help
ἀφάνταστα	unbelieveably	βουλευτής (ὁ)	member of parliament
ἀφήνω/ἀφίνω 17	to leave, abandon, let	βουνό (τό)	mountain
ἀφοῦ	after, since	βούτυρο(ν) (τό)	butter
ἀφρόκρεμα (ἡ)	high society	βράδυ (τό)	evening
		βραδυνός	evening (adj.)

βρίσκομαι 14	to be found	γιά	for
βρίσκω 10	to find	γιαγιά (ἡ)	grandmother
βροχή (ἡ)	rain	γιατί	why
βρώμικος	dirty	γιατρός (ὁ)	doctor
		γίνομαι 15	to become
_Γ_		γκαρσόν (τό)	waiter
γάλα (τό)	milk	γλυκό (τό)	sweets
Γαλλία (ἡ)	France	γλῶσσα (ἡ)	language
Γαλλίδα (ἡ)	French woman	γνώμη (ἡ)	opinion
γαλλικός	France	γνωρίζω 11	to know, recognize
Γάλλος (ὁ)	Frenchman		to be acquainted
γαμπρός (ὁ)	brother-in-law, groom	γνωριμία (ἡ)	acquaintance
		γνωστός (ὁ)	known
γδύνομαι 25	to undress oneself	γονεῖς (οἱ)	parents
γεγονός (τό)	fact, event	γοῦστο (τό)	taste
γειά σου	hi, good-by	γραβάτα (ἡ)	tie
γειτονιά (ἡ)	neighborhood	γράμμα (τό)	letter
γελῶ 21	to laugh	γραμματόσημο(ν) (τό)	stamp
γεμάτος	full	γραφεῖο(ν) (τό)	office
γένεια (τά) γε-	beard	γράφω 12	to write
νενειάς (ἡ)		γρήγορα/γλήγορα	fast
γενικά	generally	γρίππη (ἡ)	influenza
γενναιοδωρία (ἡ)	generosity	γυιός (ὁ)	son
γεννιέμαι 25	to be born	γυναίκα (ἡ)	wife, woman
Γερμανίδα (ἡ)	German woman	γυρίζω 18	to turn about, return
γερμανικός	German (adj.)		
Γερμανός (ὁ)	German	γύρω	around
γερνῶ 25	to get older	_Δ_	
γέρος (ὁ)	old man		
γερός	healthy	δάχτυλο/δάκτυλο(ν)	toe, finger
γευστικός	tasty	(τό)	
γεωργός (ὁ)	farmer	δέ	but, now, then

δείχνω 9	to show, display	διάρκεια (ἡ)	duration
δέκα	ten	κατά τήν διάρκεια	during
δεκαεννέα	nineteen	διαρκῶ 13	to last
δεκαέξι	sixteen	διασκέδασις (ἡ)	fun
δεκαεπτά	seventeen	διασταύρωσις (ἡ)	crossing
δεκαοκτώ	eighteen	διαφημίζω 15	to advertise
δεκαπέντε	fifteen	διαφορά (ἡ)	difference
δεκατέσσερα	fourteen	διαφορετικός	different
δεκατρία	thirteen	διάφορος	various
δέμα (τό)	package	διαφωνῶ 21	to disagree
δέν	not	διεθνής	international
δέντρο/δένδρο(ν)	tree	διέξοδος (ἡ)	outlet, alternative
(τό)		διεύθυνσις (ἡ)	address
δεξιά	to the right	δίκαιον (τό)	right, law
δέρμα (τό)	skin, leather	ἔχετε δίκηο	you are right
δεσποινίς (ἡ)	young lady	δικαιολογία (ἡ)	pretext, justification,
Δευτέρα (ἡ)	Monday		excuse
δεύτερος	second	δικηγόρος (ὁ)	lawyer
δέχομαι 17	to receive, accept,	δικός	one's own
	admit	δίνω 9	to give
δηλαδή	that is to say	διότι	because
δημαρχία (ἡ)	town hall	δίπλα	side-by-side
δημόσιος	public		beside
διαβάζω 8	to read	διπλανός	next door (adj.)
διαβατήριο(ν) (τό)	passport	διπλωματικός	diplomatic
διαθέσιμος	available	διπλωματικό σῶ-	diplomatic corps
διακοπές (οἱ)	vacation	μα (τό)	
διακοπή (ἡ)	interruption	δίφα (ἡ)	thirst
διακόπτω 17	to interrupt	διφῶ 4	to be thirsty
διακοσμημένος	decorated	δοκιμάζω 6	to try, to sample, taste
διάλειμμα (τό)	intermission, break	δολλάριο(ν) (τό)	dollar
διαμέρισμα (τό)	apartment	δόντι (τό)	tooth

δουλειά (ή) — work, job
δουλεύω 11 — to work
δραματικός — dramatic
δραχμή (ή) — drachma
δρόμος (ὀ) — road
δροσιά (ή) — coolness
δύναμις/-η (ή) — strength, power
δυνατά — strongly, louder
δυνατός — strong
δύο — two
δυσκολία (ή) — difficulty, trouble
δύσκολος — difficult
δυστύχημα (τό) — accident, misfortune
δυστυχῶς — unfortunately
δώδεκα — twelve
δωμάτιο (τό) — room

E

ἐάν — if
ἑαυτός — oneself
ἑβδομάδα (ή) — week
ἐγγονή (ή) — granddaughter
ἐγγόνια (τά) — grandchildren
ἐγγονός (ὀ) — grandson
ἐγκρίνω 17 — to approve
ἐγχείρησις (ή) — operation
ἐγχειρίζομαι 25 — to be operated
ἐγώ — I
ἔδαφος (τό) — soil, earth, ground
ἐδῶ — here
ἐδωδιμοπωλεῖον (τό) — grocery
ἔθιμο(ν) (τό) — custom

ἐθνικός — national
εἶδος (τό) — kind
εἴκοσι — twenty
εἶμαι — to be
εἰσιτήριο(ν) (τό) — ticket
εἰσπράκτωρ/-ας (ὀ) — bus conductor
εἴτε....εἴτε — either, or
ἐκ/ἐξ — from
ἐκεῖ — there
ἐκεῖνος — that (one)
ἔκθεσις (ή) — exhibition
ἐκκλησία (ή) — church
ἐκλογές (οἱ) — elections
ἐκλογή (ή) — choice
ἐκτιμῶ 17 — to appreciate
ἐκτός — besides, except
ἕλκος (τό) — ulcer
Ἑλλάδα/Ἑλλάς (ή) — Greece
Ἕλληνας/Ἕλλην(ὀ) — Greek
Ἑλληνίδα/Ἑλληνίς (ή) — Greek woman
ἑλληνικά (τά) — Greek language
ἑλληνικός — Greek (adj.)
ἐλπίδα/ἐλπίς (ή) — hope
ἐλπίζω 12 — to hope
ἐμπόριο(ν) (τό) — commerce
ἔμπορος (ὀ) — bussinessman
ἐμπρός! — hello, come in!
ἕνας — one
ἐνδιαφέρον (τό) — interest
ἐνδιαφέρω 17 — to interest someone
ἐννέα/ἐννιά — nine

ἐννοῶ 5	to mean	ἐπεισόδιο(ν) (τό)	incident, recurrence
ἐνοίκιο(ν) (τό)	rent	ἐπί	on, upon, during, for
ἔνοικος (ὁ)	lodger, tenant		
ἔνδεκα/ἔντεκα	eleven	ἐπιβάτης (ὁ)	passenger
ἔντονος	intense	ἐπίδρασις (ἡ)	influence
ἐντύπωσις (ἡ)	impression	ἐπικίνδυνος	dangerous
ἐξαδέρφη (ἡ)	cousin (F)	ἐπιπλέον	furthermore
ἐξάδερφος	cousin (M)	ἔπιπλο(ν) (τό)	piece of furniture
ἐξαιρετικός	excellent	ἐπιπλοκή (ἡ)	complication
		ἐπιπλωμένος	furnished
ἐξ αἰτίας	for that reason, because	ἐπίσης	also, same to you
		ἐπισκέπτομαι 12	to visit
ἐξ ἄλλου	besides	ἐπίσκεψις (ἡ)	visit
	anyway	ἐπιστρέφω 11	to come back, return
ἐξάπαντος	surely		
ἐξαρτᾶται 17	it depends	ἐπιταγή (ἡ)	money order
ἔξαφνα	suddenly	ἐπί τέλους	at last, at any rate
ἐξετάζω 25	to examine	ἐπιτηδειότητα/-της (ἡ)	skill
ἐξηγῶ 10	to explain		
ἕξι	six	ἐπιτρέπω 5	to allow
ἔξοδο(ν) (τό)	expense	ἐπιτυχία (ἡ)	success
ἐξοχή (ἡ)	country side	ἐποχή (ἡ)	epoch, season
ἐξυπηρετῶ 11	to serve	ἐργάζομαι 18	to work
ἔξυπνος	intelligent	ἐργασία (ἡ)	work
ἔξω	outside	ἐργάτης (ὁ)	workman
ἐξωτερικό(ν) (τό)	abroad	ἔργο (τό)	play, project
ἐξωτερικός	exterior	ἐργοστάσιο(ν) (τό)	factory
ἐορτάζω 20	to celebrate	ἐρείπια (τά)	ruins
ἑορτή (ἡ)	holiday festival	ἔρχομαι 11	to come
		ἐρχόμενος	next, coming
ἐπαναλαμβάνω 8	to repeat	ἐρώτησις (ἡ)	question
ἐπειδή	because	ἐστιατόριο(ν) (τό)	restaurant

ἐσωτερικό(ν) (τό)   interior, telephone extension

ἑταιρεία (ἡ)   company

ἑτοιμάζομαι 25   to get ready

ἕτοιμος   ready

ἔτος (τό)   year

ἔτσι   so, thus

εὐγενής   polite

εὐθύνη (ἡ)   responsibility

εὐκαιρία (ἡ)   opportunity, chance

εὔκολα   easily

εὔκολος   easy

εὐρωπαϊκός   European (adj.)

Εὐρωπαῖος (ὁ)   European

εὐτυχία (ἡ)   happiness

εὐτυχισμένος   happy

εὐτυχῶς   fortunately

εὔφορος   fertile

εὐχαρίστησις (ἡ)   pleasure

εὐχάριστος   pleasant

εὐχαριστῶ 1   to thank

εὐχαρίστως   gladly

εὔχομαι 14   to wish

ἐφέτος   this year

ἐφημερίδα/-ρίς (ἡ)   newspaper

ἐφοπλιστής (ὁ)   ship owner

ἐφ᾽ὅσον   since, because

ἑπτά/ἐφτά   seven

ἐχθρός (ὁ)   enemy

ἔχω 4   to have

ἕως   until, so far as

ἕως ὅτου   until

Z

ζάχαρη (ἡ)   sugar

ζέστη (ἡ)   heat

ζεστός   hot, warm

ζητῶ 14   to look for

ζῶ 10   to live

ζωή (ἡ)   life

H

ἤ   or

ἤδη   already

ἠθοποιός (ὁ)   actor

ἠλεκτρικό(ν) (τό)   electricity

ἡλικιωμένος   old age

ἥλιος (ὁ)   sun

ἡμέρα/μέρα (ἡ)   day

ἡπατῖτις (ἡ)   hepatitis

ἡσυχία (ἡ)   quietness, peace

ἥσυχος   quiet

Θ

θάλασσα (ἡ)   sea

θαλασσινά (τά)   shellfish

θαλπωρή (ἡ)   warmth, comfort

θαῦμα (τό)   wonder, miracle, wonderful

θαυμάσια   excellent

θαυμάσιος   wonderful

θέα (ἡ)   view

θέαμα (τό)   spectacle, view

θέατρο(ν) (τό)   theater

θέλω 4   to want

θέμα (τό)	subject, theme	ἰσπανικός	Spanish (adj.)
θεός (ὁ)	God	Ἰσπανός (ὁ)	Spaniard
δόξα τῶ θεῶ	Thank God	ἰστορία (ἡ)	history, story
δόξα σοι ὁ θεός		ἰστορικό(ν) (τό)	history of illness
θεραπεύομαι 25	to be cured	ἴσως	maybe
θέρμανσις (ἡ)	heating	Ἰταλός (ὁ)	Italian
θερμοκρασία (ἡ)	temperature	ἰχθιοπωλεῖον (τό)	fish market
θερμόμετρο(ν) (τό)	thermometer		
θέσις (ἡ)	place, position, seat	**K**	
Θεσσαλονίκη (ἡ)	Thessaloniki	καθαρίζω 13	to clean
θεωρῶ 14	to consider, give visa	καθαρός	clean
θεία (ἡ)	aunt	κάθε	every, each
θεῖος (ὁ)	uncle	κάθε ἄλλο	not at all, far from it
θυμᾶμαι 23	to remember, to recall		
θυμίζω 20	to remind	καθένας	each one, every one
θυμώνω 17	to be angry	καθηγητής (ὁ)	professor, instructor
θυρίδα/-ρίς (ἡ)	small window	καθηγήτρια (ἡ)	professor (F)
θυρωρός (ὁ)	doorman, janitor	καθόλου	at all
		κάθομαι 17	to sit down
I		καθυστέρησις (ἡ)	delay
ἰατρεῖο(ν) (τό)	doctor's office	καθυστερῶ 22	to delay
ἰατρός (ὁ)	doctor	καί	and
ἰδέα (ἡ)	idea	καί τά λοιπά	etc.
ἰδιαίτερα	especially	καινούργιος	new
ἰδιοκτήτης (ὁ)	owner, proprietor	καιρός (ὁ)	weather, time
ἴδιος	same	κακοκαιρία (ἡ)	bad weather
ἴδρυμα (τό)	establishment	κακός	bad
	institution	καλά	well
ἱκανοποιῶ 24	to satisfy	καλημέρα	good morning
ἱλαρά (ἡ)	measles	καληνύχτα/-νύκτα	good night
ἴσια	straight	καλησπέρα	good evening
Ἰσπανίδα (ἡ)	Spanish woman	καλλιτέχνης (ὁ)	artist

καλοκαίρι (τό)	summer	κατάστρωμα (τό)	deck (of a ship)
καλός	good, nice	κατ'εὐθεῖαν	straight ahead
καλωσύνη (ἡ)	kindness	κάτι	something
κάλτσα (ἡ)	sock, stocking	κάτοικος (ὁ)	inhabitant
καλύπτω 25	to cover	κατορθώνω 17	achieve, succeed, obtain
καμπίνα (ἡ)	cabin, berth	κάτω	under, down
κανείς/κανένας	any, some	καϋμένος	poor one
κανονικός	regular, ordinary	καφενεῖο(ν) (τό)	cafe
κάνω 4	to do, make	καφές (ὁ)	coffee
καπαρόνω 24	to pay in advance	κεντρικός	central
καπνίζω 17	to smoke	κέντρο(ν) (τό)	center
κάποιος	someone	κεράσι (τό)	cherry
κάποτε	sometimes	κερδίζω 20	to gain, win
κάπου	somewhere	κεφάλι (τό)	head
κάπου-κάπου	here and there, from time to time	κῆπος (ὁ)	garden
καράβι (τό)	ship	κιθάρα (ἡ)	guitar
καρδιά (ἡ)	heart	κιλό (τό)	kilogram
καρδιολόγος (ὁ)	cardiologist	κινηματόγραφος (ὁ)	movie theatre
καρδιογράφημα (τό)	cardiogram	κίνησις (ἡ)	movement, motion
καρέκλα (ἡ)	chair	κίτρινος	yellow
καρκίνος (ὁ)	cancer	κλασσικός	classic
κάστρο(ν) (τό)	fortress	κλειδί (τό)	key
κατά	towards, against, during	κλείνω 23	to close
κατά τά ἄλλα	as for the rest	κλειστός	closed
καταγοητευμένος	delighted	κλῖμα (τό)	climate
καταλαβαίνω 10	to understand	κόβω 21	to cut
κατάλληλος	suitable, proper	κοιμᾶμαι 13	to sleep
κατανόησις (ἡ)	understanding	κοινωνικός	social
κατάπληξις (ἡ)	astonishment	κοιτάζω 12	to look, see
καταπράσινος	very green	κοκκορέτσι (τό)	dish made of intestines
κατάστασις (ἡ)	condition, situation		
κατάστημα (τό)	store, shop	κολακεύω 22	to flatter

κολώνα (ἡ)	column, pilar	κρέας (τό)	meat
κολυμπῶ 24	to swim	κρεββάτι (τό)	bed
κόμμα (τό)	party (political)	κρεββατοκάμαρα (ἡ)	bedroom
κομμάτι (τό)	piece	κρεοπωλεῖον (τό)	butcher's shop
κομμωτήριο(ν) (τό)	beauty salon	Κρητικός (ὁ)	Cretan
κοντά	near, short	κρῖμα (τό)	pity, shame
κοντεύω 10	to be near	κρύο	cold
κόπος (ὁ)	effort	κρύος	cold (adj)
δέν ἀξίζει τόν	it isn't worth	κρυωμένος	one who has cold
κόπο	while	κτῆμα (τό)	farm
κόρη (ἡ)	daughter	κτηματομεσιτικός	real estate (adj.)
κορίτσι (τό)	girl	κτίζομαι 24	to be built
κορφή (ἡ)	top, summit	κτίζω 19	to build
κόσμος (ὁ)	world, people	κτίριο(ν) (τό)	building
κοστίζει 24	it costs	κυρία (ἡ)	lady, madam
κοτόπουλο(ν) (τό)	chicken	Κυριακή (ἡ)	Sunday
κουβέντα (ἡ)	conversation, talk	κύριος (ὁ)	Mr., gentleman
κουζίνα (ἡ)	kitchen, cousine	κυττάζω 12	to look
κουλούρι (τό)	doughnut		
κουρασμένος	tired		

Λ

κουράζομαι 18	to be tired	λαβαίνω 15	to receive
κουρέας (ὁ)	barber	λαβαίνω μέρος	to participate
κουρεῖο(ν) (τό)	barber shop	λάθος (τό)	mistake
κουρεύομαι 21	to have a haircut	λαϊκός	popular
κουρεύω 21	to cut one's hair	λαιμός (ὁ)	neck, throat
κούρσα (ἡ)	car	λαός (ὁ)	people
κουστούμι (τό)	suit	λάστιχο (τό)	tire
κουτάλι (τό)	spoon	λαχανικά (τά)	vegetables
κουταμάρα (ἡ)	nonsense	λέ(γ)ω 6	to tell, say
κουτί (τό)	box	λείπω 19	to miss, loose
κρασί (τό)	nine	λεμόνι (τό)	lemon
κρατῶ 15	to keep	λέξις (ἡ)	word

λεπτό(ν) (τό)	minute	μακρυά	far, long
λεπτομέρεια (ἡ)	detail	μάλιστα	yes, certainly
λεφτά (τά)	money	μαλλιά (τά)	hair
λεωφορεῖο(ν) (τό)	bus	μάλλινος	woolen
λιγάκι	a little	μᾶλλον	rather, quite
λίγο	a little	μανάβικο (τό)	vegetable store
λίγος	little, short	μαρμελάδα (ἡ)	marmelade
λιμάνι (τό)	harbor, port	μάταιος	useless, vain
λογαριασμός (ὁ)	bill, account	μαχαίρι (τό)	knife
λόγος (ὁ)	word, reason, speech	μέ	with
λοιπόν	well	μεγαλόπολις (ἡ)	large city
λουτρό(ν) (τό)	bathroom	μεγάλος	big, large
λουτρόπολις (ἡ)	resort, spot	μέγεθος (τό)	size
λοχίας (ὁ)	sergeant	μεθαύριο(ν)	day after tomorrow
λυπᾶμαι 12	to be sorry	μειονέκτημα (τό)	disadvantage
		μέλι (τό)	honey
		μέλος (τό)	member

M

μά	but	τά μέλη τοῦ σώ-ματος	parts of human body
μαγαζί (τό)	small store		
μάγειρας (ὁ)	cook	μέν	indeed
μαγνητοφωνικός	magnetic	μενού (τό)	menu
μαγνητοφωνική ται-νία	tape	μένω 9	to remain, stay
		μερικός	some, any, few
μαθαίνω 8	to learn	μέρος (τό)	place, toilet
μάθημα (τό)	lesson	μέσα	inside, in
μαζεύω 15	to gather, collect, amass	μεσημέρι (τό)	noon
		μέσο(ν) (τό)	means
μαζί	with, together	μετά	afterwards
μαιευτήρ γυνεκο-λόγος	obstetrician, gynecolologist	μεταξωτός	made of silk
		μεταξύ	between
μαιευτήριον (τό)	maternity hospital	μεταφράζω 8	to translate
μακάρι	even if	μετα ειρίζομαι 17	to use, treat

μέτρα (τά)	measurements	μπαλκόνι (τό)	balcony
μέχρι	until	μπαμπάς (ὁ)	daddy
μηδέν	cero	μπάνιο (τό)	bathroom
μῆλο(ν) (τό)	apple	μπίρα (ἡ)	beer
μήν	don't	μπορῶ 6	be able, can
μήνας (ὁ)	month	μπριζόλα (ἡ)	steak
μήπως	by any chance	μπροστά	in front
μητέρα (ἡ)	mother	μύδι (τό)	mussels
μηχανικός	engineer	μυρωδιά (ἡ)	smell, scent, fragrance
μιά πού	since	μύτι (ἡ)	nose
μικροβιολόγος	microbiologist	μωρό (τό)	baby
μικρός	small		
μιλῶ 8	to speak		
μισθός (ὁ)	salary	ναί	yes
μισός	half	νάϋλον	nylon
μνηστή (ἡ)	fiancée	ναός (ὁ)	temple
μόδα (ἡ)	mode, fashion	ναύτης (ὁ)	sailor
μοιάζω 17	to resemble	ναυτικό(ν) (τό)	navy
μοιράζω 24	to share	ναυτικός	naval, maritime
μόλις	just, as soon as	νέα (τά)	news
μολύβι (τό)	lead	Νέα 'Υόρκη (ἡ)	New York
μόνο	only	νέος	young
μόνος	self, alone, single	νερό (τό)	water
μοντέρνος	modern	νευρασθενής	neurotic
μορφωμένος	educated	νευρολογική κλι-	neurological clinic
μουσακάς (ὁ)	musaka	νική (ἡ)	
μουσεῖο(ν) (τό)	museum	νησί (τό)	island
μουσική (ἡ)	music	νοιάζω 12	to mind, to be bother
μουστάκι (τό)	mustache	νοικιάζομαι 24	to be rented
μπά!	no!	νοικιάζω 24	to rent
μπαίνω 21	to enter	νομίζω 7	to think
μπακάλικο (τό)	grocery	νοσηλεύομαι 25	to be treated (patient)

N

νοσοκομεῖο(ν) (τό)	hospital	ὄγδοος	eighth
νοσοκόμος	medic, nurse	ὁδηγός (ὁ)	guide, driver
νοστιμάδα (ἡ)	taste, flavor	ὁδηγῶ 16	to drive, guide
νόστιμος	tasty, pretty	ὀδοντίατρος (ὁ)	dentist
ντόπιος	native, local	ὁδός (ἡ)	street
ντουζίνα (ἡ)	dozen	οἰκογένεια (ἡ)	family
νύχτα/νύκτα (ἡ)	night	οἰκονομία (ἡ)	economy
νυχτερινός	nocturnal	οἰκονομικός	economic
νωρίς	early	οἰκονομῶ 13	save (money)
		ὀκτώ/ὀχτώ	eight
		ὅλος	all

Ξ

ξαναζῶ 23	to live again	ὁμιλητικός	talkative
ξαναλέω 22	to talk over again	ὁμολογῶ 20	to admit, confess
ξαναπαίρνω 24	to call back	ὄμορφα	beautifully
ξαναπηγαίνω 18	to go again	ὀμορφιά (ἡ)	beauty
ξαναφέρνω 23	to bring back	ὄμορφος	beautiful
ξαπλώνω 25	to lay down	ὅμως	however
ξεκινῶ 22	to start, movie	ὄνειρο(ν) (τό)	dream
ξενοδοχεῖο(ν) (τό)	hotel	ὄνομα (τό)	name
ξένος	stranger, guest	ὁποῖος (ὁ)	which, who
ξεπερνῶ 16	to by-pass	ὅπου	anywhere, wherever
ξερός	dry	ὅπως	as
ξέρω 6	to know	ὁπωσδήποτε	by all means
ξεφεύγω 21	to escape, slip	ὄρεξις (ἡ)	appetite
ξεχνῶ 15	to forget	ὁρίστε	here it is!
ξοδεύω 18	to spend	ὄροφος (ὁ)	floor, story
ξύλο (τό)	piece of wood	ὅσον ἀφορᾶ	concerning, about
ξυπνῶ 13	to wake up	ὅταν	when
ξυρίζομαι 21	to shave oneself	ὅτι	that
ξυρίζω 21	to shave	ὅ,τι	whatever, anything
		οὖζο (τό)	rakee
		οὐρά (ἡ)	line, tail
		οὖρα (τά)	urine

οὔτε	neither, nor, even	παπ(π)ᾶς (ὁ)	priest
ὀφθαλμίατρος	ophtalmologist	παπποῦς (ὁ)	grandfather
ὄχι	no	παπούτσι (τό)	shoe
ὄψις (ἡ)	appearence	πάρα	very
		παρά	minus

Π

παγκόσμιος	world (adj.)	παραγγέλνω 9	to order
πάγος (ὁ)	ice	παράγω 19	to produce
παγωτό (τό)	ice cream	παραδείγματος χάριν	for example
παθαίνω (18	to suffer, happen	παραδίνω 20	to deliver, surrender
παθολόγος	doctor (gen.pract.)	παράθυρο(ν) (τό)	window
παιδί (τό)	child	παρακαλῶ 1	to beg, please!
παιδίατρος	pediatrician	παραλία (ἡ)	sea shore
παίζω 15	to play	παραμικρός	very small
παίρνω 9	to take	Παρασκευή (ἡ)	Friday
πακέτο (τό)	pack	παρελθόν (τό)	past
παληόκαιρος (ὁ)	bad weather	παρεξηγῶ 17	to misunderstand
παληός	old	Παρθενών/-ας (ὁ)	Parthenon
πάλι	again	Παρίσι (τό)	Paris
παλληκαριά (ἡ)	bravery	παρόν (τό)	present
πανέμορφος	very beautiful	πρός τό παρόν	at present
πανεπιστήμιο(ν) (τό)	university	Πάρος (ἡ)	Paros
		πάστα (ἡ)	pastry
πανσιόν (ἡ)	boarding-house	πάσχω 25	to suffer
πάντα	always	πατάτα (ἡ)	potato
πάντοτε	always	πατέρας (ὁ)	father
παντοῦ	everywhere	πάτωμα (τό)	floor
πάντως	anyhow	πεδιάδα/-διάς (ἡ)	plain
παντρεμμένος	married	πεζοδρόμιο(ν) (τό)	sidewalk
παντρεύομαι 12	to get married	πεζός (ὁ)	pedestrian
πάνω	up	πεθερά (ἡ)	mother-in-law
πάνω-κάτω	more or less	πεθερός (ὁ)	father-in-law
πάπια (ἡ)	duck	πείθω 17	to persuade, convince

320

		περπατῶ 16	to walk
πεῖνα (ἡ)	hunger	πέρ(υ)σι	last year
πεινῶ 6	to be hungry	πέτρα (ἡ)	stone
πεῖρα (ἡ)	experience, practice	πετσέτα (ἡ)	napkin
πειράζω 18	to bother, tease	πετῶ/-άω 19	to fly, throw
δέν πειράζει	never mind!	πηγαίνω 5	to go
πελάτης (ὁ)	customer	πηροῦνι (τό)	fork
Πέμπτη (ἡ)	Thursday	πιάνω 20	to catch, seize, grasp
πενήντα	fifty	πιασμένος	occupied, taken
πεντακοσάρικο (τό)	five hundred bill	πιάτο (τό)	plate
πεντακόσια	five hundred	πίεσις (ἡ)	pressure
πέντε	five	πιθανόν	probably
πέρα	on the other side	πίνακας/πίναξ (ὁ)	painting, blackboard
θά τά βγάλω πέρα	to make ends meet	πίνω 4	to drink
περασμένος	last past	πιό	more
περάστε	after you	πιπέρι (τό)	pepper
περαστικά	get well soon	πιστεύω 15	to believe
περίεργος	curious, peculiar	πίσω	behind
περιμένω 12	to wait	πλατάνι (τό)/	plane tree
περιοδικό (τό)	magazine	πλάτανος (ὁ)	
περιοχή (ἡ)	space, area, region	πλατεία (ἡ)	city square
περίπατος (ὁ)	walk, stroll	πλεονέκτημα (τό)	advantage
περίπου	about, approximately	πληροφορία (ἡ)	information
περίπτωσις (ἡ)	case	πληρώνω 11	to pay
ἐν πάση περι-πτώσει	in any case	πλησιάζω 22	to come near
		πλοίαρχος (ὁ)	captain
ἐν τοιαύτη περι-πτώσει	anyway	πλοῖο(ν) (τό)	ship
		πλούσιος	rich
περισσότερο(ν)	most, mostly	πλοῦτος (ὁ)	wealth
περισσότερος	most (adj.)	πλυντήριο (τό)	laundry
περιττός	useless, unnecesary	πνεύμων (ὁ)	lung
περίφημος	famous	πόδι (τό)	foot, leg
περνῶ 12	to pass	ποικιλία (ἡ)	variety

ποιός	which, who	πραγματικά	really
πόλεμος (ὁ)	war	πραγματικός	real
πόλις (ἡ)	city	πραγματικότητα/-της (ἡ)	reality
πολιτικός	political		
πολιτισμός (ὁ)	culture, civilization	πράσινος	green
πολύ	very much	πρέπει 6	must, should
πολυθρόνα (ἡ)	armchair	πρεσβεία (ἡ)	embassy
πολυκατοικία (ἡ)	apartment house	πρεσβευτής (ὁ)	ambassador
πολυσκέπτομαι 22	to think to much, to pay to much attention	πρίν	before, ago
		πρό	before
πολυτέλεια (ἡ)	luxury	πρό μηνός	a month ago
πολυτεχνεῖο(ν) (τό)	school of technology	πρόγευμα/πρωϊνό (τό)	breakfast
πονοκέφαλος (ὁ)	headache	προηγούμενος	previous
πόνος (ὁ)	pain	προηγουμένως	previously
πονῶ 25	to feel pain	πρόθεσις (ἡ)	intention, purpose
πόρτα (ἡ)	door	προίκα (ἡ)	dowry
πορτοκάλι (τό)	orange	προϊστάμενος (ὁ)	chief, boss, superior
πόσο	how much	προκαλῶ 21	to provoke
πόσος	how much, how many	προκαταβολή (ἡ)	down payment, retainer
ποσότητα/-της (ἡ)	amount, quantity	προκαταβολικῶς	in advance
πότε	when	πρόκειται 17	it is about
ποτέ	never	προκυμαία (ἡ)	wharf
τοτήρι (τό)	glass	προλαβαίνω 22	to anticipate, to catch, (bus, etc.)
ποτό(ν) (τό)	drink		
πού	who, which, that	προξενεῖο(ν) (τό)	consulate
ποῦ	where	πρόξενος (ὁ)	consul
πουθενά	nowhere	προορισμός (ὁ)	destination, predestination
πουκάμισο(ν) (τό)	shirt		
πουλῶ 5	to sell	προπληρώνω 24	to pay in advance
πουρμπουάρ (τό)	tip	πρός	towards
πρᾶγμα (τό)	thing	προσέχω 21	to watch, to take care
πράγματι	indeed		

προσιτός	accessible
πρόσκλησις (ἡ)	invitation
προσοχή (ἡ)	attention
προσπαθῶ 16	to try
προσφέρω 18	to offer
πρόσωπο(ν) (τό)	face
πρότασις (ἡ)	offer, proposal
προτείνω 11	to offer, suggest
προτιμῶ 5	to prefer
προχθές	day before yesterday
πρωΐ (τό)	morning
πρῶτα	previously, first
πρωτεύουσα (ἡ)	capital
πρῶτος	first
πυρεττός (ὁ)	fever
πῶς	how
πώς	that

P

ραντεβοῦ (τό)	rendez-vous
ράφτης (ὁ)	tailor
ρετιρέ (τό)	pent-house
ρετσίνα (ἡ)	retsina
ρίχνω 12	to throw
ροδάκινο(ν) (τό)	peach
ρόλος (ὁ)	role
Ρωσσίδα (ἡ)	Russian woman
ρωσσικός	Russian (adj.)
Ρῶσσος (ὁ)	Russian
ρωτῶ/-άω 8	to ask

Σ

Σάββατο(ν) (τό)	Saturday
Σαββατοκύριακο (τό)	weekend
σαλάτα (ἡ)	salad
σαλόνι (τό)	living room
σάν	like
σαράντα	forty
σαρδέλλα (ἡ)	sardine
σέ	in, at, to
σημαίνει 16	it means
σημαντικός	important
σημασία (ἡ)	meaning
σήμερα	today
σημερινός	contemporary
σιγά	slowly
σκάλα (ἡ)	stairs, ladder
σκέπτομαι 14	to think, have in mind
σκέτος	unseewtened
σκλάβος (ὁ)	slave
σκληρός	hard, tough
σκοπεύω 13	to plan, intend
σκοπός (ὁ)	intention, purpose
σκοτώνω 20	to kill
σκουπίζω 13	to sweep
σκωληκοειδῖτις (ἡ)	appendicitis
σουβλάκι (τό)	shishkebab
σούπα (ἡ)	soup
σοφέρ (ὁ)	chauffer
σπατάλη (ἡ)	waste
σπάταλος	wasteful, extravagant

σπίρτο(ν) (τό)	match	συμβόλαιο(ν) (τό)	contract
σπίτι (τό)	house, home	συμβουλεύομαι 18	to consult, to be advised
σπουδάζω 8	to study		
σπουδαῖος	important	συμβουλή (ἡ)	advice
στάδιο(ν) (τό)	stadium	συμφοιτητής (ὁ)	fellow student
σταθμάρχης (ὁ)	station master	σύμφωνα	according to
σταθμός (ὁ)	station	συμφωνῶ 7	to agree
σταματῶ 13	to stop	συνάδελφος (ὁ)	colleague
στάσις (ἡ)	stop	συνηθίζω 9	to get used
σταυρός (ὁ)	cross	συνηθισμένος	accustomed, used to
σταφύλι (τό)	grape	συνήθως	usually
στέλνω 12	to send	συνοικία (ἡ)	section (of a city)
στήλη (ἡ)	column	συσταίνω 5	to introduce
στιγμή (ἡ)	instant	συστημένος	registred
στόμα (τό)	mouth	συχνά	frequently
στομάχι (τό)	stomach	συχνάζω 10	to frequent
στρατιώτης (ὁ)	soldier	σφαίρα (ἡ)	bullet
στρατός (ὁ)	army	σχέδιο(ν) (τό)	design
στρατώνας/-τῶν (ὁ)	barrack	σχεδόν	almost
στρείδι (τό)	oyster	σχολεῖο(ν) (τό)	lower school
στρώνω 13	to spread out	σχολή (ἡ)	school, faculty
συγγνώμη (ἡ)	pardon	σῶμα (τό)	body
συγγραφέας/-φεύς (ὁ)	writer	σωπαίνω 17	to be quiet, silence
συγκατάθεσις (ἡ)	approval		
συγκοπή (ἡ)	heart attack	_T_	
συγχαρητήρια (τά)	congratulations	ταβέρνα (ἡ)	tavern
συγχρόνως	simultanuosly	τάδε (ὁ)	so-and-so
συγχωρῶ 2	to excuse	ταινία (ἡ)	film, ribbon, band
συζήτησις (ἡ)	discussion, conversation	ταμεῖο(ν) (τό)	cashier's office
		ταξιδεύω 11	to travel
σῦκο(ν) (τό)	fig	ταξίδι (τό)	trip
συμβαίνει 16	it happens	τάξις (ἡ)	class, order

ἐν τάξει	O.K.	τόσος	so much, so many
ταράτσα (ἡ)	terrace	τότε	then
ταχυδρομεῖο(ν) (τό)	post office	τότε πού	at the time that
ταχυδρόμος (ὁ)	mailman	τοὐλάχιστον	at least
ταχυδρομῶ 12	to mail	τοὐναντίον	on the contrary
ταχήτητα/-της (ἡ)	speed	τουρίστας (ὁ)	tourist
τέλειος	perfect	τουριστικός	touristic
τελειώνω 13	to finish	τραγουδῶ 23	to sing
τελείως	completely	τραγωδία (ἡ)	tragedy
τελευταῖος	last	τρένο (τό)	train
τέλος (τό)	end	τράμ (τό)	streetcar
τεμπέλης	lazy	τράπεζα (ἡ)	bank
τέσσερεις	four	τραπεζάκι (τό)	small table
Τετάρτη (ἡ)	Wednesday	τραπεζαρία (ἡ)	dining room
τέταρτο(ν) (τό)	quarter	τραπέζι (τό)	table, desk
τέτοιος	such	τρελλός	mad, crazy
τετράγωνο(ν) (τό)	block (city)	τρέχω 16	to run
τετρακόσια	400	τρία	three
τέχνη (ἡ)	art	τρ(ι)ακόσια	three hundred
τηλεγραφεῖο(ν) (τό)	telegraph office	τριάντα	thirty
τηλεγράφημα (τό)	telegram	Τρίτη (ἡ)	Tuesday
τηλεφωνικός	telephone (adj.)	τρομερός	terrible
τηλέφωνο(ν) (τό)	telephone	τρόπος (ὁ)	manner
τηλεφωνῶ 15	to telephone	τροχαία (κίνησις) (ἡ)	traffic
τί	what	τροχαῖος	rolling
τιμή (ἡ)	honor, price	τρό(γ)ω 6	to eat
τίποτα	anything, something nothing	τσάι (τό)	tea
		τσιγάρο/σιγαρέττο(ν) (τό)	cigarette
τμῆμα (τό)	section		
τοῖχος (ὁ)	wall	τυχαία	accidentally
τοπίο(ν)	landscape	τυχαίνω 24	to happen
τόσο	so (much)	τώρα	now

Υ

ὑγεία (ἡ)	health	ὑψηλός	high
ὑγιεινός	healthy	ὕψωμα (τό)	height
ὑγρασία (ἡ)	humidity		
ὑπάλληλος	employee		

Φ

ὑπάρχω 3	to exist	φαΐ/φαγητό(ν) (τό)	food
ὑπερβαίνω 24	to exceed, surpass	φαίνομαι 14	to appear, to look like
ὑπερβολή (ἡ)	excess, exageration	φανερός	obvious
		φαρμακεῖο(ν) (τό)	drug store
ὑπερβολικά	extremely,	φάρμακο(ν) (τό)	drug, medicine
	excessively	φασαρία (ἡ)	trouble, noise
ὑπερβολικός	extreme, excessive	φεγγάρι (τό)	moon
ὑπερήφανος	proud	φέρνω 11	to bring
ὑπέροχος	excellent	φεύγω 4	to leave, depart
ὑπερωκεάνιο(ν) (τό)	ocean liner	φημίζομαι 19	to be famous
ὑπηρεσία (ἡ)	service, maid	φθινόπωρο(ν) (τό)	autumn
ὑπηρέτης (ὁ)	servant	φιλάργυρος	stingy
ὑπηρέτρια (ἡ)	maid	φιλόξενος	hospitable
ὑπό	under	φίλος (ὁ)	friend
ὑπ'ὄψιν	under consideration	φιλοσοφικά	philosophically
ὑποβάλλω 25	to submit, suggest	φλυτζάνι (τό)	cup
ὑπογράφω 12	to sign	φοβᾶμαι 17	to be afraid
ὑπομονητικός	patient	φοιτητής (ὁ)	student
ὑποπρόξενος	vice-consul	φορά (ἡ)	time, occasion
ὑπουργεῖο(ν) (τό)	ministry	φορεσιά (ἡ)	man's suit
Ὑπουργεῖον Ἐξω-	Ministry of Foreign	φόρος (ὁ)	tax
τερικῶν (τό)	Affairs	φοῦρνος (ὁ)	oven
ὑπουργός (ὁ)	minister	φράσις (ἡ)	phrase
ὑποχρεώνω 15	to oblige	φρέσκος	fresh
ὕστερα	then, afterwards	φροῦτο(τό)	fruit
ὕφασμα (τό)	cloth, material	φρυγανιά (ἡ)	toast

φρύδι (τό)	eyebrow	χρησιμεύω 10	to serve
φτάνω 10	to arrive	χρησιμοποιῶ 9	to use
φτειάχνω/φιάχνω 15	to fix	χρήσιμος	useful
φτηνός	cheap	Χριστιανός	Christian
φτωχός	poor	Χριστούγεννα (τά)	Christmas
φυσικός	natural	χρόνιος	chronic
φύσις (ἡ)	nature	χρόνος (ὁ)	year
φωνάζω 17	to call, summon	τοῦ χρόνου	next year
φωνή (ἡ)	voice	χρόνια πολλά	many happy returns
φωτιά (ἡ)	fire	χρυσός	golden
φωτογραφία (ἡ)	picture, photo	χρῶμα (τό)	color
		χτένισμα (τό)	coiffure
Χ		χτίζομαι/κτίζομαι 24	to be built
χαιρετίσματα (τά)	greetings	χώρα (ἡ)	country, nation
χαίρω 5	to be glad	χωράφι (τό)	field
χάλια	terrible, miserable	χωρικός	villager
χαλῶ 15	to spoil, distroy	χωριό (τό)	village
		χωρίς	without
χάνω 19	to lose, miss		
χαρά (ἡ)	joy	**Ψ**	
εἶσθε μιά χαρά	you're in good shape	ψαρᾶς (ὁ)	fisherman
χάρη/χάρις (ἡ)	favor	ψάρι (τό)	fish
χασάπικο (τό)	butcher shop	ψέμα (τό)	lie
χειμώνας (ὁ)	winter	ψητός	roasted, baked
χειρούργος (ὁ)	surgeon	ψυχή (ἡ)	soul
χέρι (τό)	hand	ψυχιατρεῖον (τό)	mental institution
χθές	yesterday	ψυχίατρος	pshychiatrist
χιλιάδα/χιλιάς (ἡ)	thousand	ψυχοπαθής	psychopath
χιλιόμετρο(ν) (τό)	kilometer	ψωμί (τό)	bread
χρειάζομαι 18	to need	**Ω**	
χρήματα (τά)	money	ὥρα (ἡ)	hour
χρῆμα (τό)		ὡραῖος	beautiful
		ὠτορινολαρυγγολόγος	Otolaringologist

More selected BARRON'S titles:

DICTIONARY OF ACCOUNTING TERMS
Joel Siegel and Jae Shim
Approximately 2500 terms are defined for accountants, business managers, students, and small business persons.
Paperback, $8.95, Canada $13.50/ISBN 3766-9

DICTIONARY OF ADVERTISING AND DIRECT MAIL TERMS
Jane Imber and Betsy-Ann Toffler
Approximately 3000 terms are defined as reference for ad industry professionals, students, and consumers.
Paperback, $8.95, Canada $13.50/ISBN 3765-0

DICTIONARY OF BUSINESS TERMS
Jack P. Friedman, general editor
Over 6000 entries define a wide range of terms used throughout business, real estate, taxes, banking, investment, more.
Paperback, $8.95, Canada $13.50/ISBN 3775-8

DICTIONARY OF COMPUTER TERMS
Douglas Downing and Michael Covington
Over 600 key computer terms are clearly explained, and sample programs included. Paperback, $8.95, Canada $13.50/ISBN 2905-4

DICTIONARY OF INSURANCE TERMS
Harvey W. Rubin
Approximately 2500 insurance terms are defined as they relate to property, casualty, life, health, and other types of insurance.
Paperback, $8.95, Canada $13.50/ISBN 3722-3, 448 pages

BARRON'S BUSINESS REVIEW SERIES
Self-instruction guides cover topics taught in a college-level business course, presenting essential concepts in an easy-to-follow format.
Each book paperback $8.95, Canada $13.50, approx. 288 pages
ACCOUNTING, by *Peter J. Eisen*/ISBN 3574-7
BUSINESS LAW, by *Hardwicke and Emerson*/ISBN 3495-3
BUSINESS STATISTICS, by *Downing and Clark*/ISBN 3576-3
ECONOMICS, by *Walter J. Wessels*/ISBN 3560-7
FINANCE, by *A. A. Groppelli and Ehsan Nikhbakht*/ISBN 3561-5
MANAGEMENT, by *Montana and Charnov*/ISBN 3559-3
MARKETING, by *Richard L. Sandhusen*/ISBN 3494-5

BARRON'S TALKING BUSINESS SERIES:
BILINGUAL DICTIONARIES
Five bilingual dictionaries translate about 3000 terms not found in most foreign phrasebooks. Includes words related to accounting, sales, banking, computers, export/import and finance.
Each book paperback, $6.95, Canada $9.95, approx. 256 pages

TALKING BUSINESS IN FRENCH, by *Beppie LeGal*/ISBN 3745-6
TALKING BUSINESS IN GERMAN, by *Henry Strutz*/ISBN 3747-2
TALKING BUSINESS IN ITALIAN, by *Frank Rakus*/ISBN 3754-5
TALKING BUSINESS IN JAPANESE, by *C. & N. Akiyama*/
    ISBN 3848-7
TALKING BUSINESS IN SPANISH, by *T. Bruce Fryer and
    Hugo J. Faria*/ISBN 3769-3

Barron's Educational Series, Inc.
250 Wireless Boulevard, Hauppauge, NY 11788
Call toll-free: 1-800-645-3476, in NY 1-800-257-5729
In Canada: 195 Allstate Parkway, Markham, Ontario L3R4T8

FOREIGN PHRASE BOOKS Series

Barron's new series gives travelers instant access to the most common idiomatic expressions used during a trip — the kind one needs to know instantly, like "Where can I find a taxi?" and "How much does this cost?"

Organized by situation (arrival, customs, hotel, health, etc.) and containing additional information about pronunciation, grammar, shopping plus special facts about the country, these convenient, pocket-size reference books will be the tourist's most helpful guide.

Special features include a bilingual dictionary section with over 2000 key words, maps of each country and major cities, and helpful phonetic spellings throughout.
Each book paperback, 256 pp., 3¾" x 6"

ARABIC AT A GLANCE, Wise (2979-8) $5.95
CHINESE AT A GLANCE, Seligman, Chen (2851-1) $5.95
FRENCH AT A GLANCE, Stein (2712-4) $5.95
GERMAN AT A GLANCE, Strutz (2714-0) $5.95
ITALIAN AT A GLANCE, Costantino (2713-2) $5.95
JAPANESE AT A GLANCE, N. & C. Akiyama (2850-3) $5.95
KOREAN AT A GLANCE, Holt (3998-X) $5.95
SPANISH AT A GLANCE, Wald (2711-6) $5.95

BARRON'S

At your bookseller, or order direct adding 10% postage (minimum charge $1.50) plus sales tax.
BARRON'S, 250 Wireless Boulevard, Hauppauge, N.Y. 11788